# Sombras de um verão

## OBRAS DO AUTOR PUBLICADAS PELA EDITORA RECORD

*As areias do tempo*
*Um capricho dos deuses*
*O céu está caindo*
*Escrito nas estrelas*
*Um estranho no espelho*
*A herdeira*
*A ira dos anjos*
*Juízo final*
*Lembranças da meia-noite*
*Manhã, tarde & noite*
*Nada dura para sempre*
*A outra face*
*O outro lado da meia-noite*
*O plano perfeito*
*Quem tem medo de escuro?*
*O reverso da medalha*
*Se houver amanhã*

INFANTOJUVENIS
*Conte-me seus sonhos*
*Corrida pela herança*
*O ditador*
*Os doze mandamentos*
*O estrangulador*
*O fantasma da meia-noite*
*A perseguição*

MEMÓRIAS
*O outro lado de mim*

COM TILLY BAGSHAWE
*Um amanhã de vingança* (sequência de *Em busca de um novo amanhã*)
*Anjo da escuridão*
*Depois da escuridão*
*Em busca de um novo amanhã* (sequência de *Se houver amanhã*)
*Sombras de um verão*
*A senhora do jogo* (sequência de *O reverso da medalha*)
*A viúva silenciosa*
*A fênix*

SIDNEY SHELDON
e TILLY BAGSHAWE

# Sombras de um verão

*Tradução de*
Mariana Kohnert

9ª edição

EDITORA RECORD
RIO DE JANEIRO • SÃO PAULO

2024

CIP-BRASIL. CATALOGAÇÃO NA FONTE
SINDICATO NACIONAL DOS EDITORES DE LIVROS, RJ

Sheldon, Sidney, 1917-2007
S548s Sombras de um verão / Sidney Sheldon, Tilly Bagshawe; tra-
9ª ed. dução de Mariana Kohnert. – 9ª ed. – Rio de Janeiro: Record, 2024.

Tradução de: The tides of memory
ISBN 978-85-01-40430-5

1. Romance americano. I. Bagshawe, Tilly. II. Kohnert, Mariana. III. Título.

13-03842 CDD: 813
CDU: 821.111(73)-3

Título original em inglês:
The tides of memory



Texto revisado segundo o Acordo Ortográfico da Língua Portuguesa de 1990.



Editoração eletrônica: Abreu's System

Direitos exclusivos de publicação em língua portuguesa somente para o Brasil adquiridos pela
EDITORA RECORD LTDA.
Rua Argentina, 171 – Rio de Janeiro, RJ – 20921-380 – Tel.: (21) 2585-2000,
que se reserva a propriedade literária desta tradução.

Impresso no Brasil

ISBN 978-85-01-40430-5

*Dedicado a TK*

# Prólogo

— Mais alguma coisa, ministra do Interior?

Alexia De Vere sorriu. *Ministra do Interior*. Certamente as palavras mais bonitas que ela já ouvira. Exceto por *primeiro-ministro*, é claro. A nova estrela do Partido Tory riu de si mesma. *Um passo de cada vez, Alexia*.

— Não, obrigada, Edward. Ligarei se precisar de você.

Sir Edward Manning assentiu rapidamente e saiu do recinto. Servidor público sênior de 60 e poucos anos e bastião da ordem política de Westminster, Manning era alto, tinha cabelos grisalhos e era rígido como um palito de fósforo. Nos meses subsequentes, Sir Edward seria companhia constante de Alexia De Vere: aconselhando-a, alertando-a, guiando-a com experiência pelo labirinto da política do Ministério do Interior. Mas naquele momento, naquelas primeiras horas no trabalho, Alexia De Vere queria ficar sozinha. Queria saborear o gosto doce da vitória sem ter um público. Recostar-se e deleitar-se na excitação profunda do poder.

Afinal de contas, ela merecia.

Ao se levantar da mesa, Alexia caminhou pelo novo escritório, uma sala ampla e alta, localizada no topo de uma das torres góticas do Palácio de Westminster. A decoração interna era mais funcional do que fabulosa. Um conjunto de dois sofás feios e marrons em uma ponta (*estes dois precisam sair*); na outra, uma mesa simples, uma poltrona e uma estante de livros cheia de volumes empoeirados e não lidos de história política. Mas nada disso importava uma vez que se olhava a vista. Espetacular nem começava a descrevê-la. Janelas do chão ao teto forneciam uma vista panorâmica de Londres, das torres de Canary Wharf, no leste, até as mansões de Chelsea, no oeste. Era uma vista que dizia uma coisa, e apenas uma coisa.

Poder.

E era toda dela.

*Sou a ministra do Interior da Grã-Bretanha. O segundo membro mais importante do governo de Sua Majestade.*

Como aquilo tinha acontecido? Como uma ministra das Prisões, e bastante impopular nisso, saltara por tantos outros candidatos experientes e conseguira o grande cargo? O pobre Kevin Lomax no Comércio e Indústria devia estar cuspindo os dentes amarelados e manchados de café. Esse pensamento fez Alexia De Vere se sentir bem por dentro. *Fóssil velho e condescendente. Ele me dispensou há anos, mas quem está rindo agora?*

Ridicularizada na imprensa por ser rica, aristocrata, e por estar fora de sintonia com os eleitores comuns e tachada de nova Dama de Ferro pelos tabloides, Alexia De Vere criou a lei de reforma de condenações, que foi atacada por parlamentares em ambos os lados da casa por ser "impiedosa" e "brutal". Condenações sem liberdade condicional poderiam funcionar nos Estados Unidos, um país tão bárbaro que ainda possuía pena de morte. Mas não alçariam voo ali, na civilizada Grã-Bretanha.

Foi o que *disseram*. Mas quando a situação se complicou, todos aprovaram a lei.

*Covardes. Covardes e hipócritas, todos eles.*

Alexia De Vere sabia como a lei a havia tornado impopular, com os colegas, com a mídia, com eleitores de renda baixa, por isso ficou tão chocada quanto todos quando o primeiro-ministro, Henry Whitman, escolheu nomeá-la ministra do Interior. Mas Alexia não se deteve por isso. O fato era que Henry Whitman a *havia* nomeado. No fim das contas, isso era tudo o que importava.

Ao colocar a mão dentro de uma caixa, Alexia retirou algumas fotos de família. Preferia manter a vida profissional e a pessoal separadas, mas, naqueles dias, todos andavam tão emotivos que ter fotos dos filhos na mesa havia se tornado praxe.

Ali estava a filha de Alexia, Roxie, aos 18 anos, a cabeça loira inclinada para trás, gargalhando. Como Alexia sentia saudades daquela gargalhada. É claro que a foto havia sido tirada antes do acidente.

*O acidente.* Alexia De Vere odiava o eufemismo para a tentativa de suicídio da filha, o salto do terceiro andar que deixara Roxie presa a uma cadeira de rodas para o resto da vida. De acordo com Alexia, as coisas são o que são. Mas o marido dela, Teddy, insistia naquilo. *Teddy querido. Ele sempre fora sensível.*

Depois de colocar a foto do marido ao lado daquela da filha, Alexia sorriu. Um homem pouco atraente, barrigudo e de meia-idade, com poucos cabelos e bochechas permanentemente rosadas, Teddy De Vere sorria para a câmera como um urso adorável.

*Como minha vida teria sido diferente sem ele. Quantas coisas, muitas mesmo, devo a ele.*

É claro que Teddy De Vere não era o único homem ao qual Alexia devia sua boa sorte. Havia Henry Whitman, o novo primeiro-ministro do Partido Tory e autointitulado mentor político do mesmo. E em algum lugar muito, muito longe dali havia outro homem. Um homem bom. Um homem que a havia ajudado.

Mas Alexia não deveria pensar naquele homem. Não naquele momento. Não naquele dia.

Aquele era um dia de triunfo e comemoração. Não era hora de arrependimentos.

A terceira foto era do filho, Michael. Que garoto incrivelmente lindo ele era, com os cachos escuros e os olhos acinzentados, além do sorriso malicioso que derretia corações do sexo feminino a mil passos de distância. Às vezes Alexia pensava que Michael era a única pessoa na terra que amara incondicionalmente. Roxie também deveria se encaixar nessa categoria, mas depois de tudo o que acontecera entre as duas, a amargura havia envenenado o relacionamento até um ponto sem volta.

Depois das fotos, era hora dos cartões de felicitações, os quais chegavam constantemente desde que a nomeação chocante de Alexia fora anunciada, dois dias antes. A maioria deles era chata, meros cartões corporativos enviados por lobistas ou eleitores distritais que frequentavam a casa. Tinham fotos de garrafas de champanhe se abrindo ou naturezas-mortas florais horrorosas. Mas um cartão em especial chamou a atenção de Alexia imediatamente. Contra um fundo de estrelas e listras, as palavras VOCÊ ARRASA! estavam estampadas em um dourado chamativo. A mensagem do lado de dentro dizia:

*Parabéns, querida Alexia! TÃO animada e TÃO orgulhosa de você. Com amor, Lucy!!!! Bjbj*

Alexia De Vere sorriu. Tinha muito poucas amigas mulheres — muito poucos amigos em geral, na verdade — mas Lucy Meyer era a exceção que comprovava a regra. Uma vizinha de Martha's Vineyard, onde os De Vere possuíam uma casa de veraneio — Teddy se apaixonara pela ilha enquanto estudava na Harvard Business School —, Lucy Meyer tinha se tornado quase uma irmã. Era uma dona de casa tradicional, apesar de ser do tipo extremamente rico, e era tão americana quanto uma torta de maçã. Lucy alternava entre maternal e infantil, era o tipo de mulher que usava muitos pontos de exclamação em e-mails e colocava círculos cheios sobre a letra i, em vez de pingos. Dizer que Lucy Meyer e Alexia De Vere não tinham nada em comum seria como dizer que Israel e Palestina nem sempre concordavam. No entanto, a amizade das duas mulheres, construída ao longo de tantos verões felizes em Martha's Vineyard, havia sobrevivido aos altos e baixos da vida política insana de Alexia.

De pé à janela, Alexia olhava para o Tâmisa. De cima, o rio parecia benigno e inerte, uma fita prateada que oscilava com suavidade, serpenteando pelo caminho silencioso através da cidade. Mas abaixo, Alexia sabia, as correntezas podiam ser mortais. Mesmo então, aos 59 anos e no auge da carreira, Alexia De Vere não conseguia olhar para a água sem sentir um estremecimento de pânico. Ela girou a aliança, nervosa.

*Como tudo pode ser levado com facilidade! Poder, felicidade, mesmo a própria vida. Só é preciso um instante, um único instante de distração. E tudo se foi.*

O telefone dela tocou alto.

— Sinto muito por incomodá-la, ministra do Interior. Mas o número dez da Downing Street, o escritório do primeiro-ministro, está na linha um. Imagino que atenderá à ligação?

Alexia De Vere balançou a cabeça para afastar os fantasmas do passado.

— É claro, Edward. Pode transferi-lo.

AO SUL DO TÂMISA, a menos de 1,5 quilômetro do escritório opulento de Alexia De Vere em Westminster, embora estivesse a um mundo de distância, Gilbert Drake estava sentado no Maggie's Café, debruçado sobre os ovos com feijão. Um clássico pé-sujo inglês, completado por janelas imundas e um piso de linóleo descascado, o Maggie era um reduto popular entre os motoristas de táxi e operários de construção a caminho do trabalho no lado norte mais afluente do rio. Gilbert Drake era frequentador. Na maioria das manhãs, era tagarela e todo sorrisos. Mas não naquele dia. Enquanto encarava a foto no jornal como se tivesse visto um fantasma, ele pressionava as mãos sobre as têmporas.

*Isso não pode estar acontecendo.*

*Como isso está acontecendo?*

Ali estava ela, aquela vaca Alexia De Vere, sorrindo para a câmera enquanto apertava a mão do primeiro-ministro. Gilbert Drake jamais se esqueceria daquele rosto enquanto vivesse. O maxilar orgulhoso e delineado, o comprimir desdenhoso dos lábios, o semicerrar frio e cortante daqueles olhos azuis, tão lindos, vazios e desumanos quanto os de uma boneca. A legenda sob a foto dizia n*ova ministra do Interior britânica começa a trabalhar.*

Ler o artigo era doloroso, como cutucar uma ferida recém-cicatrizada, mas Gilbert Drake se obrigou a continuar.

*Em uma reunião ontem, que surpreendeu muitos em Westminster, confundindo a mídia e os apostadores, a ministra Inferior de Prisões, Alexia De Vere, foi nomeada nova ministra do Interior. O primeiro-ministro, Henry Whitman, descreveu a Sra. De Vere como "uma estrela" e uma "figura crucial" em seu gabinete reformado. Kevin Lomax, ministro de Estado para Comércio e Indústria, que tinha sido amplamente indicado como substituto de Humphrey Crewe no Ministério do Interior depois da demissão do último, em março, disse aos repórteres que ficou "encantado" ao saber da nomeação da Sra. De Vere e que "ansiava imensamente" por trabalhar com ela.*

Gilbert Drake fechou o jornal enojado.

O melhor amigo de Gilbert, Sanjay Patel, estava morto por causa daquela vaca. Sanjay, que protegera Gilbert dos valentões da escola e no conjunto habitacional em que moravam em Peckham. Sanjay, que trabalhara arduamente a vida toda para colocar comida na mesa da família e encarara todas as decepções da vida com um sorriso. Sanjay, que havia sido preso erroneamente, vítima de uma armação da polícia, simplesmente porque tentou ajudar um primo a escapar de uma acusação. Sanjay estava morto. Enquanto aquela piranha, aquela predadora, Alexia De Vere, estava no topo, a nata de Londres.

Não dava para suportar. Gilbert Drake não suportaria aquilo.

*Os justos se alegrarão quando forem vingados, quando lavarem seus pés no sangue dos ímpios.*

Maggie, a proprietária homônima do café, encheu novamente a caneca de chá de Gilbert.

— Coma, Gil. Seu ovo está esfriando.

Gilbert Drake não a ouviu.

Tudo o que ouviu foi a voz do amigo, Sanjay Patel, implorando por misericórdia.

Charlotte Whitman, a esposa do primeiro-ministro, se virou na cama e acariciou o peito do marido. Eram quatro da manhã e Henry estava acordado, novamente, encarando o teto como um prisioneiro que aguarda o pelotão de fuzilamento.

— O que foi, Henry? Qual é o problema?

Henry Whitman cobriu a mão da mulher com a própria mão.

— Nada. Não tenho dormido muito bem, só isso. Me desculpe se acordei você — disse ele.

— Você me contaria se houvesse um problema, não é?

— Charlotte querida. — Ele puxou a mulher para perto. — Sou o primeiro-ministro. Minha vida não é nada além de problemas até onde a vista alcança.

— Você entendeu o que eu disse. Estou falando de um problema de verdade. Algo com o qual não consiga lidar.

— Estou bem, querida, mesmo. Tente voltar a dormir.

Em alguns instantes, Charlotte Whitman dormia profundamente. Henry a observou, as palavras da esposa ressoavam em seus ouvidos. *Algo com o qual não consiga lidar...*

Graças a ele, o rosto de Alexia De Vere estava na primeira página de todos os jornais. As especulações com relação à nomeação dela eram numerosas, mas ninguém sabia de nada. Ninguém exceto Henry Whitman. E ele pretendia levar o segredo ao túmulo.

Será que Alexia De Vere era um problema com o qual ele não conseguiria lidar? Henry Whitman esperava sinceramente que não. De qualquer forma, agora era tarde demais. A nomeação havia sido feita. A ação estava concluída.

O novo primeiro-ministro da Grã-Bretanha ficou deitado, acordado, até o amanhecer, exatamente como sabia que faria.

*Não há descanso para o ímpio.*

# PARTE UM

# Capítulo 1

KENNEBUNKPORT, MAINE. 1973

Billy Hamlin observou sete garotinhos de sunga correndo, aos gritos, em direção à água, então sentiu uma onda de felicidade. As crianças não eram as únicas que amavam os verões no Acampamento Williams.

Billy tivera sorte em conseguir aquele emprego. A maioria dos monitores do acampamento vinha das melhores faculdades do país. Tuckers e Mortimers e Sandford-Riley-Terceiros fazendo uma "pausa" entre a graduação de Harvard e a Harvard Business School. Ou os equivalentes do sexo feminino, Buffys e Virginias dando um tempo entre a formatura e o casamento enquanto ensinavam natação para os filhos bonitinhos da elite de Nova York. Billy Hamlin não se encaixava nos moldes. O pai era carpinteiro e construíra alguns chalés novos no Acampamento Williams no outono anterior, o que lhe rendeu boa vontade o suficiente para que garantissem ao filho um emprego de verão.

— Você vai conhecer pessoas interessantes lá — dissera Jeff Hamlin para Billy. — Pessoas ricas. Pessoas que podem ajudá-lo. Você precisa fazer contatos.

O pai de Billy acreditava fortemente em fazer contatos. Exatamente o porquê, ou como, ele achava que um verão esfregando os ombros de filhos mimados de banqueiros iria ajudar o filho charmoso, sem qualificação e extremamente despretensioso a subir na vida permanecia um mistério. Não que Billy reclamasse. Durante o dia, podia ficar na praia bancando o bobo com uma dezena de criancinhas adoráveis. E à noite, o Acampamento Williams tinha mais drogas, bebidas e o que a avó de Billy teria chamado de mulheres "fáceis" disponíveis à vontade do que um prostíbulo de Nova Orleans. Aos 19 anos, Billy Hamlin não tinha muitos talentos. Mas ele *sabia* como se divertir.

— Billy! Billy! Vem brincar de bobinho com a gente!

Graydon Hammond, um garoto de 7 anos com os joelhos tortos e a língua presa, ocasionada pela perda de, no mínimo, cinco dentes superiores, acenou para que Billy fosse para a água. Graydon cresceria e herdaria a maior parte das ações da Hammond Black, um banco de investimentos exclusivo que valia mais do que a maioria dos pequenos países africanos. Acenar para que as pessoas fizessem sua vontade seria uma grande parte do futuro de Graydon. Mas, naquele momento, ele era tão doce e amável que era difícil resistir ao garoto.

— Graydon, deixe Billy em paz. É a tarde de folga dele. Vou brincar de bobinho com você.

Toni Gilletti, sem dúvida a monitora mais sexy do Acampamento Williams, estava supervisionando o grupo de Graydon. Ao observar Toni correndo até as ondas, seu corpo de coelhinha da *Playboy* mal coberto pelo biquíni branco de lacinho, Billy ficou envergonhado ao sentir o início de uma ereção se agitando dentro da sunga Fred Perry. O rapaz não teve escolha senão mergulhar e usar o oceano como tapa-sexo.

Como todos os garotos do acampamento, Billy desejava Toni Gilletti. Diferentemente de todos os garotos, ele também gostava dela. Os dois tinham dormido juntos uma vez, na primeira noite no acampamento, e, embora Billy não tivesse conseguido persuadir Toni a repetir a experiência, ele sabia que a garota havia gostado e que ela também gostava dele. Como Billy, Toni era uma espécie de estranha no grupo. Não era filha de um operário — o pai dela era dono de uma cadeia bem-sucedida de lojas de eletrônicos na Costa Leste —, mas também não era uma caloura fresquinha de Wellesley ou de Vassar. Toni Gilletti era uma jovem rebelde, uma causadora de problemas em busca de emoção, com uma queda para cocaína e amantes inadequados, o que a havia colocado em sérios problemas em casa, em Connecticut. De acordo com os boatos, ela só tinha conseguido evitar uma sentença de prisão por fraude de cartão de crédito porque o pai, Theodore Gilletti, pagara ao juiz e doara uma soma de sete dígitos para construir um novo bar e um banheiro no country clube local. Aparentemente, Toni roubara o AmEx ouro de um vizinho para manter o namorado mais recente, um traficante, vivendo no estilo ao qual ele havia se acostumado. Os Gilletti haviam despachado a filha para o Acampamento Williams como uma última saída, sem dúvida esperando, como o pai de Billy, que Toni fizesse "contatos" e conseguisse um futuro melhor; no caso dela, um casamento com um rapaz branco, bem-criado e de família rica — de preferência, com diploma de Harvard.

Toni cumprira parte do acordo, dormindo prontamente com todos os estudantes de Harvard do acampamento que não eram totalmente repulsivos fisicamente, antes de se decidir por Charles Braemar Murphy, o mais rico, o mais bonito e (na opinião de Billy) o mais irritante de todos. Charles havia saído com o iate dos pais naquele dia. Os Braemar Murphy tinham "dado uma passadinha" no acampamento a caminho de East Hampton, e a Sra. Kramer, que gerenciava o Acampamento Williams, dera o dia de folga para Charles. Era irritante o modo como a Velha Kramer favorecia os ricos. Mas tudo tinha um lado positivo. A ausência de Charles dava a melhor oportunidade, até então, para que Billy flertasse com Toni Gilletti sem interrupção e para que tentasse persuadi-la de que uma segunda noite de paixão com ele seria muito mais satisfatória do que ficar com aquele namorado esnobe.

Billy já sabia que tinha uma chance. Toni era um espírito livre com a libido de um felino selvagem. Apenas poucos dias antes ela descaradamente dera em cima dele na frente de Charles. Tinha sido uma tentativa grosseira de fazer ciúmes no namorado, mas havia funcionado. Mais tarde, Billy ouvira Charles Braemar Murphy interrogando Cassandra Drayton, outra das garotas com as quais se sabia que Billy havia dormido, sobre os atrativos do rapaz.

— Do que as mulheres gostam tanto no Hamlin? — Charles, com raiva, exigira saber.

Cassandra deu um sorriso doce e perguntou:

— Quer a resposta em polegadas ou em pés?

— Ele é uma porra de um carpinteiro, pelo amor de Deus! — disparou Charles.

— Jesus também foi, querido. Não seja amargo. De qualquer forma, o pai dele é o carpinteiro. Billy se atém apenas a trepar. E, cara, ele sabe o que faz.

Por mais que fosse gratificante ouvir Cassandra Drayton elogiá-lo, a verdade era que, apesar de todo o flerte, Toni Gilletti ainda precisava permitir que Billy a seduzisse uma segunda vez. Quanto mais a jovem dificultava, mais Billy a queria.

Toni era diferente de qualquer garota que Billy havia conhecido. Não era apenas uma felina na cama, era engraçada e inteligente, sem falar de mímica brilhante e intérprete natural. A imitação dela da Sra. Kramer, a proprietária idosa do Acampamento Williams, fazia os colegas monitores chorarem de rir. Toni tinha *colhões*. E muito maiores do que os de Billy, apesar dos elogios gentis de Cassandra sobre os atributos dele. Para Charles Braemar Murphy, Toni Gilletti era um troféu, um brinquedo para ser aproveitado durante o verão. Para Billy Hamlin, ela era tudo. Embora ele não admitisse para ninguém, Billy estava caído de paixão. Estava determinado a não apenas seduzir Toni novamente, mas a casar-se com ela.

* * *

Toni observou enquanto Billy mergulhou na água. *Olhe só esse físico.* Ela amava o modo como os músculos rasgavam as costas largas, de nadador, de Billy e o modo como os braços poderosos dele cortavam a água, sem esforço, como lâminas gêmeas cortando seda. Charles Braemar Murphy era bonito de um jeito riquinho e arrumadinho. Mas não tinha nada da sensualidade natural de Billy, nada daquele magnetismo animal, daquela fome predatória e erótica que emanava pelos poros de Billy como suor.

O que Charles possuía era um fundo fiduciário do tamanho do Canadá. A cada dia Toni Gilletti achava mais difícil decidir o que queria mais: Adônis, o Deus do Amor? Ou a resposta do Acampamento Williams a Creso?

Na noite anterior, enquanto Charles fazia amor com ela, Toni fantasiara que transava com Billy mais uma vez. Deitada sobre um cobertor de caxemira, com Charles diligentemente bombeando-se sobre ela ao som da música "Hello, It's Me" de Todd Rundgren — música horrível, mas Charles insistira em levar o toca-fitas de oito faixas para "criar um clima" —, Toni se lembrou da sensação de estar presa sob as coxas fortes e másculas de Billy. Se ele continuasse a persegui-la daquela forma, ela cederia em algum momento. Toni Gilletti não podia permanecer fiel a um amante insatisfatório como Charles, assim como uma leoa não pode ser vegetariana. Billy fora uma trepada maravilhosa. Ela precisava de carne fresca.

— Vem, Toni! Você deveria ser o bobinho. Tente pegar a bola!

Graydon Hammond ergueu o rosto para Toni, triste. Ele estava com o braço ao redor de Nicholas Handemeyer, outro garoto de 7 anos esquisito e adorável, além de herdeiro de uma enorme propriedade em Vermont. Graydon, de cabelos castanhos, e o angelicalmente loiro Nicholas provavelmente eram os garotos preferidos de Toni Gilletti no Acampamento Williams. Apesar de todos os modos de *bad girl* cuidadosamente cultivados, Toni era uma monitora popular no acampamento e era naturalmente maternal. A própria mãe de Toni era tão interessada em compras, sair de férias e gastar o dinheiro do marido que teria dificuldades em identificar Toni em uma fila de três jovens. Mas, apesar desse exemplo maternal ruim, Toni se sensibilizava diante de crianças pequenas e achava o máximo tê-las por perto: engraçadas, enérgicas, amorosas. E o melhor de tudo era que não julgavam. Toni amava as crianças por isso mais do que por qualquer coisa.

Naquele dia, no entanto, de ressaca e precisando seriamente de uma carreira de cocaína, ela teria ficado bem sem o barulho, as perguntas e as infinitas mãozinhas suadas que a puxavam.

— Estou tentando, Graydon, está bem? — Toni pareceu mais mal-humorada do que queria. — Jogue de novo.

— Deixa eu ajudar.

Billy Hamlin havia se materializado ao lado de Toni, a cabeça loira platinada emergira para fora da água cristalina como a de uma lontra. Depois de pegar um Graydon e um Nicholas, ambos gargalhando, debaixo de cada braço, ele soltou as crianças no lado raso, dividiu os outros garotos em times e deu início à brincadeira. Depois de alguns minutos, Toni nadou até ele, permitindo que o braço nu roçasse contra o de Billy quando ela recuperou a bola. Aquela minúscula indicação de contato físico foi elétrica.

— Obrigada. — Toni sorriu. — Mas vá se divertir. Você só tem metade de um dia livre por semana, e sei que não quer passar com minhas crianças.

— Isso é verdade. — Billy encarou, sem vergonha, os seios de Toni. — Que tal isso. Vamos fazer um acordo.

— Um acordo?

— Claro. Se eu encontrar uma pérola nos próximos 15 minutos, você fica comigo amanhã à noite.

Toni gargalhou, divertindo-se com a atenção.

— Você só encontrou três pérolas no último mês. Dificilmente vai conseguir achar uma em 15 minutos.

— Exatamente. É inútil. Então por que não fechamos o acordo? — perguntou ele.

— Você sabe o motivo.

Toni olhou para as divisórias do porto, onde o iate dos Braemar Murphy, *Celeste*, reluzia ao sol da tarde.

— Ah, vamos *lá*. Viva um pouco — provocou Billy. — Sabe que ele deixa você entediada. Além disso, como você mesma falou, eu dificilmente vou encontrar uma pérola em um quarto de hora, não é?

— Mas e se encontrar?

Ao passar um dos braços pela cintura de Toni, Billy puxou a jovem para perto de modo que os lábios deles quase se tocassem.

— Se eu encontrar, então é o destino. Estamos destinados a ficar juntos. Fechado?

Toni sorriu.

— Tudo bem, fechado. Mas precisa ser, no mínimo, do tamanho de uma ervilha.

— Uma ervilha? Ah, por favor. Isso é impossível!

— Uma ervilha. Agora, saia daqui! Tenho uma brincadeira muito séria de bobinho a fazer.

Billy nadou para águas mais profundas, a faca para abrir ostras presa entre os dentes como o cutelo de um pirata. Ele mergulhou algumas vezes, emergindo sempre com uma grande ostra e fazendo um espetáculo teatral na hora de abri-la, mas sem sucesso, então agarrava o coração e deslizava na água, tudo para Toni assistir.

Em alguns minutos, uma grande plateia se reuniu para assistir da praia. O rapaz era um nadador incrível e fazia um belo show.

Toni Gilletti pensou: *Ele é engraçado, mas está ficando convencido demais*. Ao se virar, ela se concentrou na brincadeira com os meninos, ignorando deliberadamente os gestos de Billy.

* * *

Charles Braemar Murphy estava se sentindo bem. Ele havia aproveitado um almoço delicioso de sanduíche de lagosta fresca no iate dos pais, acompanhado de algumas taças de Chablis vintage. O velho concordara em aumentar a mesada. E Toni prometera vestir, na cama, aquela noite, a calcinha aberta na frente de cetim que Charles havia comprado para ela, uma perspectiva que deixava o rapaz em um estado de excitação quase constante desde o nascer do dia.

Quando se espreguiçou na cadeira no deque superior, Charles sentiu a confiança retornar. *Preciso parar de ficar obcecado com aquele Hamlin. É claro que ele está dando em cima de Toni. Todos estão. Mas ele não é ameaça para mim. Ela já o teve e o descartou.*

Toni deveria estar na praia àquela hora, fazendo castelos de areia com o grupo de menininhos.

*Vou surpreendê-la*, pensou Charles, em um impulso. *Levar morangos cobertos de chocolate do navio. As garotas adoram gestos românticos insignificantes desse tipo. Ela será ainda mais agradecida na cama hoje do que normalmente.*

Ele estalou os dedos imperiosamente para um dos auxiliares de convés.

— Prepare uma das lanchas. Vou para a costa.

Os meninos haviam se cansado de brincar de bobinho e estavam catando pinças de caranguejos na parte rasa. Um arquejo coletivo vindo da praia fez com que Toni se virasse.

*Ai, meu Deus! Idiota!*

Billy tinha nadado para além da barreira que separava a parte própria para nado da parte própria para navegação. Havia três iates grandes ancorados no mar e diversos barcos menores entre eles e a praia. Um nadador solitário era praticamente invisível em meio a um tráfego tão pesado. Mergulhar em busca de pérolas naquele local era algo terrivelmente perigoso.

Toni gesticulou freneticamente para Billy, chamando-o de volta.

— Volte aqui! — gritava ela ao vento. — Vai acabar sendo morto aí fora!

Billy levou a mão em concha ao ouvido gesticulando que não conseguia ouvir. Deixando os meninos na praia, Toni nadou alguns metros para longe e gritou de novo.

— Volte aqui! Vai ser atropelado.

Billy olhou por cima do ombro. As lanchas mais próximas estavam pelo menos 45 metros atrás dele.

— Está tudo bem — gritou o rapaz de volta para Toni.

— Não está tudo bem! Não seja retardado.

— Mais dois mergulhos.

— Billy, não! — gritou Toni.

Mas era tarde demais. Com um simples agitar de pernas, Billy desapareceu sob as ondas novamente, o que rendeu a ele mais arquejos e palmas da praia.

Toni mordeu o lábio, esperando ansiosamente até que Billy ressurgisse. Dez segundos se passaram, então vinte, trinta.

*Ai, meu Deus. O que aconteceu? Ele bateu a cabeça? Eu nunca deveria ter aceitado essa aposta idiota e o encorajado. Sei como ele é inconsequente. Ele é igual a mim.*

Então, de repente, lá estava ele, emergindo do nada como um golfinho brincando, exibindo uma enorme ostra. A multidão na praia deu vivas e torceu. Billy abriu a coisa e tirou uma pérola de dentro, ganhando aplausos ainda mais altos. Mas ele balançou a cabeça com tristeza na direção de Toni.

— É muito pequena. Minha princesa precisa de uma ervilha.

— Pare com isso — disparou Toni em resposta, irritada. A brincadeira não tinha mais graça. Aqueles idiotas na praia não conseguiam ver como aquilo era perigoso? — Volte para cá, Billy. Estou falando sério.

Billy balançou a cabeça.

— Ainda faltam dois minutos! — E, tomando fôlego profundamente, ele sumiu de novo.

* * *

— Por que não me deixa pilotar a lancha, senhor. Você se senta e relaxa.

Daniel Gray, um tripulante experiente, passara os últimos vinte anos trabalhando em iates de pessoas ricas. Os Braemar Murphy não eram melhores ou piores do que a maioria das famílias para as quais trabalhara. Mas o filho deles, Charles, era um arrogantezinho digno do termo. Ele obviamente havia bebido e não deveria ser deixado sozinho ao leme de um equipamento caro como a lancha do *Celeste.*

— Estou perfeitamente relaxado, obrigado — respondeu, de modo arrastado, Charles Braemar Murphy. — Só me traga os morangos e o champanhe que pedi e avise minha mãe que voltarei em duas horas.

— Muito bem, senhor.

*Babaca. Espero que encalhe e passe a próxima década pagando ao pai pelo prejuízo.*

Billy Hamlin levou 45 segundos para reemergir daquela vez. Ele ainda parecia achar aquilo divertido, mal pausando antes de descer novamente.

Furiosa, Toni virou o rosto — de modo algum ela passaria a noite com Billy agora, não importava o quanto a porcaria de pérola, ou qualquer outra porcaria dele, fosse grande. Conforme nadou de volta na direção dos meninos, Toni viu algo pelo canto do olho. Era um barco a remo, uma embarcação minúscula e antiquada de madeira. *Que diabo aquilo está fazendo na área de navegação?*

Assim que o pensamento lhe ocorreu, Toni viu duas lanchas, uma deslizando tranquilamente pela água e outra, alguns segundos atrás da primeira, vindo perigosamente rápido, deixando um rastro entrecortado conforme roncava na direção da costa. A primeira lancha viu a embarcação de madeira e desviou para evitá-la, mudando de curso com relativa facilidade. A segunda parecia completamente alheia ao perigo.

— Barco! — Toni gesticulava freneticamente para a segunda lancha. Ela estava na parte rasa e conseguia pular conforme agitava os braços. — BARCO!

Charles Braemar Murphy viu de relance os cabelos loiros e o biquíni branco familiar.

Toni estava acenando para ele.

— Oi, querida! — Charles acenou de volta e acelerou para impressioná-la, mas viu que precisava se segurar ao leme para obter apoio. Aquele Chablis devia ter ido mesmo direto para a cabeça dele. — Trouxe uma coisa para você.

Charles precisou de alguns instantes para perceber que as pessoas na praia também acenavam para ele. Nunca tinham visto um iate? Ou talvez nunca um que fosse tão poderoso como o *Celeste*.

Quando Charles viu o barco a remo e percebeu o perigo, estava a segundos do impacto. Encolhidos do lado de dentro, dois garotos adolescentes se agarraram, aterrorizados. Charles viu o olhar de pânico nos rostos deles conforme acelerava na direção dos garotos, e ficou enjoado. Ele estava perto o bastante para ver o branco nos olhos deles e as expressões desesperadas de súplica.

Os dois salva-vidas se olharam.

— Puta merda.

— Ele vai acertá-los, não vai?

Depois de pegarem as pranchas, os dois correram para a água.

Toni assistiu, horrorizada, enquanto a segunda lancha acelerava na direção do barco a remo. Conforme se aproximava, o horror dela se intensificava. *Aquele ali é... Charles? Que diabos ele está fazendo?*

Toni abriu a boca para gritar, para avisá-lo, mas nenhum som saiu. Graças à brincadeira de Billy, ela já havia gritado até ficar rouca. Foi quando Toni percebeu, com uma determinação de dar calafrios.

*Aqueles garotos vão morrer.*

No fundo, sob as ondas, Billy Hamlin arrancou uma quinta ostra da areia. Estava frio e tranquilo ali embaixo, e muito bonito com o sol refletindo raios entrecortados através da água, lançando sombras etéreas e oscilantes sobre o leito do mar.

As chances de que ele encontrasse uma pérola do tamanho de uma ervilha eram quase nulas. Mas Billy estava gostando de se exibir para Toni e para a multidão na praia. Ele se sentia em casa dentro d'água, confiante e forte. No mundo real, poderia ser inferior a Charles Braemar Murphy. Mas não ali, na liberdade selvagem do oceano. Ali, Billy era um rei.

Ao segurar a ostra com força na mão, ele começou a nadar de volta em direção à luz.

Depois de virar o leme para a direita com toda força, Charles Braemar Murphy fechou os olhos. A lancha virou tão bruscamente que quase tombou. Agarrando-se à preciosa vida, Charles ouviu gritos ressoando nos ouvidos. Seria o terror dos meninos que ele ouvia, ou o próprio? Não saberia dizer. Borrifos de água salgada o atingiram, castigando seu rosto como uma lâmina. A lancha ainda se movia a uma velocidade incrível.

Como aquilo tinha acontecido tão rapidamente? A mudança da felicidade para o desastre? Apenas segundos antes, Charles tinha estado profundamente feliz. E agora...

Com o coração acelerado, os dentes trincados, Charles Braemar Murphy se preparou para o golpe.

* * *

A MULTIDÃO NA PRAIA observava, boquiaberta, enquanto a lancha guinava incontrolavelmente para a direita, para mais longe na área de navegação.

A princípio, o rastro parecia tão grande e o jato de água, tão alto, que era impossível distinguir o que havia acontecido com o barco a remo. Mas, finalmente, ele emergiu, oscilando incontrolavelmente, mas ainda intacto. Podiam-se ver dois garotos de pé do lado de dentro, os braços agitando-se freneticamente pelo resgate.

O alívio foi arrebatador. As pessoas torciam e gritavam e pulavam, abraçando-se.

*Eles conseguiram! Ele desviou.*

Então, em algum lugar entre o grupo, uma voz solitária gritou.

— Banhista!

PARA TONI GILLETTI, TUDO aconteceu em câmera lenta.

Ela viu Charles desviar. Viu o rapaz errar o barco a remo por centímetros. Por uma fração de segundo, sentiu um alívio tão forte que lhe deu náusea. Mas então Billy Hamlin emergiu da água como um tornado, diretamente no caminho da lancha. Ainda que Charles o tivesse visto, de modo algum teria conseguido parar.

A última coisa que Toni viu foi o olhar de choque no lindo rosto de Billy. Então a lancha interrompeu a visão dela.

Alguém na praia gritou.

Charles desligou o motor e a lancha parou de súbito, borrifando água.

Billy Hamlin tinha sumido.

# Capítulo 2

Charles Braemar Murphy estava em choque. Jogado no banco traseiro da lancha, tremendo, ele encarava a água. Estava calma agora, prateada e inerte como vidro.

Os salva-vidas nadavam em volta, procurando por Billy, revezando-se para mergulhar sob a superfície.

*Nada.*

Na praia, as pessoas choravam. Os meninos no barco a remo haviam chegado à praia em segurança, em lágrimas depois da própria dificuldade e confusos em relação ao que estava acontecendo. Na parte rasa, os meninos mais novos do Acampamento Williams, do grupo de Toni, se aglomeravam, nervosos, assustados com o pânico dos adultos.

Completamente zonza, Toni nadou de volta até eles. Alguém devia ter chamado ajuda, porque os oficiais da guarda costeira chegavam de todas as direções, junto com lanchas de outros iates ancorados no mar.

— Toni? — Um Graydon Hammond trêmulo se agarrou à perna de Toni.

— Agora não, Graydon — murmurou a jovem, automaticamente, os olhos ainda fixos no ponto da água em que vira Billy pela última vez.

*Ele não pode estar morto. Estava aqui, apenas segundos atrás. Por favor, Deus, por favor, não deixe que ele esteja morto só porque estava bancando o bobo para mim.*

— Toni?

Ela estava prestes a confortar Graydon quando viu. Cerca de 40 metros além do ponto para o qual Toni olhava, um nadador confuso emergiu à superfície.

— Ali! — gritou ela para os salva-vidas, agitando os braços histericamente. — Ali!

Toni não precisava ter se incomodado. De uma só vez, os barcos de resgate convergiram para Billy, tirando-o da água. Enquanto observava da lancha, Charles Braemar Murphy finalmente caiu em lágrimas.

Tinha acabado. O pesadelo tinha acabado.

MENOS DE UM MINUTO depois, Billy estava na praia, sorrindo, apesar da dor, enquanto um paramédico enfaixava o ferimento na cabeça dele. Diversas pessoas se aproximaram para apertar a mão de Billy e informar (como se fosse preciso) ao rapaz como ele tinha sorte de estar vivo.

— Foi tudo por ela, sabem — disse ele aos admiradores, indicando Toni com a cabeça. A jovem caminhava na direção dele como uma deusa amazona em seu biquíni minúsculo, os cabelos longos e molhados em uma cascata magnífica atrás dela. — Minha princesa precisava de uma ervilha. O que eu podia fazer? O desejo dela é uma ordem.

Toni, no entanto, não estava com humor para romance.

— Seu idiota desgraçado! — gritou ela para Billy. — Você poderia ter sido morto! Achei que tivesse se afogado.

— Você teria sentido minha falta? — Billy fez um biquinho.

— Ah, vê se cresce. O que aconteceu lá não foi engraçado, Billy. O coitado do Charles está devastado. Ele achou que tinha acertado você. Todos achamos.

— “O coitado do Charles”? — Agora foi a vez de Billy ficar irritado. — Aquele babaca estava pilotando a lancha como um maníaco. Não viu como chegou perto de atingir aqueles pobres garotos no barco a remo?

— Eles não deveriam estar na área de navegação — falou Toni. — E você também não.

Graydon Hammond tinha seguido Toni para fora d’água e puxava a perna dela fazendo ruídos chorosos.

— Graydon, *por favor*! — disparou ela. — Estou falando com Billy.

— Mas é importante! — urrou Graydon.

— Vá em frente — disse Billy, amargo. — É óbvio que você não dá a mínima para mim. Vai lá consolar Graydon. Ou melhor, Charles. Ele é a vítima de verdade aqui.

— Pelo amor de Deus, Billy, é claro que me importo com você. Acha que eu estaria tão irritada se não me importasse? Achei que... Achei que o tivesse perdido.

E para a surpresa da própria Toni Gilletti, ela caiu em lágrimas.

Billy Hamlin colocou os braços ao redor da garota.

— Ei — sussurrou ele, com carinho. — Não chore. Me desculpe por ter assustado você. Por favor, não chore.

— Toniiiiiiiiiiiii! — As reclamações de Graydon Hammond estavam ficando mais altas. Relutante, Toni se soltou do abraço de Billy.

— O que foi, Graydon, querido? — disse ela, com mais gentileza. — Qual é o problema?

O garotinho ergueu o rosto para Toni, o lábio inferior estremecendo.

— É Nicholas.

— Nicholas? Nicholas Handemeyer?

Graydon confirmou com a cabeça.

— O que tem ele?

Graydon Hammond caiu em lágrimas.

— Ele nadou para longe. Enquanto você estava vendo Billy. Ele nadou para longe e nunca mais voltou.

# Capítulo 3

Era cerca de 400 metros da praia até o Acampamento Williams, por um caminho arenoso, tomado em parte por vegetação arbustiva. As pernas de Toni eram arranhadas até sangrar conforme ela corria, mas ela estava alheia à dor e não ouvia os gritos de súplica das crianças, que lutavam para acompanhá-la.

— Meu Deus. O que aconteceu com você? Esqueceu as roupas?

Mary Lou Parker, impecável no uniforme de riquinha, com bermuda cáqui, camisa social e sapatos *dock sider*, olhou Toni de cima a baixo com desgosto. Aquele biquíni era realmente demais, principalmente com crianças por perto. Mary Lou não conseguia entender o que Charles Braemar Murphy via em Toni Gilletti.

— Você viu Nicholas? Nicholas Handemeyer? — perguntou Toni, ofegante. Com atraso, Mary Louise percebeu a inquietude de Toni e os choros abafados das crianças, que se amontoavam atrás da monitora. O grupo parecia estar voltando da guerra. — Ele voltou para cá?

— Não.

Toni emitiu um gemido de dor.

— Quero dizer, não sei. — Mary Lou voltou atrás. — *Eu* não o vi, mas vou perguntar aos outros.

Um a um, os outros monitores e a equipe do Acampamento Williams surgiram dos diversos chalés. Ninguém tinha visto Nicholas Handemeyer. Mas Toni não deveria entrar em pânico.

Ele tinha de ter saído da água.

Garotinhos fugiam às vezes.

Ele não poderia estar longe.

Um grupo de garotos, inclusive Don Choate, que era uma estrela da natação universitária, partiu para a praia a fim de ajudar nos esforços de resgate. Billy Hamlin e Charles Braemar Murphy tinham ficado para ajudar a guarda costeira, enquanto Toni levava as crianças de volta ao acampamento.

Toni ficou ali, inútil, observando-os partir. Incerta sobre o que mais fazer, ela levou os garotos de volta para o saguão, fez com que vestissem roupas secas e preparou comida para as crianças. Mary Lou Parker chegou e encontrou Toni cortando pepinos, distraída, enquanto encarava a parede.

— Eu assumo a partir daqui — disse Mary Lou, gentilmente. Ela não gostava de Toni Gilletti, mas todos sabiam o quanto ela era afeiçoada ao pequeno Nicholas. Dava para ver a angústia nos olhos dela. — Vá se limpar. Aposto que ele estará de volta quando você sair do banho. Provavelmente Nicholas está ficando com fome a essa hora.

Ao voltar para o chalé, Toni tentou se fazer acreditar no que Mary Lou dissera.

*Ele voltará a qualquer minuto.*

*Provavelmente está ficando com fome.*

Outros pensamentos, pensamentos terríveis, pairavam, agourentos, à beira da consciência de Toni, implorando para que ela os deixasse entrar. Mas ela os afastou. Primeiro, as crianças no barco a remo. Depois Billy. Agora Nicholas. A tarde tinha sido uma montanha-russa solitária de terror e alívio. Mas teria um final feliz. Precisava ter.

Quando Toni visse Nicholas, ela o abraçaria e o beijaria e diria a ele como sentia muito por ter se permitido distrair por Billy. No dia seguinte, eles iriam pegar caranguejos juntos e brincariam de bobinho. Construiriam cidades inteiras de areia. Toni não ficaria de ressaca ou cansada, nem pensaria na vida amorosa. Ficaria com as crianças, com Nicholas, cem por cento presente.

Toni parou à porta do chalé.

Os rapazes emergiram do caminho que vinha da praia, um por um. Caminhavam com as cabeças baixas, em silêncio. Toni os observou, entorpecida, atenta a nada além do quebrar distante das ondas que ressoava em seus ouvidos.

Anos mais tarde, ela sonharia com aqueles rostos:

Charles Braemar Murphy, seu amante até aquele dia, branco e fantasmagórico.

Don Choate, os lábios contraídos, os punhos fechados conforme andava.

E, ao final, Billy Hamlin, os olhos inchados de tanto chorar.

*Vush, vush, vush*, soava a maré.

O cadáver do menino pendia, inerte, nos braços de Billy.

# Capítulo 4

— ENTÃO, VAMOS ESCLARECER ISSO. Quando você percebeu inicialmente, *inicialmente*, que Nicholas havia sumido?

A Sra. Martha Kramer lançava os olhos pretos como contas de Toni Gilletti para Billy Hamlin. Os dois jovens pareciam aterrorizados. Como deveriam.

Martha Kramer gerenciava o Acampamento Williams havia 24 anos, primeiro com o marido, John, e durante os últimos nove anos como viúva. Jamais, por todo esse tempo, havia acontecido um único acidente grave envolvendo qualquer um dos meninos sob seus cuidados. Jamais. Mas agora, a tragédia a havia atingido. E atingira durante a vigilância do filho do carpinteiro e da filha do milionário dos eletrônicos.

Com apenas 1,52m, cabelos grisalhos perfeitamente presos e os óculos que eram sua marca registrada, de estilo *pince-nez* e permanentemente presos a uma corrente ao redor do pescoço, a Sra. Kramer era considerada uma instituição de Kennebunkport. Mas a estatura diminuta e os modos de avó com a fala mansa levavam muitas pessoas a subestimarem tanto seu intelecto quanto sua habilidade para os negócios. O Acampamento Williams podia se vender como um retiro antiquado e de gerência familiar, mas desde a morte do marido, a Sra. Kramer havia dobrado os preços e começado a vetar, com rigor, os garotos que admitia, assegurando sua reputação como dona *do* acampamento de verão de elite da Costa Leste. Trabalho adolescente era barato, os custos de manutenção eram baixos. Ela até mesmo conseguira um ótimo negócio na carpintaria do projeto de restauração do ano anterior. De maneira simples, a Sra. Kramer estava sentada em um monte de dinheiro. E aqueles dois jovens irresponsáveis tinham acabado de destruí-lo.

— Eu disse, Sra. Kramer. Tive uma concussão. Toni estava cuidando de mim. Achamos que todas as crianças estavam bem ali na praia, até que Graydon apareceu e disse que Nicholas havia sumido.

Billy Hamlin, o garoto, era quem falava. A garota, Gilletti, em geral uma tagarela do pior tipo, estava curiosamente muda. Talvez fosse choque? Ou talvez fosse esperta o bastante para não dizer nada que a pudesse incriminar depois. Algo nos olhos dela deixava a Sra. Kramer desconfortável. *Ela está pensando, a pequena raposa. Avaliando as opções.*

Tanto Toni quanto Billy tinham se vestido desde o momento na praia, ele usava uma calça boca de sino e uma camiseta dos Rolling Stones, ela, uma saia longa decorada com borlas na barra e uma blusa de gola rulê que cobria cada centímetro de pele. De novo, as roupas recatadas não características da filha rebelde de Walter Gilletti. Os olhos de Martha Kramer semicerraram-se ainda mais.

— E você acionou o alarme imediatamente?

— É claro. A guarda costeira já estava no local. Fiquei para ajudá-los, e Toni voltou para cá, para o caso de...

Billy Hamlin deixou a frase no ar. Ele olhou para Toni, que olhou para o chão.

— Srta. Gilletti? Não tem nada a dizer?

— Se eu tivesse alguma coisa a dizer, teria dito, está bem? — Acordada do estupor como uma cascavel inebriada de tanto tomar sol, Toni, de repente, disparou. — Billy já contou o que aconteceu. Por que fica enchendo nosso saco?

— *Enchendo o saco* de vocês? — Martha Kramer se levantou em todo seu 1,52m e olhou, com raiva, para a adolescente mimada diante de si. — Srta. Gilletti, uma criança está morta. Afogada. Entende? A polícia está a caminho, assim como a família do menino. Eles irão *encher o seu saco* até descobrirem exatamente *o que* aconteceu, *como* aconteceu e *quem* foi responsável.

— Ninguém foi responsável — disse Toni, em voz baixa. — Foi um acidente.

A Sra. Kramer ergueu uma das sobrancelhas.

— Foi? Bem, vamos torcer para que a polícia concorde com você.

Do lado de fora do escritório da Sra. Kramer, Toni finalmente cedeu às lagrimas, jogando-se nos braços de Billy.

— Me diz que isso é um sonho. Um pesadelo. Me diz que eu vou acordar!

— Shhh. — Billy a abraçou. Era tão bom abraçar a garota. Não havia mais "pobre Charles" agora. Ele e Toni estavam juntos naquilo. — Como você disse, foi um acidente.

— Mas pobre Nicholas! — Toni chorou. — Não consigo parar de pensar em como deve ter ficado assustado. Como deve ter ficado desesperado para que eu o ouvisse, para que o salvasse.

— Não faça isso, Toni. Não se torture.

— Quero dizer, ele deve ter gritado meu nome, não é? Deve ter gritado por ajuda. Ai, meu Deus, não consigo suportar! O que foi que eu fiz? Jamais deveria tê-lo deixado sozinho.

Billy afastou a imagem do cadáver de Nicholas Handemeyer da cabeça. O garotinho flutuava com o rosto para baixo quando Billy o encontrou, em um conjunto de rochas a apenas alguns metros da praia. Billy tentou respiração boca a boca, e os paramédicos passaram vinte minutos seguidos na areia fazendo compressões peitorais, tentando qualquer coisa para reanimá-lo. Tudo foi em vão.

— Eles vão me mandar para a cadeia com certeza, sabe — disse Toni.

— É claro que não — falou Billy, determinado.

— Vão sim. — Toni apertou as mãos uma na outra. — Já tenho dois registros criminais.

— Tem?

— Um por fraude e um por posse de drogas — explicou Toni. — Ai, meu Deus, e se fizerem um teste de drogas? Farão, não farão? Ainda tenho toda aquela cocaína no organismo. E maconha. Ai, Billy! Eles vão me prender e jogar a chave fora!

— Se acalme. Ninguém vai prender você. Eu não vou deixar.

Billy estava gostando de ser o mais forte. Era bom ter Toni Gilletti consolando-se com ele. Precisando dele. Aquele era o modo como deveria ser. Os dois contra o mundo. Charles Braemar Murphy não era homem o bastante para Toni. Mas ele, Billy Hamlin, assumiria o papel.

Enquanto ele estava de pé, acariciando os cabelos de Toni, dois carros da polícia do Maine estacionaram na área de cascalho diante do saguão do Acampamento Williams. Três homens emergiram, dois de uniforme, um de terno preto e camisa de lapela. A Sra. Kramer saiu para cumprimentá-los com um olhar sombrio no rosto enrugado de mulher idosa.

Puxando Toni para mais perto, Billy sentiu de relance o perfume dela. Uma descarga de desejo animal pulsou dentro do jovem. Ele sussurrou no ouvido de Toni.

— Vão nos separar. Comparar nossas histórias. Apenas se atenha ao que contou à Sra. Kramer. Foi um acidente. E o que quer que faça, não mencione drogas.

Toni assentiu, deprimida. Sentia-se como se fosse vomitar a qualquer minuto. A Sra. Kramer já levava a polícia na direção dos dois.

— Não se preocupe — disse Billy. — Você vai ficar bem. Confie em mim.

* * *

Duas horas mais tarde, depois que os meninos estavam a salvo em suas camas, o restante dos monitores do Acampamento Williams se sentou em uma grande mesa de refeitório, confortando uns aos outros. Todos tinham visto a ambulância chegar e ir embora com o corpo do pequeno Nicholas Handemeyer. Algumas das garotas choraram.

— O que acham que vai acontecer com Toni e Billy? — perguntou Mary Lou Parker.

Don Choate empurrava um cachorro-quente frio pelo prato.

— Não vai acontecer nada. Foi um acidente.

Por alguns momentos, todos ficaram em silêncio. Então alguém disse o que todos estavam pensando.

— Mesmo assim. Um deles deveria ter visto Nicholas se afastar do grupo. Alguém deveria estar de olho.

— Foi um acidente! — gritou Don, batendo com o punho na mesa com tanta força que ela estremeceu. — Poderia ter acontecido com qualquer um de nós.

Don havia ajudado a carregar o corpo de Nicholas de volta ao acampamento. Tinha apenas 20 anos e estava obviamente traumatizado com o incidente.

— Não deveríamos ficar fazendo acusações.

— Não estou fazendo acusações. Só estou dizendo...

— Bem, não diga! Não diga nada! Que diabos você sabe, cara? Nem estava lá.

Ao perceber que os rapazes iriam começar a brigar, Charles Braemar Murphy apoiou um dos braços sobre o amigo e o levou para longe.

— Está tudo bem, Don. Venha. Vamos tomar um pouco de ar.

Depois que os dois se foram, Anne Fielding, uma das garotas mais quietas de Wellesley, falou:

— Mas não está tudo bem, não é? O garoto está morto. Ele não poderia ter se afogado em uma água tão calma e rasa a não ser que alguém tivesse tirado os olhos dele. Por muito, muito tempo.

— Posso entender como Billy se distraiu — disse um dos rapazes. — Aquele biquíni que a Toni estava usando era bem convidativo.

— Estamos falando de Toni Gilletti — debochou Mary Lou Parker, com amargura. — Não precisa de convite. O primeiro a chegar se serve.

Todos gargalharam.

— Shhh — exclamou Anne Fielding, o rosto colado à janela. — Estão saindo.

A porta do escritório da administração se abriu. Do lado de dentro, Toni e Billy haviam passado as últimas três horas seguidas sendo interrogados pela polícia. Toni saiu primeiro, recostada sobre um dos oficiais uniformizados, apoiando-se. Mesmo daquela distância, era possível ver como o jovem policial estava encantado por ela, envolvendo protetoramente a cintura da garota com o braço e sorrindo de modo reconfortante conforme a escoltava de volta para o chalé.

— Bem, *ela* não parece estar em muitos apuros — disse Mary Lou Parker, cáustica.

Momentos depois, Billy Hamlin saiu pela mesma porta. Acompanhado pelo detetive de roupas comuns de um lado e pelo oficial uniformizado do outro, ele estava com a cabeça abaixada e foi escoltado até a viatura da polícia. Quando Billy foi para o assento de trás, o grupo no refeitório viu um brilho prateado nas costas do rapaz.

— Ele foi algemado! — disse Anne Fielding, arquejando. — Ai, meu Deus. Acham que ele foi preso?

— Bem, não acho que o estão levando para uma boate de sadomasoquismo — respondeu um dos monitores com sarcasmo.

A verdade era que nenhum dos jovens do Acampamento Williams gostava muito de Billy Hamlin. O filho do carpinteiro era popular demais com as mulheres para o gosto deles. E quanto às meninas, embora o agradassem por causa do charme e da beleza de Billy, também o viam como alguém de fora, uma curiosidade com a qual brincar e que deveriam aproveitar, mas dificilmente um semelhante. Para aqueles com o ouvido afiado para esse tipo de coisa, o ruído de alianças se formando no refeitório do Acampamento Williams era ensurdecedor.

— O que acham que estão fazendo aí colados à janela como um bando de gansos? — A voz autoritária de Martha Kramer ecoou pelo recinto como uma sirene de alerta. Todos deram saltos. — Se não estou enganada, todos vocês têm de estar no trabalho amanhã.

— Sim, Sra. Kramer.

— E é vital que a rotina do acampamento permaneça normal, pelo bem das outras crianças.

Somente Mary Lou Parker ousou abrir a boca.

— Mas Sra. Kramer, Billy Hamlin...

— ... não será ajudado por fofoca fútil — interrompeu a senhora. — Espero que não precise lembrá-los que uma criança morreu. Isto não é entretenimento, Srta. Parker. Isto é tragédia. Agora, quero vocês de volta aos seus chalés. As luzes se apagam às onze horas.

# Capítulo 5

TONI GILLETTI ESTAVA CERCADA por água. Água do mar. Estava um breu e frio, e as roupas encharcadas dela grudavam, geladas e úmidas, à pele, como alga marinha. Aos poucos, a garota percebeu. *Estou em uma caverna.* A água subia, devagar, mas constante, cada onda maior do que a anterior.

*Vush. Vush. Vush.*

Cega, agarrando-se às paredes, Toni arranhava, desesperada, em busca de uma fenda, uma saída. Primeiro de tudo, como tinha chegado ali? Alguém a havia levado para puni-la? Toni não se lembrava. Mas se havia um modo de entrar, então deveria haver um modo de sair. Ela precisava encontrá-lo, e rápido.

A água estava na altura dos ombros de Toni.

Dos ouvidos.

SOCORRO!

O grito de Toni ecoou pelas paredes da caverna. Ignorado. Sem resposta.

A água estava na altura da boca da jovem, salgada, sufocando-a. O líquido desceu até os pulmões, roubando-lhe o ar, afogando-a lentamente. Toni não conseguia respirar!

*Por favor, alguém me ajude!*

— Srta. Toni! Srta. Toni! Está tudo bem.

Toni se sentou na cama, arquejando em busca de ar. De olhos arregalados e aterrorizada... sua camisola estava ensopada de suor.

— Carmen?

A empregada espanhola dos Gilletti assentiu de modo reconfortante.

— *Sí*, Srta. Toni. Está tudo bem. Só está sonhando. Está bem.

Toni se jogou de volta contra os travesseiros enquanto a realidade retornava.

Ela não estava se afogando.

Ela não estava no Acampamento Williams.

Estava na própria cama, em casa, em Nova Jersey.

Mas Carmen estava errada. Não estava tudo bem.

Billy Hamlin seria julgado por assassinato.

A coisa toda era ridícula. Tão ridícula que Toni confiantemente esperava ouvir, a cada dia, que as acusações seriam retiradas, que tudo era um erro enorme e terrível. Não tivera chance de falar com Billy desde a prisão do rapaz, mas compreendera o que havia acontecido pelas fofocas de corredor do Acampamento Williams. Evidentemente, Billy tinha dito aos policiais que ele era o responsável por Nicholas e os outros meninos quando o acidente aconteceu, e não Toni. Ele também admitira a presença de drogas em seu organismo, presumivelmente para desviar a atenção de Toni, a qual Billy sabia que tinha condenações anteriores. Deve ter sido isso o que ele quis dizer quando falou para a garota que "não deixaria" que a polícia a fichasse.

A princípio, Toni ficou tão aliviada que se sentiu tomada por gratidão. Ninguém jamais havia se arriscado daquela forma por ela, e com certeza não um cara. Todos só queriam dormir com ela, mas nenhum deles, de fato, se importava, não do modo como Billy se importava. Mas não demorou até que o gesto romântico se tornasse terrivelmente azedo. A família Handemeyer, furiosa devido às alegações de uso de drogas e necessitando desesperadamente de alguém para culpar pela morte do filho, insistiu em prestar queixa. O pai de Nicholas era senador e um dos homens mais ricos do Maine. O senador Handemeyer queria a cabeça de Billy Hamlin em uma bandeja e era poderoso o bastante para influenciar o promotor do distrito. Rapidamente, a mentirinha boba de Billy para proteger Toni havia se tornado notícia nacional, e o alívio de Toni se transformou em um medo constante, um medo de revirar o estômago.

Pais por todos os Estados Unidos se identificaram com o luto da família Handemeyer. Perder um filho era sempre horrível. Mas perder o único filho, aos 7 anos de idade e em circunstâncias tão chocantes, era mais do que as pessoas conseguiam suportar. E o que isso dizia a respeito da sociedade moderna, na qual um adolescente drogado podia ficar encarregado de um grupo de crianças vulneráveis?

Da noite para o dia, o lindo rosto de 19 anos de Billy Hamlin estava em todos os canais de notícias e em todos os jornais como o garoto-propaganda de uma geração egoísta e hedonista. É claro que ele não tinha, de fato, assassinado o menino Handemeyer. Todos sabiam que o caso seria descartado assim que chegasse aos tribunais e que, em seu luto, o senador Handemeyer havia ido longe demais. No entanto, as pessoas estavam satisfeitas em ver a geração pós-Vietnã sendo responsabilizada de alguma forma. Duas semanas antes do julgamento, a *Newsweek* publicou um artigo sobre isso com uma foto de Billy, de cabelos longos e o peito nu, ao lado de uma foto do pequeno Nicholas Handemeyer vestindo o uniforme da escola completo, com gravata. Abaixo das imagens estava a manchete simples, de três palavras:

O QUE ACONTECEU?

Não estavam perguntando o que havia acontecido na praia naquele dia idílico no acampamento infantil de verão no Maine. Estavam perguntando o que havia acontecido com a juventude dos Estados Unidos. O que havia acontecido com a decência, com a moral do país.

O julgamento de Billy Hamlin estava marcado para outubro. Conforme se aproximava, os nervos de Toni Gilletti se distendiam cada vez mais, aproximando-se do ponto de ruptura. A garota ainda não sabia se seria convocada para testemunhar e não fazia ideia do que diria se isso acontecesse. Sabia que deveria se apresentar, contar ao mundo que havia sido ela, e não o pobre e inocente Billy, que permitira que Nicholas Handemeyer morresse. Mas sempre que pegava o telefone para ligar para o escritório da promotoria e contar a verdade, a coragem lhe falhava. Quando a situação ficou difícil, foi Billy quem teve a força, não Toni. Ela simplesmente não conseguia.

Enquanto isso, os sonhos pioravam.

Toni ansiava conversar com alguém, livrar-se do fardo da culpa e da angústia, falar abertamente sobre o que havia acontecido naquela tarde fatídica na praia. Mas com quem conversaria? As amigas eram todas fofoqueiras e cruéis. Charles Braemar Murphy não ligara nem uma vez desde que Toni partira do Acampamento Williams. E, em casa, o pai estava obcecado demais com o modo como a publicidade negativa poderia afetar seus negócios para se importar com o estado emocional da filha. Walter Gilletti agiu rapidamente para manter o nome de sua Toni longe dos jornais, emitindo injunções preventivas contra diversas agências de notícias e emissoras de TV, mantendo Toni praticamente em prisão domiciliar desde que a garota voltara para casa. Mas o apoio paternal dele só ia até esse ponto. Quanto à mãe de Toni, Sandra, estava ocupada demais fazendo compras, jogando bridge com as amigas e se automedicando para questionar Toni com relação ao que havia acontecido de verdade na praia naquele dia e como a jovem poderia estar se sentindo.

Obrigando-se a sair da cama, Toni foi ao banheiro. Depois de jogar água fria no rosto, ela encarou o reflexo no espelho.

*Você abandonou Nicholas Handemeyer à morte, assustado e sozinho.*

*Você deixou Billy Hamlin assumir a culpa pelo que VOCÊ fez.*

*Você é uma covarde e mentirosa, e um dia todos saberão.*

O julgamento começaria em seis dias.

# Capítulo 6

— Como estou?

Billy Hamlin se virou para encarar o pai. De pé na cela vazia de 1,80 por 2,40 metros, com os cabelos loiros recém-cortados e vestindo terno e gravata de lã escura da Brooks Brothers, Billy parecia mais um jovem advogado do que o réu em um julgamento grandioso de assassinato.

— Você está bonito, filho. Inteligente. Sério. Vai superar esta.

Os últimos três meses haviam sido um inferno para Jeff Hamlin. O carpinteiro do Queens poderia lidar com as fofocas locais maliciosas a respeito do filho. Poderia lidar com a perda de metade dos clientes e com os olhares críticos das mulheres da igreja que frequentava, a Presbiteriana St. Luke, a mesma igreja que ele e Billy frequentaram durante os últimos 15 anos. Mas ter de se sentar, impotente, enquanto o caráter do filho amado era maculado em rede nacional, despedaçado por estranhos ignorantes que chamavam Billy de monstro, mau e assassino? Aquilo partia o coração de Jeff Hamlin. O próprio julgamento poderia ser uma fachada — ninguém, nem mesmo os Handemeyer, tinha dúvida de que Billy seria absolvido da acusação de assassinato —, mas fosse o garoto absolvido ou não, o país inteiro se lembraria para sempre do filho de Jeff Hamlin como o drogado que deixou um menino inocente se afogar.

O pior de tudo era que Billy não tinha feito nada disso. Diferentemente da polícia, Jeff Hamlin não engolira a história de Billy nem por um segundo.

— Não era ele que estava cuidando daquelas crianças — disse Jeff ao advogado de Billy, um defensor indicado pelo Estado com o nome profundamente infeliz de Leslie Lose. Os dois estavam sentados no escritório de Lose, um ambiente igual a uma caixa, sem janelas, nos fundos de um prédio desinteressante no bairro de Alfred, no Maine, a apenas alguns quarteirões do tribunal. — Ele está acobertando a garota.

Leslie Lose olhou para Jeff Hamlin, pensativo. A verdade era que não importava muito quem estava supervisionando as crianças. O que acontecera com Nicholas Handemeyer tinha sido um acidente. Qualquer júri no mundo veria isso. Mas o advogado estava curioso.

— O que faz você achar isso? — perguntou Lose.

— Não acho. Sei. Conheço meu filho e sei quando ele está mentindo.

— Mesmo?

— Mesmo — afirmou Jeff.

— Sabia que Billy gosta de beber, Sr. Hamlin?

— Não — admitiu Jeff. — Quero dizer, sabe como é, eu presumi que ele tomava uma cerveja de vez em quando.

— Sabia que ele fuma maconha?

— Não.

— Ou que já usou drogas pesadas? Cocaína. Anfetaminas.

— Não, eu não sabia. Mas...

— Todas essas coisas foram encontradas no organismo de Billy no dia em que Nicholas Handemeyer morreu.

— Sim. E *por que* foram encontradas? — Exasperado, Jeff Hamlin esticou os braços. — Porque Billy disse para a polícia procurá-las. Ele *sugeriu* um exame de sangue, pelo amor de Deus. Por que faria isso se não estivesse tentando se fazer parecer culpado?

Leslie Lose pigarreou.

— Não estou sugerindo que Billy seja culpado. O julgamento como um todo é uma farsa montada pelo senador Handemeyer e o mundo inteiro sabe disso.

— Espero que sim.

— Só estou dizendo, Sr. Hamlin, que depois que eles passam dos 13 anos, nenhum de nós conhece nossos filhos tão bem quanto achamos que conhecemos. A pior coisa que Billy poderia fazer agora seria começar a acusar outras pessoas, tentar desviar a culpa. Ele admitiu que usou drogas, admitiu que cometeu um erro. Isso não o torna um assassino.

Jeff Hamlin se sentou, cansado.

— Billy é um bom garoto.

— Sei que é. — Leslie Lose sorriu de modo reconfortante. — E é isso que vai nos fazer ganhar este caso. Isso e a completa falta de provas concretas da promotoria. Os jornais demonizaram Billy. Quando o júri vir como ele é de verdade, como é diferente do monstro que estão esperando, vão absolvê-lo, com certeza.

— Mas e quanto aos danos à reputação de Billy? Quem vai pagar por isso?

— Um passo de cada vez, Sr. Hamlin — falou Leslie Lose, com afeição. — Vamos levar seu filho para casa primeiro. Depois que lidarmos com as acusações criminais, podemos pensar nos próximos passos.

Jeff Hamlin se sentiu reconfortado com a certeza do advogado. Podia se entender com um torno e uma bancada, mas não sabia nada sobre como conquistar um júri, ou o que constituía ou não assassinato. Apesar do nome, Lose tinha um histórico decente de casos vitoriosos muito menos definidos do que o de Billy.

Um oficial da prisão apareceu à porta.

— Hora de ir.

Billy sorriu. Ele parecia tão feliz e confiante que até mesmo Jeff Hamlin relaxou um pouco.

— Boa sorte, filho.

— Obrigado, pai. Não vou precisar.

* * *

Foi um caminho curto da cadeia até o tribunal. Billy Hamlin olhava pela janela traseira da van da prisão.

Ele estava animado, e não somente porque estava prestes a ser libertado.

*Em uma hora, verei Toni de novo. Ela vai ficar tão feliz ao me ver. Tão agradecida. Quando tudo terminar, vou pedi-la em casamento.*

Billy imaginou se ela estaria diferente. Se havia cortado o cabelo desde o verão, talvez, ou perdido peso. Não que precisasse. Toni Gilletti era perfeita como era.

Ela havia escrito um bilhete curto para Billy enquanto ele estava na cadeia aguardando julgamento. Ele tinha ficado à espera de mais cartas, mas Toni meio que dera a entender que os pais a estavam controlando e que era difícil entrar em contato. Ela ficava especialmente nervosa a respeito de dizer qualquer coisa por escrito. Billy conseguia compreender isso.

*Não importa, de toda forma. Em breve este pesadelo terá terminado e nós poderemos começar nossas vidas juntos.*

Embora Billy tivesse ficado chocado quando acusações de assassinato foram feitas contra ele, não se arrependia do que tinha feito. Não havia perigo de ele ir para a cadeia de verdade, enquanto que, se Toni fosse a julgamento, com a ficha criminal anterior dela, qualquer coisa poderia ter acontecido. Billy sabia que tinha recebido críticas ruins na imprensa — não via TV há meses, mas uma vez um dos guardas da prisão lhe mostrou o artigo na *Newsweek* —, mas, diferentemente do pai, ele não estava excessivamente preocupado com a reputação.

*Depois que o julgamento acabar, as pessoas esquecerão. Além disso, depois que virem como sou de verdade, perceberão que não sou o monstro que achavam que eu era.*

Billy tinha a juventude ao seu lado, e a inocência, e o amor de uma mulher realmente extraordinária. Um dia, ele e Toni olhariam para trás, para aquele momento, e revirariam os olhos diante de toda essa loucura.

A van da prisão chacoalhava.

O JULGAMENTO DE BILLY Hamlin deveria ocorrer no Tribunal de York County, no centro de Alfred. O juiz do tribunal superior Devon Williams presidiria no Tribunal Dois, um salão elegante na frente do prédio de estilo colonial, com janelas de batente antigas, bancos de madeira e um piso de parquete original dos anos 1890, polido diariamente até parecer liso como um rinque de patinação. O Tribunal de York County representava tudo o que era bom e decente e tradicional e ordeiro a respeito daquele que era o mais conservador dos estados. No entanto, dentro das paredes dos prédios, todas as facetas da miséria humana tinham se arrastado. Luto. Corrupção. Violência. Ódio. Desespero. Por trás da fachada agradável de pilares brancos do Tribunal de York County, vidas tinham sido restituídas e destruídas, esperanças realizadas e esmagadas. A justiça tinha sido feita. E, em alguns casos, negada.

Toni Gilletti chegou ao tribunal acompanhada dos pais. Uma grande multidão de espectadores e repórteres tinha se reunido do lado de fora do tribunal.

— Olha só todas essas pessoas — sussurrou Toni, nervosa, para a mãe. — Todos os hotéis de Alfred devem estar cheios.

Sandra Gilletti alisou a saia justa Dior e sorriu para os fotógrafos enquanto a família entrava no prédio. Ela estava *muito* feliz por ter decidido usar alta-costura. Walter tinha se preocupado se não seria demais, mas com as câmeras dos noticiários da NBC voltadas diretamente para ela, Sandra teria simplesmente morrido se estivesse vestindo alguma coisa brega de alguma loja de departamentos local.

— Bem, o caso *gerou* bastante interesse — sussurrou ela de volta para Toni.

*Da mesma forma que merda de cachorro interessa às moscas,* pensou Toni, com amargura.

O ódio da jovem mascarava o medo. A promotoria a *havia* convocado a testemunhar. Toni recebera o aviso apenas alguns dias antes, para irritação de seu pai.

— Consegue livrá-la disso? — perguntou Walter Gilletti para Lawrence McGee, o advogado caro de Manhattan que contratara como conselheiro. — Com tão pouca antecedência. Ela não teve tempo de se preparar.

Lawrence McGee explicou que Toni não deveria se "preparar".

— Ela só precisa ficar lá em cima e contar a verdade. Ninguém está contestando as provas de Toni. O depoimento dela e de Hamlin casam perfeitamente para a polícia.

Mas é claro que Lawrence McGee não *sabia* a verdade. Nem a polícia, nem os pais de Toni, ou ninguém exceto a própria Toni e Billy. E se Billy mudasse sua história sob juramento? E se o advogado dele a questionasse no banco e arrancasse a verdade dela com seu assédio? Será que Billy sequer sabia que a promotoria a havia convocado? Será que o garoto a odiaria por testemunhar contra ele, ou por concordar com a mentira, ou seria isso o que ele queria? A mera ideia de ver o rosto dele de novo fez com que o coração de Toni se acelerasse e as palmas das mãos suassem, e não de um jeito bom. Toni não se sentia assustada dessa forma desde que Graydon Hammond erguera o rosto para ela, com lágrimas nos olhos, e murmurara: "Nicholas sumiu."

— Aaah, vejam. Aqueles devem ser os pais. — Sandra Gilletti parecia animada, como alguém observando um casamento de celebridades.

Toni se virou. Sentia como se tivesse sido picada. Tinha visto fotografias dos Handemeyer antes, nos noticiários da TV, mas nada a havia preparado para a realidade. Ruth Handemeyer, a mãe de Nicholas, parecia tanto com o filho que era perturbador. Tinha o mesmo cabelo loiro-caramelo, os mesmos olhos castanhos e grandes. A exceção era que enquanto os olhos de Nicholas eram brincalhões e agitados, os da mãe eram vítreos e mortos devido ao luto. Toni não conseguia tirar os olhos de Ruth Handemeyer conforme a mulher seguia, majestosa, para o assento, acompanhada pelo marido e pela filha.

O senador Handemeyer era mais velho do que a esposa, com 50 e poucos anos, cabelos grisalhos cortados rentes e um rosto que parecia ter sido esculpido em granito. Ódio reluzia nos olhos azul-escuros dele, mas um ódio controlado, um ódio determinado, o ódio de um homem poderoso e inteligente. Não cabia ao senador Handemeyer o rugir selvagem e impotente de um tigre ferido. Aquele era um homem determinado a obter vingança, um homem que havia se preparado metodicamente para levar à Justiça os responsáveis pela morte do filho. Observando o tribunal como se fosse o dono, o senador Handemeyer fixou o olhar, brevemente, em Leslie Lose, o advogado de Billy. Desconcertado, o advogado virou o rosto. A seguir, para o horror de Toni, o senador a encarou. Toni o encarou de volta como uma estátua, o estômago liquefeito pelo medo.

*Será que ele consegue ver a culpa nos meus olhos?*

*Consegue adivinhar a verdade?*

Mas quando Billy Hamlin caminhou para o banco dos réus, toda a atenção do senador se concentrou no rapaz, em uma onda de ódio tão puro que não havia espaço para nada, ou ninguém, mais.

Se Billy ficou nervoso com o olhar depreciativo do senador, não demonstrou. Em vez disso, ao vasculhar o recinto em busca do rosto de Toni, ele a viu e deu um largo sorriso. Foi o mesmo sorriso jovial e aberto do qual Toni se lembrava do acampamento. Ela sorriu de volta, revigorada pela confiança óbvia do rapaz.

*Isto é um tribunal,* assegurou-se Tony. *O senador Handemeyer tem direito de estar de luto, mas Billy não assassinou ninguém. O júri verá isso.*

LESLIE LOSE BRINCAVA, NERVOSO, com as abotoaduras douradas. O cliente não deveria estar sorrindo para a testemunha bonitinha da promotoria como um cachorrinho apaixonado. Na verdade, seu cliente não deveria estar sorrindo de modo algum. Um garotinho tinha se afogado. Culpado ou não, Billy Hamlin deveria parecer levar aquilo a sério.

Pelo canto do olho, Leslie Lose viu os ombros largos do senador Handemeyer se enrijecerem. O corpo dele inteiro estava retesado como uma mola, pronto para causar destruição a Billy Hamlin e, presumivelmente, a qualquer um que ousasse ajudar o rapaz.

Pela primeira vez desde que aceitara o caso, Leslie Lose começou a imaginar se aquilo não era demais para ele.

— Todos de pé.

Os procedimentos terminaram no que, para Toni, pareceu uma velocidade recorde. Assim que ambos os lados fizeram suas considerações de abertura, ela se viu no banco de testemunhas fazendo o juramento.

— Srta. Gilletti, você estava na praia com o réu na tarde em questão. William Hamlin pareceu distraído para você?

— Eu... eu não sei. Não me lembro.

Ela estava tão nervosa que começou a ranger os dentes. O recinto inteiro olhava para Toni. Temendo acidentalmente fazer contato visual com o senador Handemeyer ou com Billy, Toni olhava fixamente para o chão.

— Não se lembra?

*É claro que me lembro. Me lembro de tudo. O barco a remo, Charles quase matando aqueles garotos, Billy mergulhando em busca de pérolas, desaparecendo sob a água. Me lembro de tudo, exceto de Nicholas, porque eu não estava tomando conta dele. Fui eu! Eu o deixei morrer!*

— Não.

— Outras testemunhas confirmaram que William Hamlin mergulhou repetidas vezes em busca de ostras naquela tarde. Que ele estava se exibindo para você. Lembra-se disso?

Toni abaixou o rosto para as mãos fechadas.

— Lembro-me dele mergulhando. Sim.

— Apesar de ser o único responsável por um grupo de garotinhos no momento?

Toni murmurou algo incoerente.

— Fale alto, por favor, Srta. Gilletti. Você foi originalmente encarregada de levar os garotos para nadar naquele dia. Mas providenciou uma troca de turnos com o réu. Está correto?

*Não! Billy não estava no comando. Eu estava. Foi culpa minha.*

— Sim. Isso está certo.

— Posso perguntar por quê?

Toni ergueu o rosto, em pânico. Sem pensar, ela olhou para Billy, como se pedisse a ajuda dele. *O que devo dizer?*

— Desculpe-me. — Toni corou. — Por que o quê?

— Por que concordou em trocar de turno, Srta. Gilletti?

Por um momento terrível a mente de Toni ficou vazia.

— Porque...

A palavra pairou no ar, como um cadáver pendente. O silêncio que se seguiu pareceu interminável. Mas, finalmente, Toni respondeu.

— Porque eu estava cansada. Não tinha dormido bem na noite anterior e eu... não queria levar os meninos porque não estava cem por cento concentrada.

A jovem olhou para Billy novamente e ele lhe deu um aceno de cabeça imperceptível. *Muito bem. Boa resposta.*

— Obrigado, Srta. Gilletti. Nada mais por enquanto.

O CASO DA PROMOTORIA se arrastava. Billy prestava atenção em um momento ou outro, mas na maior parte do tempo apenas olhava Toni.

*Ela está ainda mais bonita do que eu me lembro. Vamos nos mudar para a Costa Oeste depois do julgamento. Começar de novo em algum lugar diferente.*

Ele desejava poder conversar com Toni, dizer a ela para que não tivesse medo, que tudo ficaria bem. A pobre garota parecia aterrorizada, como se Billy estivesse prestes a ser levado para o pelotão de fuzilamento. O fato de Toni se importar tanto o emocionava. Mas realmente não havia necessidade.

Billy sabia que seria absolvido. Leslie, seu advogado, lhe dissera isso milhares de vezes. No fim das contas, não importava se ele ou Toni estavam cuidando de Nicholas. O que aconteceu tinha sido um acidente. Ninguém assassinara ninguém. Era um erro, um erro trágico e lamentável.

A única coisa que incomodava levemente Billy era o número de testemunhas que havia confirmado o fato de ele usar drogas. Sim, Billy fumava um baseado e, ocasionalmente, cheirava uma carreira ou duas de cocaína. Mas os "especialistas" no banco o pintavam como algum tipo de viciado incontrolável, e Leslie não contestou as alegações.

Jeff Hamlin tinha a mesma preocupação. Ele levou o advogado do filho para um canto no primeiro recesso.

— Aquele cara especialista em drogas fez com que Billy parecesse um viciado. Por que você não disse nada?

— Porque as drogas são uma distração, Sr. Hamlin. Um espetáculo à parte. Não queremos ser arrastados para isso — argumentou Leslie.

— Bem, o júri estava certamente sendo arrastado. Viu o olhar no rosto do relator? — protestou Jeff Hamlin. — E da mulher de meia-idade nos fundos? Ela parecia querer enforcar Billy bem ali no tribunal.

— O uso ou não de drogas por Billy não tem influência no caso.

— A acusação obviamente pensa que isso tem alguma influência.

— Isso é porque eles não têm um caso — falou Leslie Lose, confiante. — Um fato que comprovarei abundantemente amanhã, quando começarmos a defesa de Billy. Por favor, tente não se preocupar, Sr. Hamlin. Sei o que estou fazendo.

* * *

A ACUSAÇÃO LEVOU DOIS dias para apresentar o caso, o qual consistia em um trabalho minucioso de destruição do caráter de Billy Hamlin. Foi feito muito alarde com o relatório de toxicologia e com os "problemas com abuso de substâncias" de Billy. Mais alarde ainda foi feito com a promiscuidade dele, com diversas garotas do Acampamento Williams admitindo, aos prantos, sob juramento, que tinham sido "seduzidas" pelo charmoso filho do carpinteiro. Combinado com a admissão de Billy, apoiada pelas provas de Toni Gilletti, de que o rapaz era responsável pelos meninos naquele dia, o consenso era que a promotoria havia feito o bastante para comprovar homicídio culposo. Mas para homicídio doloso, precisariam de mais. Precisariam de negligência em uma escala massiva, e precisariam de malícia.

— A DEFESA CHAMA Charles Braemar Murphy.

Billy lançou um olhar confuso para o advogado. *Eles haviam discutido aquilo?* Charles nunca fora o maior fã de Billy, exatamente.

— Sr. Braemar Murphy, você estava presente na praia na tarde em que Nicholas Handemeyer morreu, não estava?

— Estava. — Charles assentiu com seriedade. Vestindo um terno de corte impecável da Halston e gravata de seda amarelo-clara, com os cabelos escuros divididos precisamente para o lado e com um anel de formatura da Groton reluzindo no dedo mindinho, Charles parecia bonito, sóbrio e conservador, tudo o que o júri fora levado a acreditar que Billy Hamlin não era.

— Conte-nos o que se lembra.

Charles respirou fundo.

— Eu estava no iate dos meus pais naquele dia. Creio que tenha bebido umas duas taças de vinho, mas mesmo assim peguei uma das lanchas para ir até a praia, o que foi uma coisa estúpida de se fazer.

Toni observou os rostos dos jurados, os quais ouviam, todos, atentamente. Era chocante como pareciam perdoar o fato de Charles confessar ter bebido, em contraste com o nojo diante da suposta ingestão de drogas de Billy. Será que o álcool era apenas mais socialmente aceitável? Ou seriam os modos educados e de classe alta de Charles que os conquistava?

Charles continuou.

— Eu estava indo bastante rápido quando, de repente, vi um barco a remo bem diante de mim, na área de navegação. Desviei para evitá-lo, e foi quando acertei Billy. Não na cabeça, é claro. Eu o teria matado. Mas acertei-o no ombro. Não estava esperando vê-lo nadando tão longe no mar.

— Onde estavam as crianças nesse momento?

— Na praia, brincando — disse Charles, com firmeza.

*Isso é estranho,* pensou Toni. *Me espanta ele ter notado os meninos daquela distância e depois do choque do que aconteceu na área de navegação.*

— Nicholas Handemeyer estava com eles?

— Acho que sim. Sim. Havia sete meninos, então devia estar.

Um murmúrio de surpresa percorreu o tribunal. O casal Handemeyer trocou olhares inquietos. A irmã mais velha de Nicholas, uma garota bonita, de cabelos escuros, no início da adolescência, segurou firme a mão da mãe. Se Nicholas estava são e vivo tão no fim da tarde, o que quer que tivesse acontecido com ele devia ter sido muito rápido. Além disso, provavelmente tinha acontecido enquanto Billy Hamlin estava na praia, recebendo atenção médica. Uma circunstância mitigante, se é que havia uma.

— Então sua lembrança é de que as crianças estavam seguras enquanto estavam sob os cuidados de Billy Hamlin naquele dia, até que o próprio Billy foi ferido por sua lancha.

— Sim.

— Obrigado, Sr. Braemar Murphy. Sem mais perguntas.

Jeff Hamlin precisou se conter para não socar o ar de triunfo. O bom e velho Leslie sabia o que estava fazendo, afinal de contas.

* * *

— Algumas perguntas, Sr. Braemar Murphy. — O promotor estava de pé. — Entendo que você e a Srta. Gilletti estavam namorando na época desses eventos. Isso está certo?

— Está. — Charles parecia perplexo. A pergunta nem sequer parecia relevante.

— Outros monitores no Acampamento Williams atestaram que a Srta. Gilletti e Nicholas Handemeyer eram próximos. *Isso* está correto?

— Todos os garotos adoravam Toni — disse Braemar Murphy.

— Mas Nicholas Handemeyer em especial?

As sobrancelhas de Charles se franziram mais.

— Acho que sim, é. Ele escreveu uns poeminhas de amor para ela. Foi uma graça.

Toni afundou as unhas na coxa com tanta violência que tirou sangue. Não queria pensar nos poemas de Nicholas, rabiscados em pedaços de papel e passados, com esperança, por debaixo da porta do chalé. O coração dela poderia se despedaçar.

— Sr. Braemar Murphy, você considerava William Hamlin seu rival pela afeição da Srta. Gilletti?

— Perdão?

— Preocupava-o que o Sr. Hamlin se sentisse atraído por sua namorada?

— Não me preocupava exatamente, não.

— Verdade? Você sabia que os dois haviam dormido juntos?

Um murmúrio de reprovação percorreu o tribunal.

— Sim. Mas foi apenas uma noite. Não significou nada.

Do banco dos réus, Billy Hamlin encarou Charles com ódio. Como aquele desgraçado presunçoso ousava dizer que ele e Toni não tinham significado nada? Os punhos de Billy estavam fechados e ele parecia prestes a explodir, mas conseguiu se conter.

— Então você não estava preocupado? — continuou o promotor.

— Não.

— Nem mesmo depois que Billy Hamlin ameaçou sua vida?

O júri voltou à vida como se acordado de um sono profundo. Toni Gilletti se sentou ereta. Do banco dos réus, Billy olhou ansioso para o pai.

— Diversos outros monitores do Acampamento Williams testemunharam que na noite anterior à morte de Nicholas Handemeyer, Billy Hamlin estava declarando abertamente seu amor pela Srta. Gilletti na festa do acampamento e ameaçando, abro aspas, aniquilar, fecho aspas, qualquer um que ousasse se colocar entre eles. Isso não incluiria você?

— Billy não estava falando sério — disse Charles. — Ele estava chapado.

— De fato. — O promotor fez uma pausa significativa. — Conforme o tribunal ouviu. Mas digo a você, Sr. Braemar Murphy, que o Sr. Hamlin *falou* sério sim. Digo a você que William Hamlin sentia um ciúme selvagem e violento de qualquer um que a Srta. Gilletti amasse. Que o uso de drogas meramente libertou sentimentos de ódio e obsessão que, nos momentos mais sóbrios, ele conseguia manter escondidos.

Tardiamente, Leslie Lose se levantou.

— Objeção! Especulação.

O juiz gesticulou para que ele se sentasse. Como o restante do recinto, queria ver até onde aquilo iria.

— Permitirei.

O promotor continuou.

— Digo a você que o ciúme violento do Sr. Hamlin era tanto que ele até mesmo se ressentia da afeição demonstrada pela Srta. Gilletti a um garotinho.

Um olhar de dor perpassou o rosto de Charles Braemar Murphy. Então, para o espanto de Toni, ele falou:

— Isso pode ser verdade.

*O quê? É claro que não é verdade!*

— Billy pode ter se ressentido de Nicholas.

— Pode, de fato! Na mente paranoica e drogada de William Hamlin, Nicholas Handemeyer não era uma criança inocente de 7 anos, era? Ele era uma ameaça. Exatamente como você.

— Talvez. — Charles balançou a cabeça, como se desejasse que aquilo não fosse verdade.

— Uma ameaça que precisava ser descartada. Neutralizada. Aniquilada.

— Espero que não. — Charles estremeceu, como se a ideia jamais tivesse ocorrido a ele. — Meu Deus, espero que não.

*Desgraçado!*, pensou Toni. *Billy jamais teria machucado Nicholas, e Charles sabe disso. Ele só está tentando se vingar de Billy por ter dado em cima de mim.*

— Billy é um bom rapaz. — Charles torceu a faca na ferida. — Mas estava deslocado no Acampamento Williams.

— Em que sentido?

— Em todos os sentidos. Socialmente, economicamente, educacionalmente. A verdade era que eu sentia pena dele. Todos sentíamos. Billy não podia suportar o fato de que Toni me escolheu a ele.

Aquilo foi demais para Billy.

— *Mentiroso!* — gritou ele, ficando de pé. O rosto de Billy estava vermelho de ódio, e as veias na testa e no pescoço se projetavam como se estivessem prestes a explodir. — Toni me ama e eu amo ela!

O júri não ficou impressionado. Billy parecia um louco, os cabelos, uma bagunça, os braços gesticulando freneticamente, as chamas da obsessão por Toni queimando nos olhos do rapaz. Toni sentiu vontade de chorar. Charles o havia provocado, e Billy tinha caído direto na armadilha. Pior, o advogado foi junto com ele.

— E isso é *sem* drogas no organismo — falou o promotor, diminuindo o tom de voz e proferindo, com precisão, os pensamentos dos jurados. — Obrigado, Sr. Braemar Murphy. Sem mais perguntas.

* * *

Os dois dias seguintes foram dedicados ao controle de danos.

Leslie Lose produziu diversas testemunhas da vida pregressa de Billy para atestar o bom caráter do jovem: professores, técnicos, vizinhos. O consenso era de que o Billy Hamlin que conheciam não machucaria uma mosca conscientemente.

Jeff Hamlin implorou para que lhe permitissem testemunhar, mas Leslie Lose não permitiria.

— Você é emotivo demais. Não ajudará.

— Então vamos deixar que Billy fale por si mesmo. Ele precisa de uma chance para mostrar às pessoas como é de verdade — disse Jeff.

Esse tinha sido o plano original — que Billy fosse a própria arma secreta, que seu charme afável e sua humildade natural transformassem os corações e as mentes. Mas depois das provas de Charles Braemar Murphy, o navio, em vez de zarpar, afundou sem deixar vestígios.

— Quanto menos Billy falar, melhor — disse Leslie. — De agora em diante, nos concentramos nos fatos.

Os fatos ainda estavam a favor de Billy.

Billy Hamlin tinha sido negligente ao tirar os olhos de um menino de 7 anos na praia? Sim, tinha.

Ele estava errado ao ingerir drogas e álcool enquanto trabalhava como monitor do acampamento e era responsável por crianças pequenas?

É claro que estava.

Mas William Hamlin teria assassinado Nicholas Handemeyer? Teria, intencionalmente, causado a morte do menino? Excetuando-se a explosão desastrosa de ciúmes mais cedo, não havia prova de que isso teria acontecido. Não havia sequer uma evidência convincente que sugerisse isso.

Leslie Lose terminou as alegações finais com as palavras:

— Billy Hamlin não é um assassino. Não é um monstro também. É um adolescente normal e um filho carinhoso. Não deixemos que a tragédia de uma família se transforme em duas.

Conforme Leslie se sentou, o advogado tomou ciência do senador Handemeyer o encarando. Uma comichão percorreu a pele de Leslie, desconfortavelmente, sob o terno de lã.

Ele rezava para que fosse o suficiente.

A SESSÃO FOI ENCERRADA à noite. Walter Gilletti conversou com o advogado do lado de fora do tribunal.

— O que acha?

— Absolvição. Não há dúvidas. Ele não se ajudou com aquela explosão, mas a promotoria não comprovou nada.

Enquanto ouvia a alguns metros de distância, Toni expirou aliviada. O advogado do pai era o melhor que o dinheiro podia pagar. Billy seria um homem livre no dia seguinte. É claro que depois que ele saísse, Toni precisaria conversar com ele sobre aquela loucura de casamento. Toni gostava de Billy e devia muito a ele, mas matrimônio, definitivamente, não estava em sua agenda. Mesmo assim, esses seriam bons problemas para se ter.

O pai dela ainda estava falando.

— Que bom. — A voz de Walter Gilletti reverberou com autoridade. — Se é algo certo, então gostaria de ir embora esta noite. Quanto mais cedo sairmos deste circo, melhor.

— Não posso ir embora, papai — disparou Toni. — Preciso ficar para o veredito. Billy precisa de mim aqui.

Walter Gilletti se virou para a filha como uma cobra prestes a dar o bote.

— Não dou a mínima para o que Billy Hamlin precisa. Vamos embora quando eu disser que vamos — rosnou ele.

NO FIM DAS CONTAS, os Gilletti ficaram mais uma noite em Alfred.

Ao pesar as coisas, Walter Gilletti decidiu que pareceria ruim para os negócios se não ficassem.

# Capítulo 7

O JUIZ DO TRIBUNAL SUPERIOR, Devon Williams, se sentou, examinando o mar de rostos diante de si. Homem grande, de 70 e poucos anos, com uma barba branca perfeitamente raspada e uma auréola de cabelos como neve em torno de um ponto careca no alto da cabeça, como se fosse um clérigo, o juiz Williams presidira muitos casos difíceis. Roubos. Agressões. Incêndios criminosos. Assassinatos. Mas poucos tinham sido tão angustiantes quanto aquele. Ou, no fim das contas, tão fútil.

A morte de Nicholas Handemeyer fora uma tragédia. Mas estava claro para o juiz Williams que nenhum assassinato tinha sido cometido. Ali, claramente, havia um exemplo de caso no qual a histeria e o ódio públicos, incentivados pelo luto particular de uma família, tinham vencido o senso comum. O senador Handemeyer queria que cabeças rolassem — a cabeça do garoto Hamlin, em particular — e que a verdade fosse para o inferno. Depois que se extirpava a emoção, no entanto, o que importava naquele caso — em todos os casos — era a lei. E a lei era clara: se Billy Hamlin era culpado de assassinato, o juiz Devon Williams era tio de um macaco.

É claro que a lei não poderia ser tomada de forma resumida. Precisava ser interpretada pelos 12 homens e mulheres do júri. O juiz Williams os observava naquele momento, conforme voltavam em fila para o Tribunal Dois. Homens e mulheres comuns: dez brancos, dois negros, a maioria de meia-idade, a maioria acima do peso, uma fotografia do grande público dos Estados Unidos. E mesmo assim, aquelas pessoas comuns carregavam uma responsabilidade extraordinária.

Normalmente, o juiz Williams gostava do desafio de prever o veredito de um júri. Como aquele jurado reagiria àquela testemunha, ou àquela evidência. Quem reagiria emocionalmente e quem reagiria racionalmente. Que preconceitos ou personalidades conduziriam o dia. Mas quando ele chamou o relator para que se dirigisse ao tribunal, o juiz não sentiu nada da tensão ou da animação habitual, apenas tristeza.

Um menininho havia morrido. Nada poderia trazê-lo de volta. E agora, o espetáculo desedificante de um julgamento por assassinato que jamais deveria ter chegado aos tribunais estava prestes a acabar. Estava claro o lado que a moeda cairia.

— Chegaram a um veredito?

— Chegamos, Vossa Excelência.

RUTH HANDEMEYER APERTOU A mão da filha. Ela estava tão tensa que mal respirava. Ao seu lado, podia sentir o ódio e a cólera do marido retesados dentro dele como se fossem uma mola. Ruth não fazia ideia de como dissipá-la ou do que dizer para reconfortá-lo. Desde a morte de Nicko, os dois haviam se tornado estranhos, separados por um oceano de luto.

A adolescente apertou de volta.

— O que quer que aconteça, mamãe, nós sempre o amaremos.

Ruth Handemeyer segurou um soluço.

JEFF HAMLIN OLHOU PARA a direita. Leslie Lose lhe deu um sorriso encorajador.

*Vai ficar tudo bem*, disse Jeff a si mesmo pela centésima vez. Ele se culpava por ter mandado Billy para o acampamento para início de conversa. Como tinha sido bobo, pensando que o filho poderia fazer conexões ali, poderia se aprimorar! Quando a situação apertava, as classes ricas e educadas se uniam. A velha Sra. Kramer, a família da jovem Gilletti, até mesmo os Handemeyer eram todos farinha do mesmo saco, em busca de um cordeiro para sacrificar pela morte de uma criança. E quem melhor do que o filho de um carpinteiro?

*Billy está naquele banco dos réus porque não é um deles.*

Do banco dos réus, Billy Hamlin olhou para Toni Gilletti com os olhos cheios de amor.

Naquela noite ele seria um homem livre.

Naquela noite, tudo começaria.

O estômago de Toni estava se revirando. Ela sentia culpa ao pensar naquilo, depois de tudo o que Billy tinha feito por ela, mas o modo como o jovem a olhava estava começando a assustá-la.

*Preciso conversar com ele imediatamente. Não posso deixá-lo sair daqui achando que vamos nos casar, achando que temos um futuro juntos.*

O que quer que Toni Gilletti um dia tivesse achado atraente e emocionante em Billy Hamlin tinha morrido com o pobre Nicholas Handemeyer. Dali em diante, Toni sempre associaria Billy com aquele dia. Com terror e angústia. Com tragédia e arrependimento. Com sangue e água. Com morte.

Não haveria volta.

A voz poderosa de barítono do juiz Devon Williams cortou a tensão no recinto como uma perfuratriz.

— E pelas acusações de homicídio doloso, como declaram o réu?

Billy Hamlin fechou os olhos. Finalmente acabava.

— Culpado.

# Capítulo 8

Toni saiu apressada pelo corredor, acelerando o passo. O pai dela gritava para que a jovem voltasse, mas Toni não ouvia.

*Preciso ver Billy. Preciso dizer que sinto muito.*

Como o júri o havia declarado culpado? Era impossível, ridículo. O juiz obviamente concordava. Dava para ver nos olhos dele quando proferiu a sentença: vinte anos, com condicional em 15, o mínimo permitido para homicídio doloso, mas ainda assim, uma vida inteira.

— Sinto muito, senhorita. — Um oficial do tribunal bloqueou o caminho de Toni até a cela. — Apenas visitas oficiais.

— Mas ele precisa me ver!

— Precisa coisa nenhuma.

Antes que Toni soubesse o que estava acontecendo, o pai de Billy a agarrou pelos ombros e jogou as costas da garota contra a parede com tanta força que ela sentiu o fôlego se esvair de seu corpo.

— Foi você, não foi? Foi você! Você deixou meu menino levar a culpa por você, sua vadiazinha rica e mimada.

— Tire as mãos da minha filha.

Pela primeira vez, Toni ficou feliz ao ver o pai. Walter Gilletti era um homem franzino, mas irradiava autoridade.

— Entendo que esteja chateado — disse Walter para Jeff Hamlin. — Mas Toni não teve nada a ver com isso.

— Até parece. — Jeff Hamlin se afastou com lágrimas nos olhos. — A merda da sua filha não fede. Deram vinte anos para meu Billy. Vinte *anos*!

Walter Gilletti deu de ombros.

— Se ele mantiver o nariz limpo, sairá em 15.

A indiferença do homem rico foi a última gota para Jeff Hamlin. Atirando-se contra Walter Gilletti com um rugido poderoso, ele o atacou com selvageria enquanto o policial tentava, em vão, separar os dois homens. Aproveitando a oportunidade, Toni disparou escada abaixo na direção da cela, mas dentro de segundos, outro policial a segurou.

— O que diabos acha que está fazendo, mocinha? Não pode simplesmente invadir sem autorização.

— Está tudo bem, Frank. O garoto pediu para vê-la.

Leslie Lose parecia ter surgido do nada. Ele tinha o rosto pálido e sério. Obviamente, o veredito também o chocara.

Relutante, o guarda saiu da frente.

— Obrigada — disse Toni para o advogado de Billy.

— Por favor. É o mínimo que posso fazer.

— Não foi sua culpa, sabe.

— Foi sim — disse Leslie, baixinho.

BILLY SE ILUMINOU QUANDO Toni entrou.

— Graças a Deus. Achei que talvez não a deixassem entrar.

Ali estava ela. Sua Toni. Sua Helena de Troia. Com um vestido liso, sem mangas, na altura dos joelhos, de seda creme, acompanhado de saltos finos baixos e um cardigã de caxemira, ela parecia mais velha do que Billy se lembrava. O modelito gritava rica (o que ela era) e recatada (o que ela certamente não era). Mas nada conseguia esconder a sensualidade crua do corpo por baixo.

Billy moveu-se na direção dela, atraído como um ímã para um pedaço de metal, ou uma mariposa indefesa para a lua.

— Oi.

Toni o abraçou, apertando com força conforme lágrimas quentes de culpa pingavam no colarinho de Billy e desciam pelo pescoço dele.

— Me desculpe, Billy.

— Pelo quê? — Ele forçou um sorriso, determinado a ser corajoso na frente dela. — Essa decisão foi minha, não sua. E se eu voltasse atrás, faria de novo, sem pensar.

— Mas, Billy. Vinte *anos*.

— Quinze — corrigiu ele. — Com condicional.

— Mas você não fez nada de errado.

— Nem você.

— Billy, por *favor*. Eu fiz. Você sabe que fiz. Nós dois sabemos. Nicholas estava no meu grupo.

— Foi um acidente, Toni. Um acidente. Jamais se esqueça disso. — Inspirando o cheiro da pele dela, misturado a um leve perfume de limão, Billy se sentia tomado pelo desejo. Apesar da exibição de bravura, ele estava assustado. Assustado com a cadeia, com um futuro sem Toni. Desesperadamente, ele a puxou para perto e beijou-a com paixão, forçando a língua dentro da boca da jovem como um pintinho faminto em busca de comida.

Toni se encolheu. O hálito de Billy estava azedo pelo temor.

— Vamos lá. — Ela tentou rir. — Não é o momento.

— Acho que vai descobrir que é o único momento que tenho. Eles vão me levar em um minuto.

— Sabe para onde?

— Para a prisão estadual, por enquanto, pelo menos. Fica em Warren, onde diabos isso seja. — Billy gargalhou, mas não havia alegria no som. — Meu advogado falou que vai tentar me transferir. É longe para meu pai visitar.

— É claro. — Toni assentiu de modo terrível com a cabeça. Se ela fosse para a cadeia em vez de Billy, como deveria ir, será que o pai se incomodaria em ir visitá-la? *Duvido.* Mas Toni não tinha ido até lá para conversar sobre seus respectivos pais. Ela precisava dizer a verdade a Billy. Terminar tudo entre eles. Sob as circunstâncias, Toni não sabia por onde começar.

— Olhe, Billy — começou ela, nervosa. — Devo tanto a você que realmente não sei o que dizer.

— Que tal sim?

Ele a olhava com aqueles olhos de cachorrinho de novo. Como se aquilo fosse um filme ou uma peça e a qualquer minuto eles estivessem prestes a sair do palco e voltar para a realidade. E Nicholas estaria vivo, e Billy não iria para a prisão, e todos viveriam felizes para sempre.

*Ai, meu Deus.* O coração de Toni ficou pesado. *Ele está se apoiando sobre um joelho?*

— Diga que vai se casar comigo, Toni. Diga que vai esperar.

Toni abriu a boca para falar, mas Billy a interrompeu.

— Sei o que está pensando. Mas talvez não leve 15 anos. Leslie vai apelar. Talvez até consigamos uma anulação.

— Com base em quê?

— Não sei.

Pela primeira vez desde o dia em que Nicholas morreu, Toni viu a fachada de bravura e força masculina de Billy Hamlin se esvair. Ao olhar para os olhos dele naquele momento, ela viu um garoto aterrorizado. Com medo. Sozinho. Deslocado, exatamente como ela.

— Mas Leslie diz que é possível e que eu poderia sair em uns dois anos. Então poderíamos nos casar e... tal.

Billy parou de falar de repente. Será que ele conseguia ver no rosto dela o quanto Toni estava horrorizada? Tardiamente, a garota tentou parecer uma namorada devotada. Se Billy precisasse de uma fantasia à qual se ater, algo que o ajudasse a superar o pesadelo da vida na cadeia, ela não devia isso ao jovem, no mínimo?

— Por favor, Toni. — A inquietude nos olhos de Billy era insuportável. — Por favor, diga que sim.

Antes que ela pudesse impedir, as palavras saíram de sua boca.

— Sim. Quero dizer, é claro. É claro que sim! Não estava esperando um pedido neste minuto, só isso. Mas é claro que vou me casar com você, Billy.

— Assim que eu sair?

— Assim que você sair.

Billy começou a soluçar, aliviado.

— Amo tanto você, Toni. — Puxando a garota para perto de novo, ele a segurou contra o peito como se fosse uma criança com um ursinho de pelúcia.

Os guardas chegaram.

— Hora de ir.

— Sei que vai parecer loucura — sussurrou Billy no ouvido de Toni —, mas estou falando sério. Este é o dia mais feliz da minha vida. Obrigado.

— Da minha também — assegurou-lhe Toni. — Seja forte — acrescentou ela conforme Billy era levado.

Toni Gilletti esperou até que a porta da cela se fechasse atrás dele. Então, afundou na cadeira e chorou.

Sabia que jamais veria Billy Hamlin de novo.

TRÊS DIAS DEPOIS DO veredito, Leslie Lose pegou um avião para Washington. Ele chegou à segurança da garagem subterrânea às nove e quinze da noite, horário combinado.

Leslie meio que esperava que o cliente enviasse um mensageiro ou alguém anônimo para completar a transação. Em vez disso, para sua leve surpresa, o próprio cliente apareceu. Era um homem importante, e sua presença fez com que Leslie se sentisse importante.

— Duzentos mil. Conforme combinado. — Ao descer a janela de vidro fumê do Lincoln Town Car, o homem entregou a Leslie o envelope gordo e estufado. — Você se saiu bem.

— Eu sabia o que estava fazendo. A questão é conhecer os jurados. Digamos que eu conhecia os meus *muito* bem.

— Obviamente. Eu tinha certeza de que o absolveriam, mas você conseguiu.

Leslie sorriu, envolvendo as mãos, gordas feito salsichas, com ganância no envelope.

— Você deveria ter tido mais fé, senador.

O senador Handemeyer sorriu.

— Talvez devesse, Sr. Lose. Talvez devesse.

O advogado de Billy Hamlin observou no escuro enquanto o Lincoln se afastava.

# PARTE DOIS

# Capítulo 9

OXFORDSHIRE, INGLATERRA. PRESENTE.

— OH, MICHAEL! OH, MICHAEL, amo focê, amo tanto focê! Por favor, não pare!

Da posição confortável no banco traseiro do MG conversível vintage, Michael De Vere pensou: *Por que as mulheres dizem isso? "Não pare." Ninguém pararia neste momento em particular, correto? Embora seja presumível que alguns homens parem, caso contrário as garotas não se incomodariam em dizer isso, não é?*

Enquanto a mente de Michael divagava, a ereção dele começou a murchar. Mas depois de ter começado, ele não parecia conseguir parar. O que Lenka, sua mais recente conquista, achava que ele estava prestes a fazer? Pegar o *Racing Post* e começar a ler sobre os cavalos e os cavaleiros da competição das quatro e quinze em Wincanton? E se ele fosse fazer isso, o que a fazia pensar que gritar "Não pare" poderia fazê-lo mudar de ideia?

— Você parou. — A voz de Lenka estava trêmula de reprovação.

— Pausei, querida. Pausei.

Eram quatro e quinze de uma linda tarde de maio, e Michael De Vere estava atrasado. Deveria ter deixado Lenka na ferrovia de

Didcot uma hora antes. Mas com a luz do sol e as flores irrompendo das cercas vivas e a impossivelmente curta minissaia Marc Jacobs subindo pelas coxas lisas e morenas da garota, uma coisa havia levado a outra. Ou melhor, uma coisa quase levara a outra.

Lenka fez biquinho.

— Focê não me acha atraente?

— Querida, é claro que acho.

— Focê não me ama?

Michael De Vere suspirou. Ele obviamente não conseguiria retomar a brincadeira. Puxando a calça jeans para cima, o rapaz deu partida no carro.

— Lenka, você é um anjo, sabe que é. Mas se eu me atrasar para o jantar da mamãe esta noite, ela servirá minhas bolas fritas como sobremesa. Creio que seja isso o que está me desestimulando.

A garota o encarou.

— Focê mente! Focê tem fergonha de mim, esse é o problema. Tem fergonha de me apresentar à sua mãe.

— Besteira, querida — mentiu Michael, olhando com satisfação para a saia de Lenka, que mostrava a calcinha, e os enormes seios siliconados que saltavam, felizes, sob a minúscula camiseta do PeTA. — Mamãe adoraria você. — *Tanto quanto antraz e Che Guevara.* — Eu simplesmente não acho que esta noite seja o momento certo para apresentá-las, só isso.

DEZ MINUTOS DEPOIS, ENQUANTO acenava para Lenka da plataforma, Michael De Vere exalou um suspiro de alívio e, alegremente, deletou os contatos da moça do celular.

*Sexy, mas complicada demais.*

Michael tinha estresse o bastante com que lidar: a mãe fora nomeada ministra do Interior na mesma semana em que ele decidira largar Oxford. Não apenas decidira, tinha de fato largado. Naquela manhã, Michael tinha ido até seu tutor, assinado os formulários relevantes e empacotado todo o conteúdo da linda residência em Chapel Quad para nunca mais voltar. Ele planejava dar as boas novas aos pais no jantar daquela noite.

Naturalmente, os dois teriam um ataque, e não somente porque o novo emprego da mãe de Michael agora significava que aquilo viraria manchete. FILHO DA MINISTRA DO INTERIOR ABANDONA FACULDADE BALLIOL PARA SE TORNAR FESTEIRO PROFISSIONAL. O *Daily Mail* sempre usava palavras como *abandona*. Eram uns babacas. Michael se sentia mal pelas inevitáveis matérias negativas, mas isso não podia ser evitado. Ele havia montado uma empresa de eventos no ano anterior com o melhor amigo, Tommy Lyon, e os dois estavam nadando em dinheiro. O futuro era promissor, e Michael De Vere conseguia sentir o cheiro do sucesso de onde estava. Não era hora de brincar com análises de T.S. Eliot.

Ironicamente, a ira da mãe não seria nada comparada com a do pai. Teddy De Vere tinha sido, ele mesmo, um homem da Faculdade Balliol, assim como seu pai, seu avô e seu bisavô antes dele. À exceção de profanar o túmulo da avó, anunciar que era gay ou (inimaginável) que havia se filiado ao Partido Trabalhista, aos olhos do pai, Michael De Vere não poderia ter cometido crime pior do que abandonar Oxford.

Sim, o jantar daquela noite seria bastante capcioso, mesmo sem os dramalhões de Lenka. O único ponto positivo em todo aquele negócio terrível era que a irmã de Michael, Roxie, estaria lá para lhe dar apoio.

— Última carta.

Teddy De Vere atirou o nove de paus na mesa de cartas de feltro verde com um floreio teatral. Era uma piada familiar o fato de Teddy jamais ganhar um jogo de cartas, ou qualquer coisa: Banco Imobiliário, Pictionary, charadas. Era só escolher o jogo que Teddy perderia, repetidas vezes e, em geral, de modo bastante espetacular. Como diretor financeiro de um fundo de hedge bem-sucedido no mercado financeiro de Londres, sem falar de um historiador respeitado formado em Oxford, Teddy De Vere não era bobo. Mas ele bancava o bobo à perfeição em casa, satisfazendo-se com o papel de alvo das piadas familiares, um tipo de urso de circo deliberadamente domado.

Como sempre, sua filha, Roxie, havia se desdobrado naquela noite para dar uma vantagem ao pai no jogo de Oh Hell que precedeu o jantar. Pela primeira vez, Teddy parecia estar, genuinamente, vencendo.

— Ah, muito bom, pai. — Roxie sorriu de modo encorajador. — Agora só precisa de um dois.

Ela colocou o dois de paus, com cuidado, sobre o nove de Teddy.

Teddy franziu a testa.

— Hmm. Bem, não tenho um dois, tenho?

— Então precisa pegar duas cartas, pai.

— Porcaria.

— Última carta.

— Espere um pouco aí...

Roxie jogou o valete de paus e se recostou, triunfante.

— Estou fora.

O rosto de Teddy era o retrato da inconformidade, e Roxie não conseguiu deixar de rir.

— Ai, pai querido, deixe para lá. Talvez ganhe na próxima vez.

Pai e filha estavam sentados na biblioteca de Kingsmere, a propriedade ancestral dos De Vere em North Oxfordshire. Desde o "acidente" de Roxie, o quarto da jovem tinha sido transferido para o primeiro andar, e o antigo escritório de Teddy fora convertido em banheiro de suíte. Como resultado disso, a sala de estar agora ficava no andar de cima e dava para o parque de caça. Mas a biblioteca, um cômodo aconchegante de paredes vermelhas e sofás Chesterfield de couro negro, retratos de caça nas paredes e cestos para cachorros aninhados próximos à lareira permanentemente acesa, permanecia como sempre havia sido. Roxie amava o cômodo por causa daquilo, por não ter mudado. Ela o amava ainda mais quando o pai estava nele.

— Que tal um bom xerez seco antes do jantar? — Teddy se recostou na cadeira e alongou as pernas. Ele vestia as mesmas calças roxo-escuras de gorgorão todas as noites, inverno ou verão, chuva ou sol. Tinha cerca de cem pares delas no andar de cima, no closet. Para Roxie, tudo a respeito do pai sugeria familiaridade e ritual, um marasmo reconfortante em um mundo de mudanças bruscas. — Sua mãe estará em casa em um minuto.

Roxie não precisava ser lembrada daquilo. Ao virar a cadeira de rodas, ela se empurrou até o bar para preparar a bebida de Teddy. Roxie raramente bebia antes do jantar, mas naquela noite ela abria uma exceção e derramava o Manzanilla cor de âmbar pálido em dois copos, em vez do copo solitário de sempre. Mamãe certamente seria insuportável naquela noite, gabando-se toda presunçosa depois da grande vitória. *Ministra do Interior.* As palavras ficaram presas na garganta de Roxie. Como a mãe tinha conseguido? Por que outros não viam Alexia do modo como ela, Roxie, conseguia ver? A mãe seria a estrela triunfante do próprio espetáculo no jantar, arrogante e insuportável. Mas quando não era?

Houve um tempo, muito, muito antigamente, em que Roxanne De Vere amara a mãe. Sim, Alexia sempre fora ambiciosa, contida e distante de um modo que as mães das outras meninas não eram. Mas mesmo assim, Roxie se lembrava de dias felizes. Longos verões que passaram juntas na praia, em Martha's Vineyard, fazendo piqueniques na hora do almoço e brincando de fadas e elfos. Natais em Kingsmere, com Alexia erguendo Roxie no alto para pendurar na árvore enfeites horríveis e chamativos feitos em casa. Ela se lembrava de corridas de carrinho de mão no jardim e de — o que era incongruente devido à notória comida ruim de Alexia — fazer geleia de amora.

Mas então Roxie chegou à adolescência e tudo mudou. Desde o início, mãe e filha brigavam. Brigavam por tudo, desde política até música, de moda a religião, de que livros gostavam até a cor dos cabelos de Roxie. Superficialmente, eram coisas normais do crescimento. Com o tempo, no entanto, Roxie começou a ver um abismo mais profundo, algo mais perturbador.

Alexia, sempre considerada uma beldade na juventude, parecia sentir inveja da beleza da filha, que florescia. Roxie não sabia dizer desde quando exatamente. Era difícil se lembrar de incidentes específicos, como Michael sempre pedia que a irmã fizesse quando partia em defesa da mãe. Mesmo assim, Roxie desenvolveu uma forte sensibilidade ao ressentimento de Alexia. Ela sentia os olhos da mãe sobre si quando ia à piscina de biquíni, um olhar que reluzia com um calor que não era de admiração, mas uma queimadura cáustica e ácida de inveja sobre a pele de Roxie. Quando Roxie começou a levar meninos para casa, as coisas foram de mal a pior. Alexia parecia se desdobrar para humilhar a filha, rebaixando-a durante as refeições em família, ou pior, assumindo a conversa e certificando-se de que ela, a grande Alexia De Vere, era o centro das atenções o tempo todo. Alexia interrogava os namorados de Roxie a respeito de tudo, desde o histórico familiar até as ambições profissionais. *Nossa, ela era tão esnobe!* Ninguém jamais era bom o bastante.

O pai de Roxie, por outro lado, assumiu uma atitude bastante permissiva com os namoros da filha. Naturalmente, isso deixava Alexia transtornada.

— Você não vai dizer alguma coisa, Teddy? — A mãe costumava urrar. — Sei que não aprova. Por que eu sempre tenho de ser o policial mau?

Mas Teddy se recusava terminantemente a se envolver, fazendo o melhor que podia para manter a paz.

Então, Roxanne De Vere conheceu Andrew Beesley e tudo mudou.

ANDREW BEESLEY FORA CONTRATADO como o treinador de tênis de Roxie.

Ele se tornou o amor da vida dela.

Roxie amara Andrew profundamente, mas Alexia estava determinada a destruir a felicidade da filha. Ao tachar Andrew de indigno e de interesseiro, Alexia, implacavelmente, afastou o rapaz. Teddy, carinhoso, mas fraco diante da determinação da esposa, falhou em enfrentá-la. Quando Andrew voltou para a Austrália, o coração de Roxie se partiu. Desesperada, ela saltou da janela do quarto em Kingsmere, uma queda de quase 20 metros que a deveria ter matado. Em vez disso, com amarga ironia, Roxie sobreviveu à queda, apenas para ficar confinada a uma cadeira de rodas pelo resto da vida, fadada a permanecer dependente dos pais. Jamais escaparia da mãe agora, e em vez disso, viveria o restante de seus dias como uma aleijada sob o teto de Alexia.

Não havia mais nada para a mãe invejar agora. Alexia De Vere era mais uma vez a mais bela de todas.

O acidente de Roxie nunca era abertamente citado em Kingsmere, principalmente porque Teddy não suportava. De uma geração diferente, mais velha, Teddy De Vere enterrava o luto bem fundo, preferia a negação à luz rigorosa da verdade.

Roxie podia conviver com aquilo. Ela amava o pai. Aquilo com que não poderia conviver era o fato de a mãe jamais ter sido punida pelo que aconteceu. Jamais sofrera como deveria ter sofrido. Alexia De Vere ainda tinha um casamento feliz, ainda era profissionalmente bem-sucedida, ainda era famosa pela beleza e pelo intelecto e, desde a queda de Roxie, pela resiliência diante da adversidade. Ações deveriam ter consequências. Mas em vez de sofrer, Alexia De Vere se sentava enquanto mais louros eram jogados sobre sua cabeça. A nomeação surpresa ao Ministério do Interior era apenas a mais recente de uma longa fila de glórias não merecidas. Aquilo enojava Roxie.

— Saúde. — Ela bateu o copo, sombriamente, contra o de Teddy.

— E a você, minha querida. Sei que não está ansiosa por esta noite. Mas tente manter as coisas civilizadas, por mim, se não por sua mãe. Ser convidada para ministra do Interior é importante, sabe.

— É claro que é, pai.

*Os triunfos de mamãe sempre são.*

Gilbert Drake caiu de joelhos diante do banco da minúscula igreja campestre e fez o sinal da cruz.

Ele estava assustado, apesar da justiça de sua causa. Como ele, um homem, um motorista de táxi pequeno e insignificante, poderia levar justa retribuição à mulher mais poderosa da Inglaterra?

Gilbert rezou por coragem, e um verso de Deuteronômio lhe veio à mente, um presente do Senhor.

"*Sede fortes e corajosos, não temais nem vos atemorizeis diante deles; porque o Senhor vosso Deus é quem vai convosco. Não vos deixará, nem vos desamparará.*"

Haviam falhado com Sanjay Patel e o abandonado. Seus amigos, os tribunais, mas, principalmente, aquela diabólica e maligna Alexia De Vere.

Gilbert Drake ficou na igreja, rezando, até que a escuridão caiu. Então, ele fechou o casaco e caminhou para a noite.

Alexia De Vere ouvia silenciosamente enquanto o marido dava graças.

— Pelo que estamos prestes a receber, que o Senhor nos faça realmente agradecidos. Amém.

Assim que haviam se casado, a insistência de Teddy no ritual arcaico costumava irritar Alexia intensamente. Nenhum dos dois era particularmente religioso, então por que a demonstração pública e pomposa de piedade? Mas, com o passar do tempo, Alexia, assim como Roxie, passara a se reconfortar com a excentricidade imutável de Teddy. Quando as tempestades de sua própria vida foram violentas, o marido de Alexia De Vere provara ser a rocha da qual ela precisava, a única coisa realmente sólida à qual podia se agarrar. Pouquíssimos políticos eram sortudos assim.

— Bem. — Alexia sorriu majestosamente para a mesa. — Tudo isso está lindo. Anna se superou, como sempre.

— Assim como você, minha querida. — Inclinando-se sobre uma peça de rosbife de dar água na boca, salada de tomate fresco com manjericão e pão feito em casa, Teddy De Vere beijou a mulher, orgulhoso, na bochecha. — Ministra do Interior! Meu Deus. Imagino que isso queira dizer que vamos ver você menos.

— Espero que sim — murmurou Roxie.

— Sabe, marrom não combina muito com você, querida — disparou Alexia de volta ao olhar para o vestido da Next sem graça de Roxie. Ninguém estragaria aquele triunfo para ela, principalmente a filha mimada e egocêntrica. — Faz você parecer mais com um fim de semana chuvoso do que o usual. Tente um pouco de cor da próxima vez. Pode alegrá-la. Deus sabe que você precisa.

Roxie corou de ódio e vergonha, mas não respondeu.

Ansioso para evitar mais confrontos, Michael De Vere ergueu o copo.

— Parabéns, ministra do Interior!

Inclinando-se para a frente, ele se serviu de uma montanha de carne. Más notícias jamais deveriam ser ditas com o estômago vazio e, além do mais, todo aquele sexo com Lenka mais cedo o havia deixado com um apetite e tanto.

— Obrigada, querido. — Alexia sorriu para o filho. — Você é muito gentil.

— Ficou surpresa por terem nomeado você? Quero dizer, foi meio que do nada.

— Besteira — falou Teddy, lealmente. — Sua mãe era a escolha óbvia para o cargo. Depois de todo o trabalho primoroso com as reformas presidiárias.

— Você é um doce, querido, mas Michael está certo. Foi um choque absoluto. Quero dizer, o primeiro-ministro e eu nos damos bem pessoalmente...

— Sim, sim. Você nos disse isso mil vezes — cortou Roxie, o que lhe rendeu olhares gêmeos de súplica de Teddy e Michael.

— Mas jamais esperei uma promoção nessa escala — continuou Alexia. — Acho que ninguém mais esperava também. Agitou algumas penas no partido, posso dizer. Mas por que ser tedioso e seguir o manual? É preciso aproveitar as oportunidades da vida onde as encontramos. Agarre o touro pelos chifres e aquela coisa toda. E, é claro, se eu puder servir o país, então melhor.

Aquilo foi demais para Roxie. Ela sabia que havia prometido ao pai, mas, sinceramente. *Servir?*

— Ah, por favor, mãe. Pelo menos tenha a decência de admitir que a questão não é *servir*. Foi a ambição que lhe conseguiu o cargo. Ambição pessoal. Não somos jornalistas, somos sua família. Não precisa mentir para nós só porque mente para todas as outras pessoas.

Teddy falou em tom de reprovação:

— Roxie, querida, controle-se.

O peito de Alexia se comprimiu com uma bola de raiva familiar. *Controle-se?* Isso era tudo o que Teddy tinha a dizer? Por que ele nunca a defendia de modo apropriado? Por que cedia ao complexo de vítima de Roxie ao pisar em ovos o tempo todo? A garota usava aquela porcaria de cadeira de rodas como uma arma, e Alexia estava de saco cheio.

— E por falar em oportunidades e agarrar touros e... essas coisas — começou Michael, hesitante. — Eu, hã... tenho notícias.

— Não diga que você finalmente achou uma garota legal e vai se casar? — brincou Teddy. — Achei que tínhamos concordado. Nada de casamentos até que você termine Oxford.

— Não se preocupe — disse Michael. — Nada de casamentos. Pelo menos nenhum no qual eu seja o noivo. Mas eu, hã... bem, essa é a novidade. Parte dela, de toda forma. *Terminei* Oxford.

Silêncio total. Era possível cortar o ar com uma faca.

Alexia falou primeiro.

— O que quer dizer com terminou, Michael? Você acabou de começar.

Michael olhou para a mãe com pesar e disse:

— Universidade não é para mim, mãe. Sério.

— Não é para você? Por que diabos não?

— Sinceramente? Estou entediado.

— *Entediado?* — irrompeu Teddy. — Em Balliol? Não seja ridículo.

Michael prosseguiu.

— Lembram-se da Kingsmere Eventos, a empresa que comecei no ano passado com Tommy?

Tommy Lyon era o amigo mais antigo de Michael. Os dois garotos haviam se conhecido na escola preparatória e continuaram próximos.

— Na verdade, não.

— Lembram sim. Fizemos uma festa de aniversário de 30 anos para aquele camarada russo em um iate em Saint-Tropez no último verão.

— Vagamente. — Alexia olhou para Teddy, cujas feições joviais estavam tensas como um trovão.

— Bem, de toda forma, lucramos 20 mil com aquilo, só nós dois — disse Michael com orgulho. — E tivemos um monte de pedidos desde então para eventos corporativos, Bar Mitzvahs.

— Bar Mitzvahs! — Teddy De Vere não pôde mais aguentar. — Você é um De Vere, pelo amor de Deus, e está a meio caminho de um diploma de direito em Oxford. Não espera seriamente que sua mãe e eu concordemos que jogue tudo isso fora para contratar palhaços e balões para meninos judeus de 13 anos da porcaria do Golders Green!

— Os pais deles são os clientes — falou Michael, de modo racional. — E não descarte o Golders Green. Algumas daquelas mães judias gastam meio milhão no grande dia do pequeno Samuel.

— Meio milhão? De libras? — Até mesmo Teddy foi surpreendido por esse número.

— Pense na oportunidade, pai. — Os olhos cinzentos alegres de Michael se iluminaram. — Tommy e eu podemos embolsar oitenta, cem mil por *noite*.

— Sim, e com uma graduação em Balliol e os contatos meus e da sua mãe, você poderia ganhar dezenas de milhões por ano no distrito financeiro daqui a alguns anos. Sinto muito, Michael, mas não vai funcionar.

— Bem, *sinto muito*, pai, mas não depende de você. Eu formalmente saí da faculdade esta manhã. Entreguei as chaves e tudo.

— Você O QUÊÊÊÊÊÊ? — Os gritos de Teddy podiam ser ouvidos do portão de Kingsmere. Roxie tentou intervir e, logo, os três estavam gritando entre si como parlamentares desordeiros durante a Sessão de Perguntas ao Primeiro-Ministro.

Alexia De Vere fechou os olhos. Primeiro, a maldita Roxie feito um disco quebrado insistindo na mesma porcaria de música de novo. Depois, Michael, largando aquela bomba. *Lá se vai meu jantar de comemoração.*

Foi um alívio quando Bailey, o mordomo, cutucou o ombro de Alexia.

— Desculpe-me por interromper a refeição, senhora. Mas há alguém no portão querendo vê-la.

Alexia olhou para o relógio Cartier, um presente de aniversário de casamento de Teddy no ano passado. Passava das nove da noite.

— Está bastante tarde para visitas. Quem é?

— Essa é a questão. Não me deram o nome e estão agindo, sabe, de forma errática. Jennings não teve certeza do que fazer.

Alexia colocou o guardanapo na mesa.

— Tudo bem. Vou até lá.

ALFRED JENNINGS ERA o porteiro de Kingsmere há quase quarenta anos. Aos 70 anos de idade, parcialmente surdo e com o coração frágil, não era um bom segurança. Michael certa vez descrevera Jennings como "um gatinho recém-nascido destemido", uma expressão que Alexia sempre achou que resumia perfeitamente o velho Alfred. Infelizmente, porque agora era ministra do Interior, a segurança de Alexia não era mais motivo de chacota. O trabalho controverso como ministra das Prisões lhe rendera diversos inimigos, alguns deles potencialmente perigosos, outros, sinceramente degenerados. Sanjay Patel, um homem indiano que tirara a própria vida na prisão de Wormwood Scrubs quando sua pena fora estendida, tinha um grupo de defensores especialmente vociferante e desagradável. Alexia De Vere não se assustava com facilidade, mas também não podia se dar ao luxo de ser cavalheiresca com "visitantes" inesperados.

A portaria de Kingsmere consistia em um escritório transformado em sala de estar no andar de baixo e um único quarto com banheiro em cima. Jennings o tornara aconchegante, a lareira elétrica de carvão falso queimava constantemente.

— Sinto muito por tê-la incomodado, senhora — cantarolou ele, com a voz fraca, quando Alexia entrou. — Principalmente no meio do jantar. O cara se foi agora.

— Não tem problema, Alfred, melhor prevenir do que remediar. As câmeras por acaso estavam ligadas?

— Ah, sim, senhora. — O velho arquejou, satisfeito por ter feito algo corretamente. — Atualmente estão sempre ligadas. O Sr. De Vere é muito insistente em relação a isso. "Ligue as câmeras agora, Sr. Jennings", ele diz. Estavam ligadas sim.

— Maravilhoso. Talvez eu possa dar uma olhada na fita?

O JANTAR TINHA ACABADO. Teddy saíra da sala em um rompante de ódio e Michael e Roxie estavam sozinhos na cozinha fazendo chá.

— Bem — debochou Michael —, achei que foi tudo bem. Papai foi calmo e racional como sempre.

— O que você esperava? — disse Roxie com reprovação. Ela amava o irmão imensamente. Todos amavam Michael, com o charme de garotinho travesso, o carinho, o humor. Era impossível não amá-lo. Mas Roxie sofria ao ver o pai tão chateado. — Sabe o quanto Balliol significa para papai.

— Sim, mas não é "papai" que precisa estar lá, é? Sou eu.

— São só mais dois anos.

— Eu sei, Rox, mas estou explodindo de tédio. Não sou muito o tipo de cara de palestras e biblioteca. — Michael desabou à mesa com a cabeça apoiada nas mãos.

— Sério? Quem diria. — Roxie ergueu a sobrancelha de modo sarcástico.

— Ha ha. Estou falando sério. Esse negócio com Tommy... Honestamente acho que consigo fazer dar certo. Papai é um empreendedor.

— Dificilmente.

— Tudo bem, ele é, no mínimo, um homem de negócios. Com certeza deve haver uma parte dele que entende?

— Não é que ele não entenda. Não quer que você cometa um erro, só isso.

— Sim, bem, não vou cometer. Mamãe entende. Mesmo que a imprensa a condene por isso, ela sabe que preciso encontrar meu caminho.

— Alexia acha que o brilho do sol sai da bunda dela e sempre achou — falou Roxie, com frieza. — Ela o apoiaria se você dissesse que estava partindo para se juntar a um campo de treinamento da Irmandade Muçulmana nas montanhas da Caxemira.

Michael franziu a testa. Ele odiava quando a irmã chamava a mãe deles pelo primeiro nome. O abismo entre mãe e filha estava óbvio o bastante, mas, de alguma forma, aquela pequena provocação verbal parecia acentuá-lo.

— Ela ama nós dois, Rox.

Roxie revirou os olhos.

— Ama.

— Bem, ela tem um jeito engraçado de demonstrar isso.

Teddy encontrou Alexia no escritório. Sentada à mesa com um copo d'água vazio diante de si, ela encarava o nada, girando a aliança de casamento no dedo.

— Você está bem?

— Hmm? Ah, sim. Bem.

Alexia forçou um sorriso. Sob o exterior de política perfeitamente produzido, Teddy podia ver como a esposa parecia cansada. Alexia estava com 20 e poucos anos quando conheceu Teddy e com quase 30 anos quando se casaram, em uma pequena capela católica próxima a Cadogan Street. Naqueles dias, Alexia era uma beleza estonteante nos padrões clássicos dos anos 1970. Muito esguia, com pernas longas e ágeis e uma cabeleira loira desordenada que cascateava atrás de si como se fosse a cauda de um cometa conforme se movia. Mas Alexia era ambiciosa mesmo naquela época, e havia mudado muito rapidamente, cortando os cabelos e adotando um código de vestimenta mais sóbrio de terno e saltos altos ao concorrer ao primeiro assento pelo distrito eleitoral de Londres. A Sra. Thatcher tinha sido eleita líder alguns anos antes de Alexia De Vere se tornar parlamentar, mas o Partido Conservador Britânico ainda era um lugar hostil para uma mulher, principalmente uma proveniente da classe média baixa. O casamento com um aristocrata britânico certamente contribuiu para as chances de Alexia. Teddy abriu mão de seu título para que a jovem esposa pudesse ter uma chance na Câmara dos Comuns, mas Alexia permaneceu uma De Vere, e os De Vere faziam parte da instituição do Partido Tory desde sempre.

Teddy não era burro. Ele estava bastante ciente de que seu nome, seu dinheiro e suas conexões familiares eram grande parte da atração para a jovem noiva brilhante, linda e insistente. Mas admirava Alexia, amava-a e estava mais do que disposto a oferecer tudo o que tinha no altar da carreira dela. Antes de se conhecerem, a vida de Teddy De Vere tinha sido grandiosa, privilegiada e mortalmente tediosa. Casar-se com Alexia Parker a havia tornado uma aventura.

Sentada à mesa naquela noite, Alexia aparentava ser, por completo, a mulher poderosa, competente e incrivelmente bem-sucedida que havia se tornado. Desde os sutis reflexos nos cabelos feitos no salão Daniel Galvin até o terno de alta-costura com corte imaculado e os diamantes que reluziam discretamente nos dedos, nas orelhas e no pescoço de Alexia, a esposa de Teddy De Vere era uma mulher que devia ser reconhecida. Ao observá-la, Teddy poderia ter explodido de orgulho.

Ministra do Interior. Aquilo era algo grandioso.

*Conseguimos, minha querida. Provamos que estavam todos errados.*

É claro que os De Vere tinham suportado sua parcela de provação e tragédia, tanto como casal quanto como família. Teddy era inteligente o bastante para perceber que o relacionamento entre Alexia e Roxie provavelmente jamais se recuperaria, não mais do que as pernas destruídas da querida filha. Havia começado há tanto tempo, assim que Roxie entrou na adolescência, mas é claro que aquele negócio terrível com o garoto Beesley tornara tudo mil vezes pior. E Alexia jamais fora do tipo carinhoso, o tipo de mãe que consegue dar um abraço na filha e dizer "está tudo bem". Teddy também sabia que Alexia tinha mimado Michael até estragá-lo, em parte para compensar tudo o que havia perdido com Roxanne. Aquilo o deixava irritado às vezes, mas ele entendia. Teddy De Vere se orgulhava do fato de que sempre entendera a mulher. Eram dois lados da mesma moeda, Alexia e Teddy. Ele a amava profundamente.

— Sentimos sua falta no jantar.

— Sentiram? Não percebi, com toda a gritaria.

Depois de caminhar até as costas da mulher, Teddy massageou os ombros dela.

— Sinto muito pelas coisas terem esquentado tanto. Para onde você desapareceu?

— Alguém estava no portão pedindo para me ver. Jennings não gostou do aspecto da pessoa, mas assim que cheguei, ela havia partido.

Teddy fez uma expressão irritada.

— Não gosto do modo como esses lunáticos ficam seguindo você.

— Não sabemos se foi um lunático. Poderia ter sido qualquer um... um eleitor, um repórter.

— Conseguiu filmá-lo?

Alexia não piscou.

— Não. O circuito de TV estava com problemas.

— De novo?

— Creio que sim.

— Pelo amor de Deus. Qual é o problema com essa porcaria de sistema? Não consegue fazer com que o MI5 fique de olho nas coisas, agora que está dirigindo a porcaria do país?

Alexia se levantou e o beijou.

— Relaxe, querido. Não foi nada. Tenho certeza de que receberei toda segurança de que precisar, mas não queremos viver como prisioneiros, queremos?

— Bem, não.

— Que bom. Agora, quanto a Michael sair de Balliol...

Teddy ergueu as mãos para pedir silêncio. Poucas pessoas conseguiam interromper Alexia De Vere no meio de uma frase, mas o marido era uma delas.

— De modo algum — disse ele, com firmeza. — Não vamos mais conversar sobre nenhuma das crianças esta noite. Esta deveria ser sua noite. Vamos para a cama, e você poderá me contar tudo sobre o primeiro dia com detalhes agradáveis e minuciosos. Ministra do Interior. — Teddy apertou o bumbum de Alexia de modo brincalhão.

Alexia riu.

— Tudo bem. Para a cama.

Não era a primeira vez que Alexia agradecia aos céus por ter um marido tão maravilhoso e encorajador.

*Se ao menos eu não tivesse de mentir para ele.*

A filmagem do circuito de TV estava com a qualidade ruim. Mas não estava vazia.

No dia seguinte, Alexia mostraria a fita para Edward Manning.

Edward saberia o que fazer.

# Capítulo 10

SIR EDWARD MANNING ESTAVA excitado.

— Coloque o rosto na mesa, sua putinha.

Transar na Câmara dos Lordes sempre o deixava excitado. Havia algo deliciosamente ilícito em fazer o que queria com a equipe jovem e complacente a seu serviço em um cenário tão antigo e grandioso. O romeno de 20 anos daquela noite fora especialmente obediente, trancara a porta e se despira como ordenado assim que o jantar terminou e a entediante missão diplomática chinesa retornou à embaixada.

— Abra as pernas.

Taças de vinho de cristal requintado de Waterford gravadas com as palavras Câmara dos Lordes sacudiram, perigosamente, sobre a mesa conforme ela se balançava para trás e para a frente. Sir Edward Manning, com as calças na altura dos tornozelos, mas com o *black tie* ainda perfeito, investiu com mais força e mais rápido até que manchas úmidas surgissem na camisa social engomada.

— Não tão forte, Edward, por favor! Dói.

— É Sir Edward para você, meu querido. E quero que doa. Esse é o objetivo.

Ao empurrar o jovem romeno para mais longe na mesa, Edward se apoiou na madeira polida e se agachou ligeiramente sobre o amante como se fosse um sapo enquanto se forçava para dentro do corpo deliciosamente macio de 20 anos. Sir Edward Manning não ansiava pela própria juventude, mas ainda apreciava as delícias da carne jovem, principalmente quando era tão livremente ofertada. Uma taça de cristal caiu e se espatifou alto no chão de parquete. Então outra. Sir Edward apressou o ritmo. Era 1 hora da manhã e a porta estava trancada, mas não queriam ser incomodados.

Finalmente, com um grito de prazer sufocado, ele gozou, derramando sêmen livremente por todo o bumbum macio do romeno antes de deslizar até o chão. Depois de vestir as calças e ajeitar o cabelo, Sir Edward admirou sua conquista, que ainda estava de pernas abertas sobre a mesa.

— Não se preocupe em limpar a sujeira, Sergei. As copeiras farão isso pela manhã.

Sergei Milescu se virou e ergueu o rosto para o senhor que acabara de servir. Odiava Sir Edward Manning com uma intensidade ardente e assassina. Mas se odiava ainda mais pela enorme ereção entre as pernas. As coisas que o inglês fazia com ele eram nojentas, dolorosas e vergonhosas. Mas Sergei passara a gostar delas quase tanto quanto seu molestador.

Não que ele estivesse com Sir Edward Manning pelo sexo. Manning era um homem de contatos poderosos. Ele também era rico, rico além dos sonhos mais selvagens de Sergei Milescu. Algum dia Manning pagaria pela humilhação que causara a Sergei nos últimos seis meses, pelos ferimentos e pelos arranhões em seu corpo que jamais curariam completamente.

— Venha aqui.

Sir Edward Manning acariciou o cabelo do jovem, afagando-o como a um cachorro, os dedos ossudos de velho traçando linhas lânguidas pelas bochechas macias de Sergei.

— Você gostou daquilo, não gostou?

Sergei assentiu.

— Você sabe que gostei. Mas tem sempre de ser aqui, onde trabalho? Não podemos ir para sua casa às vezes? Eu me sinto tão...

— Tão o quê? — indagou Sir Edward com gentileza, esticando a mão até o pau duro como pedra do rapaz.

— Você sabe o quê — resmungou Sergei. — Como um prostituto.

— Ah, mas meu querido garoto, esse é o objetivo todo da questão. Você é meu prostitutozinho.

*Odeio você*, pensou Sergei, encolhendo-se sob os dedos do amante.

Ele estava próximo do orgasmo quando, sem aviso, Sir Edward Manning o soltou.

— Tudo bem — disse ele, para a surpresa de Sergei. — Se isso faz você feliz. Da próxima vez, faremos na minha casa.

*Isso me faz feliz. Muito feliz mesmo.*

— Mesmo?

— Mesmo. — Sir Edward lançou um beijo para o rapaz. — Não se esqueça de apagar as luzes quando sair.

Mais tarde naquela manhã, descansado e de banho tomado, cheirando a loção pós-barba Floris, Sir Edward Manning se sentou à mesa para reler a ficha da nova chefe.

*Alexia De Vere (nascida Parker), parlamentar de North Oxfordshire. Nascida em 18 de abril de 1954. Casada em 1982 com Lorde Edward, Stanley, Ridgemont De Vere. (Renunciou ao título em 1986). Dois filhos, Roxanne Emily (1983), Michael Edward Ridgemont (1985). Seis anos em Comércio e Indústria. De 2009 ao presente, Ministra Inferior de Prisões.*

Havia pouco na ficha da nova ministra do Interior para atiçar interesse. Mas isso era exatamente o que interessava Sir Edward Manning. Quando alguém chegava a seu escritório (como todos os funcionários públicos antigos, Sir Edward Manning considerava o Ministério do Interior como se fosse seu feudo. Ministros chegavam e partiam, mas Sir Edward e sua equipe eram acessórios permanentes. Eram eles que, de fato, governavam o país) costumava ter uma ficha do MI5 tão espessa quanto o Alcorão e muito mais lasciva. Sir Edward havia servido cinco ministros do Interior, trabalhistas e conservadores, e todos os cinco tinham passados muito mais sujos do que uma cova londrina durante a época da praga. Nada jamais fora provado contra nenhum deles, é claro. Era o trabalho de Sir Edward Manning se certificar de que não fosse, uma das poucas áreas nas quais os interesses dele e os dos patrões políticos estavam alinhados. Na versão de Westminster do jogo Sobe e Desce, somente os mais astutos chegavam ao topo, homens e mulheres que afastavam escândalos sem se esforçar.

Alexia De Vere era diferente. A ficha dela era tão fina que era praticamente um panfleto. Até o ano anterior, quando a lei de reforma de condenações chegou às manchetes de todas as formas negativas, a Sra. De Vere tinha sido basicamente invisível. Não havia absolutamente nada na ficha dela anterior ao breve período como secretária de um parlamentar liberal quando jovem. Desde então, poucos anos medíocres na política local foram seguidos por um casamento espetacularmente bom com um lorde inglês rico e por um passe livre para os mais altos escalões políticos e sociais. Havia duas crianças, uma das quais, um desapontamento. (A suposta tentativa de suicídio de Roxanne De Vere por causa de um namoro rompido era o único indício de cor em um retrato da vida familiar perfeita.) Uma carreira política modestamente bem-sucedida tinha, sem dúvida, sido impulsionada pela amizade pessoal da Sra. De Vere com Henry Whitman, o novo primeiro-ministro. (Outra coisa que incomodava Sir Edward Manning. O que diabos a Sra. De Vere, de quase 60 anos, tinha em comum com o jovem e recém-casado dono da festa? Devia haver uma conexão, mas Sir Edward não conseguia vê-la de jeito algum.)

Mas não havia nada, absolutamente nada, que indicasse por que Alexia De Vere tinha sido escolhida do inferior Ministério das Prisões e nomeada para o cargo de ministra do Interior.

*Onde estão os cadáveres, os inimigos que ela despachou ao longo do caminho enquanto fazia sua escalada?*

*Onde estão os campos minados, o emaranhado de bombas que não explodiram para que eu desvie e teça meu caminho para ultrapassá-lo?*

A ficha de Alexia De Vere não era interessante pelo que continha, mas pelo que omitia.

*Ela está escondendo segredos de mim. Mas vou descobrir. Vou proteger este escritório e nosso trabalho, preciso saber quem ela é e que diabos está fazendo aqui.*

— Bom dia, Edward. Chegou cedo.

Um homem inferior teria se sobressaltado. Sir Edward Manning meramente fechou a ficha com calma, colocou-a na gaveta da mesa e recompôs as feições de falcão para que formassem um sorriso.

— De maneira alguma, ministra do Interior. São quase oito horas.

Ele tinha pedido que a nova chefe lhe chamasse Edward e dispensasse o título, mas percebeu que ficava irritado sempre que ela o fazia. Talvez fosse o sotaque enervante de pseudoaristocrata. Ou talvez fosse simplesmente porque Alexia De Vere era mulher. Sir Edward Manning trabalhara para mulheres antes, mas nunca por escolha. Discreto em relação à própria sexualidade, a verdade era que ele achava as mulheres bastante repulsivas.

— Gostaria que você me chamasse de Alexia.

— Eu sei que sim, ministra do Interior. Se me permite dizer, você parece um pouco cansada.

Alexia viu de relance seu reflexo na janela do escritório e se encolheu. Ele não estava brincando. Os olhos dela estavam inchados, a pele, seca, e cada linha de expressão no rosto estava visivelmente mais acentuada do que uma semana antes. *Dizem que os postos mais altos nos envelhecem. Talvez já esteja começando.*

— Tive uma noite difícil ontem.

— Sinto muito por ouvir isso.

— Alguém apareceu em minha casa. Um homem. Queria conversar comigo, mas quando cheguei ao portão, ele tinha partido.

Sir Edward franziu a testa.

— Você não sabe quem era?

— Não com certeza. Mas tenho suspeitas. — Alexia o inteirou, rapidamente, a respeito do caso Sanjay Patel e das ameaças que recebera depois. — Temos algumas imagens dele na fita, embora a qualidade esteja péssima. — Depois de tirar um disco prateado da pasta, Alexia o entregou.

— Excelente. Enviarei isto diretamente para a polícia. De qualquer forma, agendamos uma revisão do seu esquema de segurança para esta sexta-feira, às três da tarde. Pode esperar até lá?

— É claro — falou Alexia, bruscamente. — Seja como for, a coisa toda é uma distração. Não estou preocupada. Agora, vamos ao trabalho.

Ele ouvia vozes na cabeça.

Algumas eram vozes que reconhecia, vozes do passado.

Do melhor amigo.

Da mulher. Ex-mulher.

Da filha.

A voz da filha sempre o acalmava, o fazia sorrir. Mas nunca por muito tempo. Porque então vinha *a* voz.

Às vezes ele achava que era a voz do Senhor, cheia de um ódio justo. Outras vezes, parecia mais o diabo: distorcida, sinistra, desumana. Tudo o que ele sabia com certeza era que aquela era a voz do medo. Ela lhe dizia coisas terríveis, e exigia coisas terríveis dele. Era uma voz que devia ser satisfeita, devia ser obedecida. Mas como ele poderia obedecer se nem sequer conseguia vê-la?

Alexia De Vere era intocável.

— Você disse alguma coisa, querido?

A Sra. Marjorie Davies deu uma olhada no mais recente hóspede com desconfiança. Durante os 25 anos que gerenciava a pousada em Cotswolds, a Sra. Davies tinha visto todo tipo de esquisito passar pela porta. Havia o casal de Baja California que levava cristais para o café todas as manhãs e os organizava em círculo ao redor dos pratos de salsichas e feijão, "para energia positiva". E havia as bichas francesas, que se recusaram a pagar a conta porque encontraram uma aranha na banheira, sem falar dos cristãos renascidos do Canadá, que pediram e comeram quatro chás completos (cada!) de uma só vez. Mas aquele último cara era mais do que apenas excêntrico. Ele era esquisito de verdade, falava consigo mesmo e perambulava pela pousada sabe Deus a que hora da noite, tagarelando um blá-blá-blá religioso. Naquela manhã, o homem tinha descido para tomar café vestindo uma camiseta manchada e, obviamente, não tinha se barbeado. A Sra. Davies imaginou, tardiamente, se ele poderia, de fato, ser perigoso.

— Sinto muito — murmurou o homem. — Não percebi que falei em voz alta.

*Definitivamente um maluco.* A Sra. Davies ergueu o bule de chá como se fosse uma arma.

— Mais Earl Gray?

— Não, obrigado. Apenas a conta, por favor. Partirei depois do café da manhã.

*E já vai tarde.*

A Sra. Davies reparou na grade horária do trem Didcot-Londres presa sob o suporte para torradas e desejou que fosse verdade.

— Ah, sinto muito ouvir isso — disse a mulher, automaticamente. — Gostou da estadia em Oxfordshire?

O homem franziu a testa, como se não tivesse entendido a pergunta.

— Preciso ver Alexia De Vere.

— Como?

— Eu disse que preciso ver a ministra do Interior! — O homem bateu com o punho na mesa. — Ela está me esperando. Somos velhos amigos.

Marjorie Davies se afastou. O homem voltou para seu café da manhã e ela correu para a recepção, onde imprimiu rapidamente a conta do homem. A mala dele já estava no corredor, um bom sinal. Assim que o hóspede terminou de comer, a Sra. Davies voltou para a mesa.

— Acho que é melhor você ir agora. Aceitamos Visa e MasterCard.

A mulher ficou surpresa pela firmeza na própria voz. Mas não passaria mais um minuto na companhia de um lunático de carteirinha. Certamente não na própria casa.

O homem pareceu inabalado. Ele assinou a conta, pegou a mala e saiu sem dizer mais uma palavra.

Depois que o hóspede se foi, a Sra. Davies olhou para a assinatura no cartão de crédito, imaginando se ouviria o nome mais uma vez no noticiário algum dia, ligado a algum crime terrível ou a alguma conspiração contra o governo.

*Sr. William. J. Hamlin.*

Hamlin.

A Sra. Davies teria de se lembrar disso.

# Capítulo 11

A VIDA NA PRISÃO COMBINAVA com Billy Hamlin.

Era uma coisa bizarra de se dizer, mas era verdade. A regularidade, a rotina, a camaradagem com os outros prisioneiros, tudo isso se adequou perfeitamente à personalidade tranquila e adaptável de Billy depois que ele se acostumou.

O primeiro ano foi o mais difícil. Depois de ter sido transferido para uma penitenciária mais próxima de seu pai, Billy ficou devastado quando Jeff Hamlin morreu de repente de ataque cardíaco, apenas três meses depois de iniciado o cumprimento da pena. Billy tentara dizer a si mesmo que não foi o estresse da prisão e do julgamento que destruíra a saúde de seu pai, mas no fundo o rapaz sabia a verdade. A culpa o corroía como um cachorro a um osso.

Enquanto isso, Leslie Lose, o advogado de Billy, de vez em quando deixava recados sobre uma apelação. Mas as semanas se passaram, então os meses, e, finalmente, os anos, sem uma data marcada, e Billy se conformou com o fato de que cumpriria a pena completa.

Vinte anos era doloroso demais para contemplar. Mesmo 15 anos com bom comportamento era um remédio amargo. Billy Hamlin decidiu se concentrar na única coisa positiva que tinha na vida: Toni Gilletti.

*Quando eu sair, Toni estará esperando por mim.*

Era uma fantasia doce e viciante, e Billy Hamlin se agarrou a ela como se fosse um colete salva-vidas.

*Quando eu sair daqui*, dizia Billy a si mesmo, todas as noites em seu beliche frio e solitário, *vou fazer amor com Toni todos os dias, cinco vezes por noite. Vou compensá-la pelo tempo perdido.*

Ele caía no sono sonhando com o corpo adolescente macio e sensual de Toni e acordava com o cheiro da pele dela nas narinas, com o toque suave dos cabelos loiros sedosos em seu peito. Conforme os anos se passaram e Billy não teve qualquer notícia de Toni — nenhuma carta, nenhuma visita, nenhuma ligação —, ele inventou uma série de histórias para explicar a ausência da jovem.

O pai de Toni a mantinha afastada de Billy.

Ela estava viajando, em algum lugar remoto — fazendo trilha nos Andes, talvez — tentando tirar Billy da cabeça até que pudessem estar juntos de novo.

Toni estava trabalhando, guardando dinheiro aos poucos para a casa que comprariam juntos quando Billy saísse.

Conforme as fantasias ficavam cada vez mais extravagantes até mesmo para ele, Billy parava de falar sobre Toni com os colegas presidiários. Em vez disso, ele a separou, guardou-a em uma caixa mental para ser aberta, com alegria e em segredo, assim que as luzes se apagassem e Billy estivesse sozinho. Sustentado por esses sonhos românticos, ele estava determinado a aproveitar ao máximo os dias na prisão: matriculou-se em aulas de ciência e de mecânica e trabalhou muitas horas na fazenda da prisão, da qual ele gostava. Em circunstâncias normais, assassinos de crianças eram considerados a escória na cadeia, sendo excluídos e, em geral, fisicamente agredidos pelos colegas presidiários. Mas havia algo a respeito da natureza gentil e constantemente alegre de Billy que fez com que todos os outros o aceitassem.

No fim das contas, ninguém acreditava que Billy Hamlin tivesse assassinado Nicholas Handemeyer. O julgamento dele fora uma farsa.

No dia em que Billy saiu da Prisão Estadual de East Jersey, depois de 15 anos lá dentro, ninguém estava esperando para cumprimentá-lo. O pai de Billy estava morto, e o rapaz não tinha parentes próximos. Ele conhecia algumas pessoas do lugar onde morava, conhecidos, como ele os chamava. Mas Billy percebeu, com uma pontada de medo, que todos os seus amigos de *verdade* estavam atrás de si, do outro lado dos enormes portões de aço trancados da penitenciária. Billy Hamlin não estava pronto para encarar o mundo exterior, não sozinho.

Então, ele fez a única coisa que poderia.

Saiu em busca de Toni Gilletti.

A primeira parada de Billy foi a mansão dos pais de Toni em Nova Jersey. Ele não tinha estado ali antes, mas há muito tempo havia decorado o endereço e vira fotografias do lugar em uma revista chique chamada *Dream Homes*.

A empregada que atendeu a porta foi gentil. O irmão dela, Tyrone, havia passado oito anos na cadeia por pequenos furtos, e a mulher sabia o que uma longa temporada na prisão podia fazer com a alma de um homem. Mas ela disse a Billy que ele havia desperdiçado a viagem.

— O velho Gilletti vendeu este lugar há oito anos. Meu pessoal, a família Carter, está aqui desde então.

Billy conteve o desapontamento.

— Sabe para onde os Gilletti se mudaram?

— Não. De volta para Nova York, eu acho. Mas Walter Gilletti perdeu muito dinheiro quando o negócio foi à falência. Havia dívidas com sócios, com o banco. Foi por isso que ele vendeu a casa. Estavam com problemas sérios.

Billy se lembrava de Walter Gilletti como o sujeito arrogante, valentão e mandão que fora desdenhoso com seu pai no julgamento. O pai de Toni não era um homem que teria lidado bem com um revés tão grande do destino.

Com um pouco de pesquisa e umas ligações para alguns dos ex-funcionários de Walter, Billy encontrou o novo lar dos Gilletti, um apartamento limpo, porém modesto, em uma zona de aluguéis medianos do Brooklyn. Quando chegou lá, parecia que Billy havia desperdiçado mais uma viagem. Uma mulher velha e enrugada vestindo um conjunto esportivo de plush sujo atendeu a porta.

— Que diabos você quer? — Os olhos maldosos se semicerraram e ela falou com a voz grossa: — Billy Hamlin? Você já saiu?

Somente então Billy a reconheceu como a mãe de Toni.

— Sandra?

— É Sra. Gilletti para você, garoto.

*Cruzes*, pensou Billy. *Ela envelheceu trinta anos. Mais.*

— Eu... eu estava procurando por Toni — gaguejou ele. Por algum motivo, a velha mulher o deixava nervoso.

— Você e o resto do mundo. — Sandra Gilletti deu uma gargalhada grotesca. Billy reconheceu o chiar de um enfisema no peito dela. Esperava que o velho adágio não fosse verdade, aquele a respeito de todas as garotas, um dia, se tornarem as próprias mães. — Toni se foi, garoto. E ela não vai voltar.

Por um momento horrível, Billy achou que ela queria dizer que Toni estava morta. Na verdade, Sandra Gilletti explicou, a filha tinha partido pouco depois do julgamento, tendo informado os pais com frieza que não queria ter mais nada a ver com eles e que estava começando uma nova vida.

— Simples assim — ciciou a velha senhora. — Depois de vinte anos de amor e afeição, ela se levanta e vai embora, e Walter e eu jamais ouvimos um pio dela de novo.

Billy recordou do único e mágico verão com Toni e as longas conversas que tinham sobre os pais dela. Billy jamais associara *amor* e *afeição* aos Gilletti. Ele se lembrava de sentir pena de Toni e gratidão pelo próprio relacionamento carinhoso que tinha com o pai.

A Sra. Gilletti continuou.

— É claro que Walter perdeu tudo. Você provavelmente sabe disso. Morreu de derrame apenas meses depois de nos mudarmos para cá. Me deixou sem um centavo, aquele filho da puta sovina.

Billy olhou para além da mulher, para o apartamento limpo e confortável. Não era o Ritz-Carlton, mas ele teria gostado de ter um lugar como aquele para o qual voltar.

— A senhora parece estar indo muito bem para mim, Sra. Gilletti.

O lábio superior de Sandra Gilletti se contraiu.

— Isso é porque você tem padrões baixos. É provavelmente por isso que se apaixonou por nossa Toni, para começo de conversa. Ela jamais voltou para o funeral, sabe. Sequer mandou flores. Piranha insensível.

Billy saiu do apartamento sentindo-se profundamente deprimido. Na prisão, pelo menos tinha sua fantasia, sua caixinha de sonhos para motivá-lo. Agora, até mesmo isso estava se desintegrando sob a chuva, sendo destruído como tudo mais na vida dele.

E não apenas na vida dele. Os Gilletti haviam claramente perdido tudo também. Era como se todo mundo conectado com aquele verão terrível em Kennebunkport tivesse sido amaldiçoado. Podia ter sido Billy quem foi mandado para a cadeia, mas todos haviam sido punidos. Todos haviam sofrido de algum modo. Billy tentava não pensar na família Handemeyer e no luto interminável deles. Teriam sido divididos por aquilo também? Ele imaginava o que havia acontecido com a família depois do tribunal. Será que a prisão de Billy dera ao senador Handemeyer o encerramento que tanto desejava? De alguma forma, Billy duvidava.

Durante os meses seguintes, Billy procurou incansavelmente por Toni Gilletti, mas era como tentar pegar um fantasma com uma rede para borboletas. Ele até mesmo gastara mil dólares da pequena quantia em dinheiro que seu pai lhe deixara com um detetive particular, mas foi inútil. A bruxa velha e venenosa que era a mãe de Toni estava certa.

A garota havia sumido. E jamais voltaria.

Somente alguns meses depois Billy Hamlin reconheceu a emoção que crescia dentro de si: alívio. Ele tinha se desapegado do sonho, se desapegado do paraquedas e descoberto, para o próprio espanto, que não mergulhou para a própria destruição, no fim das contas. Na verdade, Billy sentia como se um enorme fardo tivesse sido retirado de seus ombros.

Sair da cadeia não havia feito de Billy Hamlin um homem livre. Mas desistir de Toni Gilletti, sim. Finalmente ele podia começar a construir uma vida para si mesmo.

Billy havia se qualificado como mecânico na prisão, e gastara o restante do dinheiro de Jeff Hamlin com a compra de parte de uma oficina mecânica detonada no Queens, em parceria com um velho amigo da escola, Milo Bates. Milo acompanhara o julgamento de Billy na TV e sempre se sentira mal com relação ao que acontecera com ele. Ainda morador da antiga vizinhança dos Hamlin, Milo agora era casado com uma doce garota local chamada Betsy, e os dois tinham três filhos. A família Bates acolheu Billy Hamlin, e foi essa amizade, mais do que qualquer outra coisa, que ajudou a mudar a vida de Billy.

Foi Betsy Bates quem apresentou Billy a Sally Duffield, a mulher que se tornaria sua esposa. Billy e Sally se entenderam imediatamente. Sally era ruiva, tinha incríveis olhos azuis como o gelo e a pele como a de uma boneca antiga de porcelana. A garota tinha uma cintura fina, seios grandes e uma gargalhada densa e contagiante que conseguia preencher um cômodo. Ela era gentil e maternal e tinha um emprego fixo como secretária jurídica. Billy não estava apaixonado pela moça, mas gostava muito dela e queria ter filhos. Assim como Sally. Não parecia haver motivos para esperar.

Durante os primeiros cinco anos, o casamento foi feliz. Tanto Billy quanto Sally estavam ocupados, Billy com o negócio de conserto de carros e Sally com a filhinha deles, Jennifer. Jenny Hamlin era a menina dos olhos dos pais, redonda e gorducha como um bolinho, sempre coberta de talco floral e murmurando de forma adorável para quem se importasse em sorrir para ela. A única tristeza de Billy era que seu pai, Jeff, não tinha vivido tempo o suficiente para conhecer a neta e ver o filho tão feliz e estável. Conforme Jenny Hamlin crescia, forte, linda e engraçada — ninguém era mais rápido no gatilho com tiradas inteligentes do que Jenny —, o amor dos pais por ela crescia junto.

Infelizmente, o amor um pelo outro, que a princípio jamais havia sido mais do que uma amizade, começou a se dissipar. Quando Sally voltou a trabalhar e se apaixonou por um dos colegas de trabalho, não foi tanto o caso que chateou Billy, mas o fato de que ele não se importava. Nem um pouco. Quando o fato de que outro homem está dormindo com sua mulher é uma questão de completa indiferença, provavelmente alguma coisa está errada. Então, calmamente, de forma amigável, sem um pingo de drama, os Hamlin se divorciaram.

Anos mais tarde, quando Billy perguntou à filha, com sinceridade, se a separação a havia afetado, Jenny Hamlin, de 12 anos, encarou o pai e disse, sarcástica:

— Pai. Já vi ovos se separarem com mais emoção.

Quando a mãe fazia a mesma pergunta, Jenny se levantava e arfava de maneira melodramática, levando uma das mãos à boca:

— O quê? Vocês estão *divorciados*?!

A verdade era que Jenny Hamlin era uma criança feliz, segura e a quem nada faltava. A mãe se casou novamente, um casamento feliz, e embora Billy tivesse permanecido solteiro, ele estava perfeitamente feliz com o negócio, com o amigo Milo e com os ingressos para a temporada no Estádio dos Yankees.

Então as vozes surgiram.

Começou como uma leve depressão. O negócio de Billy e de Milo começou a titubear, e então faliu. As dívidas se acumulavam, e ele não tinha mais o salário de Sally para cobrir o rombo. Quando o casamento de Milo e Betsy Bates também desmoronou, Billy não aceitou bem. Não conseguia determinar o porquê, mas parecia que o mundo todo estava se desfazendo. Billy começou a beber, um pouco, a princípio, e depois muito. Em algum momento, o limite entre a realidade e a imaginação progressivamente condenada de Billy começou a ficar embaçado. Em certo momento, esse limite se desintegrou de vez.

Milo Bates saiu da cidade, abandonando Billy para enfrentar as dívidas dos dois sozinho. Billy se convenceu de que Milo tinha sido sequestrado e morto.

Ele contou à polícia:

— Ele não me deixaria. Milo não. Ele é meu melhor amigo. Eles o levaram. Levaram-no embora e o mataram.

Quando lhe perguntavam quem eram "eles", Billy Hamlin só conseguia responder: "a voz". Uma voz maligna aparentemente dissera a Billy Hamlin que "eles" haviam sequestrado Milo Bates. Billy descrevera fantasias vívidas como pesadelos nas quais Bates era torturado e morto por esse indivíduo anônimo, e exigia que a polícia investigasse.

Desesperadamente preocupada, a ex-mulher de Billy, Sally, chamou os assistentes sociais. Billy foi diagnosticado como esquizofrênico e lhe receitaram medicamentos. Quando ele os tomava as coisas melhoravam. Quando não tomava, pioravam. Pioravam muito.

Ele desaparecia durante meses a fio em "viagens" misteriosas, sem dizer a ninguém aonde ia, e se recusava a discutir onde tinha estado depois de retornar. "A voz" dizia a Billy aonde ir, e ele seguia as instruções dela, obviamente aterrorizado. Ninguém sabia onde ele conseguia dinheiro para tais viagens, e o próprio Billy parecia vago a respeito disso, insistindo que fundos haviam misteriosamente surgido em sua conta bancária. Sally e Jenny imploraram para que ele buscasse ajuda, mas Billy se recusou, convencido de que se não fizesse o que "a voz" pedia, se permitisse que a voz fosse silenciada por médicos ou psiquiatras, algo muito terrível aconteceria.

Vez ou outra, ele ficava obcecado com pessoas específicas. Algumas eram locais, pessoas que Billy conhecia da vizinhança, as quais ele acreditava estarem em perigo. Outras eram figuras públicas. Jogadores de beisebol. Políticos. Atores.

Mais recentemente, e mais estranhamente, Billy Hamlin tinha ficado obcecado com a nova ministra do Interior da Grã-Bretanha, Alexia De Vere. A revista *Time* publicara uma foto da Sra. De Vere como parte do perfil sobre mulheres no poder, e Billy ficara obcecado por ela, passando horas e horas no computador "pesquisando" sobre o passado da política inglesa.

— Preciso avisá-la — dizia ele à filha.

*De novo não*, pensava Jenny. *Ele parecia tão melhor ultimamente.*

— Avisá-la sobre o quê, pai? — Jenny suspirou. — Você não conhece essa mulher.

— Essa não é a questão.

— Mas, pai...

— Ela está em sério perigo. A voz disse. Preciso avisá-la. Preciso ir para a Inglaterra.

Ninguém, nem mesmo Jenny Hamlin, achava que o pai iria de verdade.

TEDDY DE VERE ENTROU na cozinha em Kingsmere parecendo chateado.

— Qual é o problema, pai? — perguntou Roxie. — Como a vovó costumava dizer, você parece que perdeu um xelim e encontrou seis *pence*.

Teddy não riu.

— Você viu Danny?

Danny era o cachorro idoso da família, um dachshund de pelos grisalhos com o QI de um repolho ao qual todos os De Vere eram devotados. Principalmente Teddy.

— Chamei por ele pela manhã para passear, mas ele não apareceu. Não consigo encontrá-lo em lugar nenhum.

— Provavelmente está dormindo em algum lugar — falou Roxie. — Ou saiu passeando até o chalé do guarda-caça atrás de umas salsichas gratuitas. Quer que eu o procure com você?

— Você se importaria? É bobeira, eu sei, mas estou preocupado com ele.

Meia hora depois, Roxie também estava preocupada. Os dois vasculharam a casa inteira, duas vezes, e todos os lugares mais prováveis na propriedade. Não havia dúvida, o cachorro tinha sumido.

— Será que mamãe o deixou sair por engano quando foi para Londres de manhã? — perguntou Roxie. — Deveríamos ligar e checar?

— Já fiz isso. Ela falou que não olhou no cesto dele, mas não se lembra de tê-lo visto, e Danny definitivamente não saiu.

— Meu lorde.

Alfred Jennings surgiu à porta da cozinha. Teddy De Vere tinha abdicado do título havia décadas, quando Alexia concorreu pela primeira vez ao Parlamento, mas Alfred era congenitamente incapaz de se dirigir a um De Vere de qualquer outra forma.

— Você o encontrou? — O rosto redondo de Teddy se iluminou com esperança.

O velho porteiro encarou os sapatos.

— Sim, meu lorde. Creio que o encontramos.

ALEXIA DE VERE PUXOU os lençóis Frette de sua cama em Londres e se deitou. Tinha sido um longo dia — desde a nomeação como ministra do Interior, todos os dias eram longos —, e o toque suave do algodão egípcio contra suas pernas nuas era maravilhoso. Alexia costumava vestir pijamas de seda da Turnbull & Asser para dormir, mas Londres passava por uma onda de calor de três dias e o único luxo que a casa dos De Vere em Cheyne Walk não tinha era ar-condicionado.

— Não sou maluco de pagar por essa incoerência se viajamos durante todo o verão — insistiu Teddy. — Se estiver quente, podemos abrir a porcaria da janela.

*Ele é tão inglês às vezes*, pensou Alexia, com carinho.

Teddy ligara mais cedo para Alexia de Kingsmere. Sir Edward Manning passara três recados, mas Alexia literalmente não teve um único momento livre para retornar as ligações dele. O telefone tocou exatamente quando ela esticava a mão para pegá-lo.

— Querido. Sinto muito. Você não iria acreditar em como as coisas andam caóticas por aqui, tive dois comitês de seleção, minha primeira reunião de gabinete completa, tive...

— Alexia. Algo aconteceu.

O tom de voz de Teddy a interrompeu instantaneamente. Horrores passaram pela cabeça de Alexia. *Um acidente. Michael. Roxie.*

— Alguém envenenou o cachorro.

Por um instante, Alexia sentiu alívio. *É apenas Danny. Não as crianças.* Então, o peso total do que Teddy estava dizendo lhe ocorreu.

— Envenenou-o? Deliberadamente? Tem certeza?

— Não tenho certeza. Mas nenhum dos jardineiros admite ter usado veneno de rato, e o veterinário disse que o estômago dele estava cheio disso.

— *Estava* cheio disso? Ele morreu?

— Sim, ele morreu! É o que estou tentando dizer a você. A porcaria do dia todo.

Alexia conseguia ouvir a voz trêmula de Teddy. Ele amava aquele cachorro. De repente, ela teve medo. O visitante misterioso. Danny ter sido encontrado morto. Provavelmente não havia conexão. Mas e se houvesse? Que tipo de psicopata mataria um cachorrinho lindo?

Depois de alguns minutos reconfortando o marido, Alexia De Vere desligou. Assim que o fez, o telefone tocou de novo. Ela o agarrou, rezando em silêncio para que não fosse sua sogra, que costumava ligar tarde da noite. A viúva Lady De Vere tinha 96 anos e era profundamente surda, uma deficiência que de maneira alguma tinha reduzido o entusiasmo dela pelo telefone como meio de comunicação. A mulher gostava especialmente de gritar receitas do outro lado da linha para a nora, ignorando convenientemente o fato de que Alexia jamais havia cozinhado sequer uma torrada durante as seis décadas em que esteve sobre a terra, e provavelmente o faria menos ainda agora que tinha o pequeno incômodo de um país para governar. Uma ligação típica começava com "Teddy gosta muito de gelatina de enguia. Tem caneta e papel à mão?".

Mas não era a mãe de Teddy. O clique baixinho do outro lado da linha informou a Alexia, imediatamente, que era uma ligação de longa distância, mas não havia voz do outro lado da linha.

— Alô? — Às vezes havia um atraso na linha, principalmente em ligações dos Estados Unidos. — Lucy, é você?

Lucy Meyer, a vizinha de veraneio de Alexia de Martha's Vineyard, era a única outra pessoa em quem podia pensar que ligaria para a casa de Alexia àquela hora. Com a proximidade das festas de fim de ano, Lucy andara mais presente, um lembrete bem-vindo da vida pacífica que existe fora da política. *Se ao menos Lucy morasse na Inglaterra, minha vida seria tão mais fácil.*

— Se é você, Luce, não consigo ouvi-la. Tente de novo.

Mas não era Lucy Meyer. Era um gemido baixo e modificado eletronicamente.

— O dia está chegando. O dia em que o ódio do Senhor será despejado.

A distorção de voz foi feita para assustar. Funcionou.

Alexia segurou o fone com mais força.

— Quem está falando?

— Porque você pecou contra o Senhor, eu vou torná-la tão indefesa quanto um cego em busca do caminho.

— Eu perguntei quem é.

— Seu sangue será derramado no pó e seu corpo jazerá, apodrecendo, no chão. Vaca assassina.

A linha ficou muda. Alexia desligou o telefone, ofegante.

Ela fechou os olhos e a visão da janela do escritório lhe veio à mente: o Tâmisa prateado e suas correntezas mortais serpenteando ao redor dela, separando-a do mundo como a Rapunzel na torre.

*Alguém lá fora me odeia.*

A maré está subindo.

# Capítulo 12

Alexia De Vere tamborilava sobre a mesa impacientemente com uma caneta-tinteiro Montblanc prateada. O comissário Grant, o chefe da Polícia Metropolitana encarregado da segurança pessoal dela, estava atrasado para a reunião das três horas. Se havia algo de que Alexia não gostava, era atraso. Seu primeiro chefe na política, um parlamentar odioso do Partido Liberal chamado Clive Leinster, era exigente com pontualidade, e essa foi uma lição que permaneceu com Alexia ao longo da carreira. *Nossa, Clive era um babaca!* Trabalhar como assistente pessoal dele havia mudado a vida de Alexia, mas o próprio Clive fora horrível. Com cerca de 40 anos, casado e espantosamente tarado, mesmo para os padrões de Westminster, Clive Leinster era baixinho e quase completamente careca, com joelhos tortos, mau hálito e um queixo curto que combinava com a careca. Era um milagre para Alexia Parker (o nome dela na época) que Clive Leinster tivesse encontrado uma mulher disposta a dormir com ele, que dirá muitas.

— O poder é um afrodisíaco incrível, Alexia — arfava Clive, debruçado sobre a mesa dela depois de um de seus longos almoços regados a álcool. Depois de um mês, ficou dolorosamente claro que tipo de assistência pessoal Clive Leinster estava procurando, e não era o tipo que Alexia estava preparada para oferecer. — Você nunca subirá em "Westsmintster" se não estiver preparada para jogar o jogo, sabe — dizia Clive com escárnio enquanto Alexia limpava a mesa.

— Pelo menos consigo pronunciar "Westminster" — disparou Alexia de volta. — E tenho toda intenção de jogar o jogo. Apenas não com você.

Quando saiu do escritório de Leinster com a cabeça erguida, Alexia estava convencida de que conseguiria outro emprego em um piscar de olhos. Na verdade, passou os seis meses seguintes atrás do balcão de um bar no Coach and Horses, na Half Moon Street.

— Nenhum parlamentar chega perto de mim — reclamou ela para um dos fregueses habituais, um empresário tímido e jovem chamado Edward De Vere. — É como se eu tivesse a peste ou algo assim. Aquele desgraçado do Leinster deve ter envenenado a cabeça deles.

— Posso fazer algumas perguntas pelo Carlton Club, se quiser. Ver se há rumores por aí.

— Você é membro do Carlton? — Era a primeira vez que Alexia percebia que Edward De Vere devia ter conexões. Politicamente, quer dizer. O Carlton Club era um clube, *o* clube, exclusivo para membros do Partido Tory em St. James. Como todos os políticos que almejavam o Conservador, Alexia teria vendido a alma para ter acesso ao lugar, mas mulheres eram proibidas. Mesmo que fossem permitidas, atendentes de bar desconhecidas, sem família ou conexões que as recomendassem, provavelmente não estavam no topo da lista de preferidos do comitê de admissões do Carlton.

Duas noites depois, Edward De Vere estava de volta ao bar.

— Então, soube de alguma coisa?

— Na verdade, sim.

— E? — Alexia se debruçou por cima do bar, garantindo acidentalmente ao cliente uma visão maravilhosa de seus seios. — Não me deixe em suspense.

— Vou contar sob duas condições.

— Condições? — Ela franziu a testa.

— Na verdade, três condições.

— Três?

— Três.

— E quais são?

— A primeira é: não mate o mensageiro.

*Merda*, pensou Alexia. *Ele deve ter ouvido algo ruim. Muito ruim.*

— Eu jamais faria isso. Continue.

— A segunda condição é que você me chame de Teddy. "Edward" me faz parecer um presunçoso.

Alexia gargalhou.

— Tudo bem. Teddy. E a terceira?

— A terceira é que concorde em jantar comigo na sexta-feira à noite.

Alexia considerou por um momento. Já tinha um encontro na sexta-feira à noite, com um dançarino do Royal Ballet chamado Francesco. Os colegas de trabalho gays do pub estavam mais do que animados com isso.

— Sorte a sua — arrulhou o senhorio do Coach and Horses, encarando, desavergonhadamente, as partes íntimas de Francesco nas fotos de divulgação que Alexia lhe mostrara. — Ele certamente está com tudo em cima, não é?

— Foi amor à primeira malha! — Stephane, o gerente do bar, riu.

Em contraste, Edward de Vere — Teddy — parecia um colegial desajustado. Com as bochechas rosadas, esquisitão e terrivelmente desconfortável diante das mulheres, ele era o arquétipo do homem de classe alta da Inglaterra, e não de um jeito bom. E, ainda assim, ele tinha reunido coragem para chamar Alexia para sair. E era engraçado. E um membro do Carlton Club. Mais importante do que tudo isso, ele sabe por que Alexia estava sendo boicotada entre os parlamentares de Westminster, e não contaria a ela a não ser que concordasse em jantar com ele.

— Tudo bem, certo. Jantarei com você.

— Na sexta-feira.

— Sim, na sexta-feira. Agora, pelo amor de Deus, o que você soube?

Teddy De Vere respirou fundo.

— Clive Leinster contou para toda a Câmara dos Comuns que dormiu com você e que você passou piolhos pubianos para ele.

— Eu... ele... — Alexia engasgou, transtornada demais para falar. — Merda! Como ele ousa? Aquele mentiroso...

— Buscarei você às sete horas. — Teddy sorriu. — Iremos ao Rules.

O Rules era diferente de qualquer restaurante ao qual Alexia tinha ido. Desde que se mudara para Londres, ela ocasionalmente fora levada para estabelecimentos refinados, nos quais servia-se champanhe e ostras, e onde maîtres pretensiosos governavam a clientela de ricaços, negando-lhe as melhores mesas.

O Rules era de uma classe diferente de todos esses lugares. Sim, era caro, mas o cardápio parecia o cronograma de almoços de um colégio interno: torta de linguiça, pudim de cordeiro com frutas secas, ensopado de coelho, bife com torta de fígado e rocambole de geleia. A idade média dos garçons devia ser 80 anos, no mínimo, todos homens, e eles se vestiam como se tivessem saído de uma das páginas de um romance de Dickens, com grandes aventais pretos e camisas engomadas e rígidas. Tudo a respeito do lugar, desde os vegetais cozidos demais até o cheiro de cera de abelhas no chão de madeira polida e os sotaques precisos ecoando pelas paredes representava a classe alta inglesa tanto quanto o palácio de Buckingham.

Assim que passou pela porta, Alexia percebeu duas coisas.

A primeira era que não pertencia àquele lugar.

A segunda era que Teddy De Vere pertencia.

— Ainda não está chateada com a coisa dos piolhos, está? — perguntou Teddy, com um tom de voz que Alexia desejou ter sido, pelo menos, um decibel mais baixo.

— Não, não estou chateada — sussurrou ela de volta. — Estou furiosa. Todos sabem que o único modo de uma mulher entrar na Câmara dos Comuns é como secretária. Sou extremamente superqualificada, mas agora, graças àquele imbecil, não tenho a mínima chance. Quero dizer, como se alguém pudesse *passar* piolhos para Clive Leinster! Como se ele já não estivesse infestado com isso, aquele pervertidozinho nojento.

Teddy De Vere abafou um risinho.

— Sabe, você tem um jeito maravilhoso com as palavras, Alexia. Deveria ser política.

Alexia cutucou o nada apetitoso pudim Yorkshire.

— Um dia.

— Por que não hoje? Um assento está para ficar vago em Bethnal Green.

Alexia gargalhou.

— Não estará vago para mim.

— Poderia estar — respondeu Teddy, sério. — Suscitei algumas ideias no Carlton Club na outra noite, enquanto espionava para você. Estão procurando alguém diferente para contestar a vaga. Um "rosto mais jovem e mais moderno", foi como Tristan colocou.

— Tristan? De Tristan Channing?

Teddy De Vere assentiu.

— Estudamos em Eton juntos.

*É claro que estudaram.* Tristan Channing comandava o escritório central do Conservador. Era a coisa mais próxima de Deus dentro do partido.

— Jovem e moderno é uma coisa, mas realmente acha que uma mulher com a minha história tem alguma chance com essa vaga?

— Por que não? — Teddy deu de ombros. — Só há um jeito de descobrir, não é? Esqueça toda essa besteira sobre ser secretária e jogue seu nome dentro do chapéu. Qual é a pior coisa que pode acontecer?

Era difícil de acreditar que aquela conversa tinha acontecido há mais de trinta anos. E agora, lá estava Alexia, ministra do Interior. *Sempre tive ambição, mas foi Teddy quem me impulsionou. Ele me deu confiança e abriu as portas.*

— Ministra do Interior? O comissário Grant chegou.

O secretário particular permanente de Alexia, Sir Edward Manning, retirou-a dos devaneios. Imaculado como sempre, em um terno sob medida de três peças, com o cabelo para trás rente à cabeça, Edward cheirava levemente a Floris, a mesma loção pós-barba de Teddy.

— Já estava na hora. Devo me encontrar com o embaixador russo às quatro e quinze, sabe. Meu dia acaba de ficar completamente apertado.

— Eu sei, ministra do Interior. Não deve demorar muito.

Alguns influentes latifundiários russos que moravam em Londres estavam cuspindo fogo devido às novas regulamentações que Alexia propusera ao Parlamento, destinadas a acabar com brechas no sistema de impostos para os super-ricos e prevenir que o dinheiro russo fosse lavado no distrito financeiro. Como resultado disso, o embaixador exigira uma reunião, e Sir Edward a concedera. Os latifundiários russos não eram o tipo de pessoa que o Ministério do Interior queria como um inimigo. O comissário Grant teria de ir direto ao assunto.

— Ministra do Interior, peço desculpas. Tivemos um problema em Burnley esta manhã, uma possível célula terrorista islâmica.

O comissário Grant tinha quase 50 anos, era gordo e, no todo, não era atraente. Tinha o rosto pálido e rechonchudo, olhinhos de porco e lábios finos que ele permanentemente umedecia com uma língua que se agitava nervosa. Ao lado de Edward Manning, o homem parecia terrivelmente desgrenhado em um tenro de nylon amarrotado, a gravata barata da Tie Rack cheia de manchas de café.

Alexia não sentiu confiança. *Espero que a mente dele seja menos desordeira do que o senso de moda.*

— É algo de que preciso ser informada?

— Sim, senhora. A ameaça foi neutralizada, mas nosso escritório recebeu um briefing completo.

— Pensei em revermos tudo após esta reunião — replicou Sir Edward Manning, em voz baixa.

— Certamente uma ameaça terrorista tem prioridade sobre alguns doidos aparecendo na minha casa ou passando trotes.

— Como eu falei, ministra do Interior, a ameaça não está ativa. E sua segurança é de vital importância. Se eu puder...

Sem esperar por aprovação, o comissário Grant tirou um laptop da pasta e o apoiou sobre a mesa de Alexia. Depois de empurrar uma pilha de documentos para um lado, ele abriu imediatamente uma apresentação em Power Point.

— Quando foi ministra das Prisões, a senhora recebeu mais ameaças no ano passado do que qualquer político do Tory.

Era uma abertura impactante. *Ele não tem medo de mim. Isso é bom*, pensou Alexia.

— Eu chateei algumas pessoas, sim.

— Mais do que algumas, ministra do Interior. Esta é uma lista de incidentes relacionados com sua segurança. Tudo, desde marchas de protesto até ovos atirados ou e-mails de ódio, está listado aqui, por ordem de seriedade. Meu trabalho é isolar o perigo genuíno do, hã...

— Mar de ódio generalizado? — Alexia sorriu. O comissário sorriu de volta.

— Eu ia dizer daquilo "meramente desagradável".

— Certo. Como posso ajudar?

— Se compreendi Sir Edward corretamente, houve três incidentes específicos desde que a senhora foi nomeada ministra do Interior. O indivíduo que tentou adentrar sua residência no campo. O envenenamento do cão de seu marido. O telefonema ameaçador feito para sua casa em Londres.

— Está correto. Acha que os três têm ligação?

— Não.

Alexia ergueu uma sobrancelha. Era uma resposta mais inequívoca do que ela esperava.

— No mínimo, a morte do cão *pode* estar conectada com a visita tardia em Kingsmere. Mas a ligação nós estamos tratando como um incidente separado. Eis o que sabemos até agora.

Com um clique do mouse, o comissário Grant abriu outra janela. Alexia se viu olhando para o rosto de um homem com mais ou menos a mesma idade dela. Os cabelos dele eram loiros e ralos, os olhos, azuis pungentes, e a expressão do rosto era gentil, embora um pouco confusa.

— William Jeffrey Hamlin. Temos quase certeza de que foi esse o homem que apareceu em Kingsmere na outra noite.

Alexia pareceu adequadamente surpresa.

— Como diabos sabe disso?

— Nossos técnicos trabalharam um pouco nas filmagens do circuito de TV. Conseguimos uma imagem parcial do rosto. Seu porteiro se lembrava que o homem tinha sotaque americano, então enviamos as imagens para nossos amigos no Departamento de Estado e para o FBI, só para garantir. Tivemos sorte. Se o homem não tivesse registro criminal, jamais o teríamos encontrado.

— Que tipo de registro criminal? — perguntou Sir Edward Manning.

— Homicídio doloso.

Alexia mordeu o lábio inferior com nervosismo.

— Não é tão ruim quanto parece. Uma criança se afogou no início dos anos 1970, sob os cuidados de Hamlin. Ele saiu da prisão no final dos anos 1980. Não há histórico de violência, nenhuma transgressão subsequente. Pelo que sabemos, eu ficaria muito surpreso se Hamlin tivesse envenenado seu cão, ministra do Interior.

Alexia olhou para os olhos gentis de William Hamlin e assentiu em concordância.

— O que ele está fazendo aqui? — perguntou Sir Edward. — Neste país, quero dizer.

— Não sabemos. Ele pode estar apenas de férias. O que sabemos é que ele tem um grande histórico de problemas psiquiátricos. — O comissário se virou para Alexia. — Ministra do Interior, está ciente de algum motivo pelo qual este homem possa estar interessado na senhora?

Alexia balançou a cabeça.

— Absolutamente nenhum.

Ela olhou para o rosto na tela. Havia algo tão triste nele.

— E o nome William Hamlin não significa nada para a senhora?

— Sinto muito. Não.

— Ele é perigoso? — perguntou Sir Edward.

— Provavelmente não. Como digo, ele não tem histórico de violência. Mas com esquizofrênicos não se deve arriscar. Acreditamos que ainda esteja neste país, e se estiver, precisamos encontrá-lo. O mais preocupante é a ligação que recebeu em Cheyne Walk.

A tela mudou novamente. O rosto de William Hamlin desapareceu e foi substituído pelas feições raivosas e determinadas de outro homem de meia-idade. Esse homem Alexia reconhecia. Instintivamente, o maxilar dela se retesou.

— Gilbert Drake.

— De fato.

Sir Edward Manning pareceu preocupado.

— Quem é Gilbert Drake?

— É um taxista do leste de Londres — respondeu o comissário Grant.

— E um *amigo* de Sanjay Patel — acrescentou Alexia, com amargura.

— Ah.

Sir Edward sabia sobre o caso Patel. Todos na Grã-Bretanha sabiam sobre o caso Patel. Era esse caso, mais do que qualquer outro, que atormentara Alexia quando fora ministra das Prisões, e que, durante um tempo, ameaçara descarrilar a carreira dela por completo.

Qualquer simpatia humana que a própria Alexia poderia ter sentido por Sanjay Patel fora há muito substituída por ódio frio. Não somente os apoiadores de Patel eram ameaçadores e agressivos, mas os tabloides e, em particular, o *Daily Mail*, tagarelavam sobre o homem como se ele fosse Gandhi.

— Me coloque a par a respeito de Drake — pediu Sir Edward.

— Ele foi advertido duas vezes a respeito de ameaças feitas à Sra. De Vere — explicou o comissário Grant. — Também passou quatro meses na cadeia por uma acusação paralela de porte de arma de fogo.

— E acha que foi Gilbert Drake quem fez a ligação na semana passada?

— É possível.

— Como um taxista do leste de Londres teria conseguido o número de telefone da casa da ministra do Interior?

O comissário Grant franziu a testa.

— Isso é nossa preocupação crucial, obviamente. Não sabemos se foi Drake, mas algumas coisas apontam, sim, para ele. Sabe-se que o homem já fez ameaças antes. Quem ligou na semana passada também usou referências bíblicas.

Alexia ficou arrepiada diante da lembrança.

— Está certo.

— Sabemos que Drake se tornou um cristão renascido ativo. Escreveu diversos posts em blogs usando linguagem similar. Também fez duas viagens inexplicáveis ao distrito eleitoral da ministra em Oxfordshire no último mês. O interesse de Drake na Sra. De Vere deve ser considerado em curso e ativo.

Alexia se levantou e caminhou até a janela. A voz distorcida do telefonema a assustara mais do que gostaria de admitir. A ideia de que um valentão grosseiro como Gilbert Drake poderia estar por trás do ocorrido ofendia o orgulho da ministra, mais do que tudo.

— Não acho que foi Drake.

— Posso perguntar por que não?

— Tenho certeza absoluta de que a ligação foi internacional. Além disso, o fato de que era irrastreável e o uso do sintetizador de voz mostram uma sofisticação que Gilbert Drake simplesmente não tem. Ele é um atirador de pedras, não um estrategista.

O comissário Grant ponderou a respeito disso.

— A senhora pode estar certa, ministra. Espero que esteja, mas deveríamos conversar sobre o caso Patel.

Alexia revirou os olhos.

— Devemos mesmo? Estou tão cansada de ouvir o nome de Sanjay Patel que nem consigo expressar. Qualquer um pensaria que ele era um santo, não um traficante de drogas e condenado que foi punido de maneira apropriada e de acordo com a lei britânica.

*Estão certos a respeito dela*, pensou o comissário Grant. Ele gostava da Sra. De Vere mais do que havia esperado, mas ela era tão dura quanto um par de botas velhas.

— Exponha o caso para mim, senhora. Pela sua perspectiva.

— Não é uma questão de perspectiva, comissário. Fatos são fatos. O que aconteceu é uma questão de conhecimento público.

— Divirta-me, ministra. Estamos no mesmo time aqui.

Alexia suspirou.

— Tudo bem. Um homem chamado Ahmed Khan foi preso em Dover, em 2002. Tinha chegado ao país com 12 outros homens, como parte de uma carga de imigrantes ilegais. Drogas, especificamente heroína, foram encontradas na van utilizada para transportar Khan. Quando interrogado, Khan contou à polícia que temia pela própria vida no Paquistão, é claro, todos dizem isso, e que o primo dele, Sanjay Patel, conseguira trazê-lo para a Inglaterra. Khan negou conhecimento da heroína.

"Nenhum dos demais refugiados envolvidos no caso mencionou um indivíduo em particular. Patel foi o único nome que surgiu, e também tinha sido ele quem havia recrutado o motorista. Patel foi preso e confessou ter ajudado o primo, Khan, mas fingiu não saber sobre a heroína. De toda forma, ele foi julgado e considerado culpado por tráfico de drogas e de pessoas. O juiz lhe deu a sentença mínima. Acredito que tenham sido 12 anos."

— Quinze — corrigiu o comissário Grant.

— Foi? Certo. De toda forma, a apelação havia sido programada para junho de 2004, mas depois que minha reforma de condenações saiu, ela foi cancelada e a sentença de Patel foi aumentada de modo retroativo.

— Para 22 anos.

— Isso mesmo.

— Um caminho bastante íngreme.

Os olhos de Alexia se semicerraram.

— Você parece simpatizar com o caso, comissário.

— Simpatizo, até certo ponto, ministra do Interior. Todos precisam de esperança, mesmo criminosos. Tire isso deles e terá pessoas bastante desesperadas.

Por um momento, um silêncio tenso pairou no ar. Então, Alexia deu um enorme sorriso. Era renovador ter alguém que a desafiasse, para variar, ou que pelo menos defendesse a própria opinião. O comissário Grant estava bastante errado, é claro, mas Alexia percebeu que gostava cada vez mais dele.

— Bem — disse a ministra, de modo sociável —, Sanjay Patel claramente concordava com você. Ele se enforcou na cela no Natal de 2008. Os apoiadores dele me culpam pela morte desde então.

Se Alexia se sentia culpada a respeito disso, ou se tinha arrependimentos, não demonstrou. Sir Edward Manning trabalhara com políticos durante trinta anos. Raramente tinha visto um que fosse tão implacavelmente sem emoções.

— Estou correto em pensar que Sanjay Patel sempre alegou inocência? — perguntou o comissário Grant.

— Criminosos condenados em geral alegam, pela minha experiência.

— Sim, mas no caso de Patel, as provas contra ele foram consideradas particularmente fracas.

— Consideradas por quem? Pelo *Daily Mail*?

Sir Edward Manning observou os dois montarem guarda como uma dupla de esgrimistas experientes.

— Patel não foi condenado puramente pela declaração de Khan? Não havia DNA ou impressões digitais que o ligassem às drogas, nenhum intermediário foi encontrado, assim como provas que ligassem Patel a qualquer tipo de tráfico de drogas.

— Obviamente, o júri considerou as provas suficientes. Não cabe a mim, ou você, comissário, questionarmos o veredito.

— De fato, não cabe, ministra. Cabe à corte de apelações. Mas não houve apelação no caso de Patel.

— Não.

— Por causa da sua reforma de condenações?

— Por causa das reformas que se tornaram lei por uma maioria de parlamentares e apoiadas, massivamente, pelo público britânico, sim. — Alexia sorriu. — Há um objetivo nisso tudo, comissário?

— Somente que consideramos os apoiadores de Sanjay Patel uma ameaça em potencial verdadeira a sua segurança. De agora em diante, nós os trataremos com igual nível de risco que outras ameaças terroristas feitas contra o Ministério do Interior, ou contra a senhora, pessoalmente.

— Tudo bem. — Alexia assentiu com seriedade. Não era mais um jogo de destreza verbal. O comissário estava falando sério. — E quanto a William Hamlin?

— Ficaremos de olho nele também. Depois que o encontrarmos. Hamlin e Drake são pessoas de interesse. Manteremos a senhora informada.

— Por favor. E sobre o envenenamento de Danny também.

Por um momento, o comissário pareceu confuso.

— Danny?

— Nosso dachshund. Sei que pode ter sido um acidente, mas ele era um cachorrinho querido. Gostaria de saber o que aconteceu.

Do lado de fora, no saguão, Sir Edward Manning conversava com o comissário Grant em particular.

— Acha mesmo que essa gente do Patel é perigosa?

— Acho que Gilbert Drake poderia ser, dentro das circunstâncias propícias. E pode haver outros. Algumas das cartas anônimas que ela recebeu no ano passado não mediram palavras. Cortar gargantas, rios de sangue, o que você imaginar. Por outro lado, colocar uma coisa no papel, ou dizê-la do outro lado da linha, e fazê-la de fato são duas coisas diferentes.

— E o homem americano?

— Inofensivo. Eu queria lhe perguntar algo, Edward, extraoficial.

— Sim?

— Esse negócio com o cachorro. Mantive a calma diante da ministra do Interior. Não há necessidade de criar ansiedade infundada. Mas não gosto disso.

— E você não tem pistas?

— Não. O que sabe sobre a dinâmica familiar?

— Não tanto quanto gostaria — respondeu Sir Edward, sinceramente. — A Sra. De Vere é um livro fechado bastante frustrante. Sei de boatos. Há tensão com a filha. Aparentemente, ela odeia a mãe, mas isso pode ser exagero. Ainda mora em casa.

O comissário Grant esfregou o queixo, pensativo.

— O cachorro também morava.

# Capítulo 13

Sergei Milescu reorganizou os travesseiros na cama. Deitado de costas, ele verificou o ângulo da televisão de tela plana sobre a lareira, certificando-se de que quaisquer imagens fossem claramente visíveis para alguém que estivesse deitado de costas. Tudo tinha de ser perfeito.

Sergei olhou para o relógio na parede. Eram seis e vinte e três da tarde. Edward chegaria em casa em breve, ansiando pelo prazer. Ele dera as chaves a Sergei naquela manhã.

— Deixe tudo pronto. A encenação começa no momento em que eu passar pela porta.

Sergei mal pôde acreditar quando Edward sugeriu uma noite de inversão dos papéis. Durante meses, Sergei aguardara pacientemente o momento de alternar a dinâmica entre os dois, estabelecer-se mais como um namorado e menos como um objeto. Justamente quando começou a acreditar que não havia esperanças, que aquele velho desgraçado jamais mudaria, Edward não somente concordara em transar em casa, mas, de fato, *oferecera* a Sergei que o dominasse. Há dias o jovem romeno estremecia de excitação diante da perspectiva, mas, conforme o momento da verdade se aproximava, ele tremia mais de medo do que de tesão.

*E se eu foder com tudo?*

*Não posso. Não posso foder com tudo.*

*Esta pode ser minha única chance.*

A porta do apartamento se abriu, então se fechou. Sergei ouvira o baque da pasta de Edward atingindo o chão, seguido por um farfalhar abafado enquanto o homem tirava o casaco e os sapatos.

— Onde você está?

— Aqui.

Sir Edward Manning sentiu um frisson de excitação percorrer o corpo quando entrou no quarto. Quanto tempo fazia desde que levara um amante ali? Anos, certamente. Não conseguia se lembrar da última vez. E também não podia se lembrar da última vez que um garoto o deixara tão excitado quanto Sergei. Era aquela combinação intoxicante de ódio e desejo que fazia isso. Sergei Milescu achava que escondia o ódio que sentia, mas ele era tão óbvio para Sir Edward Manning quanto o pau duro entre as pernas do jovem romeno, e tão excitante quanto.

*Estou sendo tolo por trazê-lo aqui? Por permitir que ele tome a liderança?*

*Provavelmente. Mas é o perigo que faz isso ter tanta ternura.*

— Bela casa.

— Obrigado.

— Tire as roupas e deite-se na cama.

Edward hesitou, observando os diversos aparatos no quarto. Havia uma câmera sobre um tripé no canto e um carretel de corda estava bem visível sobre a cômoda.

— Sem filmagens. Em minha posição, não posso permitir...

O tapa surgiu do nada, forte e repentino.

— Eu disse para se despir.

Sir Edward Manning fez como foi pedido.

*Vou gostar disso.*

Durante os primeiros trinta minutos ele gostou. Sergei era tão naturalmente submisso que foi incrível como o rapaz assumiu o papel dominante tão pronta e habilidosamente. Depois de amarrar

Edward à cama, primeiro, somente pelos punhos, depois, pelos tornozelos também, ele fez coisas com o corpo de Edward que o homem jamais imaginara. Havia tateado, provocado, ocasionalmente machucado, mas nunca a ponto de acabar com o tesão; o rapaz tinha a energia de um jovem touro e a ingenuidade de um mestre do xadrez. Diversas vezes, Sergei levara Edward à beira do orgasmo, somente para negar-lhe o êxtase do alívio. Depois de um dia longo e difícil servindo às necessidades da nova chefe exigente, aquela noite de prazer masculino desenfreado era exatamente do que Edward precisava. *Por que alguém sairia do armário quando a vida do lado de dentro é tão extraordinariamente prazerosa e proibida como isto?*

— Fique aqui. Há uma coisa que eu quero que assista.

Deitado de barriga para cima, com braços e pernas abertos, manchas de cera ainda quente endurecendo nos mamilos e na virilha, Edward não teve escolha senão obedecer. Ele esperava que o pornô fosse bom. De maneira geral, não era fã, preferindo a própria imaginação às cenas grosseiramente interpretadas pelos "atores" na tela. Talvez aquilo fosse algo para homens mais jovens, o preço pago por ter amantes tão deleitantes e núbeis.

O filme começou de modo previsível, com um jovem caronista satisfazendo sexualmente um grupo aparentemente improvável de caminhoneiros em uma parada. Cerca de dez minutos depois, no entanto, as coisas ficaram violentas demais para o gosto de Edward. O garoto era enforcado e estava claramente nervoso.

— Isso não está funcionando. Desligue.

Quando Sergei se virou, a excitação selvagem nos olhos do rapaz era inconfundível. Pela primeira vez, Edward sentiu uma pontada de medo de verdade.

— Desligar? Que tal se eu desligar *você*, seu velho.

Depois de pegar um par de meias enroladas na primeira gaveta da cômoda de Edward, Sergei o enfiou na boca do funcionário público. Então, com a casualidade de quem apaga uma vela, ele tapou as narinas de Edward, prendendo-as entre o indicador e o polegar.

O pânico foi imediato e total.

*Ele vai me matar.*

Edward lutava de modo selvagem, ciente de que seus esforços eram inúteis, mas incapaz de se impedir de puxar as cordas. Ele conseguia ouvir o sangue no cérebro, a pressão se acumulando como uma represa cheia. Edward sentia como se o crânio fosse explodir e imaginou os olhos saltando das órbitas. Estava ciente de que perdia a consciência, de que o teto branco de estuque, erguido sobre a cama antiga de mogno, embaçava, então ficava preto. Edward se preparou para a morte.

— Pronto. Sem falar mais. Vamos assistir.

Milagrosamente, incrivelmente, o rapaz soltou as narinas de Edward e retirou as meias enroladas da boca dele. O ar adentrou, dolorosamente, os pulmões de Edward, e lágrimas desceram-lhe pelas bochechas.

— Cruzes! — soluçou o funcionário público. — Isso não foi engraçado. Achei que você iria me matar.

Sergei Milescu olhou para Edward e sorriu.

— Talvez eu mate.

HENRY WHITMAN SENTIU o suor descer-lhe pelas costas conforme aumentou a inclinação da esteira. Os exercícios diários do primeiro-ministro eram cruéis, mas faziam maravilhas com seu nível de estresse.

— Primeiro-ministro? Sinto interromper, senhor, mas estou com a ministra do Interior ao telefone.

Henry fez uma expressão de irritação para a secretária, Joyce Withers.

— Ela não pode esperar?

— Parece que não, senhor.

Henry hesitou, ciente de como deveria parecer tolo diante de Joyce. *Sou a porcaria do primeiro-ministro. Alexia De Vere trabalha para mim, não o contrário*. Mas ele atendeu a ligação. Teve medo de não atendê-la.

Depois disso, Henry correu e correu até que as pernas tremessem de exaustão. Mas a frustração permanecia. Como tinha se colocado naquela situação?

Mais importante, como diabos conseguiria sair dela?

SIR EDWARD MANNING ENCARAVA o laptop, os olhos arregalados de terror. Sobre um travesseiro, diante dele, Sergei Milescu havia organizado as facas japonesas profissionais de Edward em forma de cata-vento.

— Está vendo, *isso* é o que chamo de amor verdadeiro — dizia Sergei. — Não estar somente disposto a morrer por alguém, mas ser cozido e devorado. Você faria isso por mim, Eddie? Você me ama tanto assim?

As imagens no laptop não eram uma animação. Sergei mostrava a Edward uma reportagem da CNN de alguns meses antes, de um caso famoso no qual um psicopata homossexual assassinara, esquartejara e, por fim, devorara o namorado, o auge dos filmes *snuff*. O namorado foi filmado tendo consentido com a coisa toda, o que incitou uma enxurrada de cartas filosóficas sobre os perigos do sadomasoquismo e se o assassinato voluntário poderia ser definido como assassinato.

Era o olhar nos olhos de Sergei que aterrorizava Edward, liquefazia suas entranhas e fazia com que o suor brotasse como pequenos córregos de suas costas e de seu peito.

— Agora. Por onde começamos? Por aqui, talvez? — Depois de pegar uma faca de frutas com serra, Sergei a pressionou contra o mamilo esquerdo de Edward. O velho deu um grito agudo através da mordaça.

— Ou por aqui? — Sergei levou a faca a um dos dedos indicadores de Edward. Com um movimento da arma, perfurou a pele.

Edward gritou, as pupilas se dilataram selvagemente com terror e dor. O corte era pequeno, mas profundo. Sangue se espalhou por toda parte, encharcando os lençóis com uma poça de vermelho profundo como a cor da ameixa.

— Ou aqui? — Devagar, deliciando-se com cada segundo, Sergei arrastou a ponta da faca para a barriga de Edward, traçando uma linha para baixo, até que a lâmina roçou a base do pênis. — Gostaria disso, Eddie? Gostaria que eu cortasse?

Sir Edward Manning se debateu incontrolavelmente, puxando as cordas com tanta força que fez com que os punhos e os tornozelos sangrassem.

A morte se aproximava. Ele sabia disso agora. Não era a morte que o assustava, mas a tortura que a precederia. Não era muito bom em lidar com dor. Jamais fora.

*Como pude ser tão burro? Arrisquei tanto, e pelo quê? Por sexo?*

Em seu terror, ele pensou na mãe. Pensou em Andrew, o namorado da faculdade, e o único homem que amara de verdade.

— Feche os olhos, Eddie — sussurrou Sergei ao ouvido do funcionário público. Em lágrimas, Sir Edward Manning fez como pedido. Sentia a lâmina fria contra a genitália e imaginava quando, ou se, desmaiaria.

— Vamos colocar alguns efeitos sonoros, sim? — Ao deixar a faca repousada sobre a virilha de Sir Edward, Sergei retirou a mordaça. — Quero ouvi-lo implorar pela vida.

— Por favor! — Sir Edward odiou o som da própria voz, mas não conseguiu se controlar. — Não faça isso. Não precisa fazer isso! Sou um homem rico. Posso... Posso pagá-lo.

— Me pagar? Me pagar o quê?

— O que você quiser! Qualquer coisa. Diga seu preço.

— Dizer meu preço? *Ainda* acha que sou seu prostituto, não é? — Depois de agarrar uma segunda faca, maior, Sergei fez um corte como Zorro no peito de Sir Edward. O velho emitiu um grito de gelar o sangue.

— Não, por favor. Por favor! Me diga o que você quer. Me desculpe! Só me diga o que você quer, pelo amor de Deus!

— Tudo bem — disse Sergei. — Direi o que quero. — Para a surpresa de Sir Edward Manning, o jovem romeno se levantou da cama e começou a se vestir. Depois de juntar as facas, ele as sacudiu próximo ao rosto de Sir Edward, gargalhando selvagemente enquanto o velho se acovardava, e então, de modo brincalhão, as levou de volta para a cozinha.

Pela primeira vez desde que era criança, Sir Edward Manning rezou.

*Por favor, por favor, que tenha acabado. Por favor, não deixe que seja um truque, um modo de prolongar a agonia.*

Ele tentou lutar contra a esperança, mas era impossível. Queria tão desesperadoramente viver.

Sergei retornou ao quarto e sorriu. Sir Edward Manning sorriu de volta.

Então percebeu que o rapaz tinha algo escondido nas costas.

— Não, por favor! Não me machuque. POR FAVOR! — Sir Edward Manning sentiu-se tomado por um desespero sombrio.

Sergei se aproximou.

— Tarde demais! — O rapaz gargalhou. — *Bang bang!*

Quando Sir Edward percebeu que era um iPhone nas mãos de Sergei, e não uma arma, ele já havia perdido controle da bexiga.

— Primeiro — disse Sergei —, vou tirar umas fotografias bonitinhas de você, Eddie. Então preciso que sorria para a câmera. Consegue fazer isso?

Sir Edward assentiu, furioso.

— Vou enviar essas fotos para alguns amigos meus. Se algo acontecer comigo, ou se você não fizer exatamente como eu pedir, elas vão acabar on-line para que o mundo inteiro se divirta. Está entendendo?

Outro aceno com a cabeça.

— E depois disso, meus amigos vão matar você. Vão cortar fora seu pau, vão assá-lo com alecrim e depois irão comê-lo. — O lábio superior de Sergei Milescu se contraiu. — Acredita em mim, *Sir* Edward?

— Acredito em você. — Sir Edward Manning se sentia enjoado devido ao alívio. — Farei tudo o que disser, Sergei. Tudo.

— Que bom. Meus amigos ficarão felizes ao ouvir. Ficarão ainda mais felizes quando você conseguir a informação de que precisam.

— Informação?

— Sobre sua chefe. Mas silêncio agora. — Sergei sorriu e apoiou o indicador sobre os lábios de Sir Edward. — Primeiro é hora das fotos. Diga "xis".

# Capítulo 14

BILLY HAMLIN ESTAVA SENTADO no trem a caminho de Londres. Do lado de fora, uma chuva fina, constante e cinzenta havia se instalado e preenchia as janelas do trem com uma película de água imunda. Havia água por toda parte, sugando Billy, afogando-o. Uma correnteza interminável da qual, não importava o quão forte ou rápido nadasse, ele não poderia escapar.

— Vai para Londres a turismo? — A jovem mãe ao lado dele puxou conversa. — Ouvi seu sotaque americano mais cedo. Está de férias?

A mulher era atraente, mas parecia cansada. Tinha consigo dois filhos pequenos, de mãos grudentas, e sem dúvida esperava que Billy fornecesse uma distração adulta. Ao avaliar a normalidade da vida da mulher — as crianças incansáveis, o casaco de chuva manchado, as sacolas de compras alojadas no assento ao lado dela —, Billy sentiu uma pontada de inveja tão forte que era como uma faca ao coração.

— Na verdade, não. Vou visitar Alexia De Vere.

A jovem mãe gargalhou.

— Sério? E eu estou indo visitar a rainha. Vamos direto para o palácio de Buckingham depois de chegarmos a Paddington, não é, crianças?

— Estou falando sério — replicou Billy. — Preciso avisar Alexia De Vere.

— Avisá-la? Com relação a quê?

Billy olhou para a mulher como se ela fosse louca.

— A voz. Preciso avisá-la sobre a voz.

A jovem mulher se virou e puxou as crianças para perto de si, protegendo-as.

Ela conseguia ver a loucura reluzindo nos olhos de Billy Hamlin.

— Desculpe-me — falou Billy, levando o celular ao ouvido. — Preciso atender.

*Olho por olho, Billy. Olho por olho.*

Billy sentiu a garganta secar e o estômago se tornar líquido.

*Quem morrerá em seguida?*

A voz. Estava de volta.

Billy começou a implorar.

— Por favor, não a machuque!

*Machucar quem, Billy? Sua filha?*

— Não, Jenny não.

*Ou a Sra. De Vere?*

— Nenhuma delas.

*Você escolhe.*

— Mas as duas são inocentes! Por que está fazendo isso? Por favor, por favor, apenas me deixe em paz.

*Não posso fazer isso, Billy.*

— Então me diga o que fazer.

*Você sabe o que fazer.*

— Preciso de mais tempo. Não é tão fácil. Ela é a ministra do Interior! Não é como se eu pudesse caminhar em direção a ela na rua.

— Você está bem? — Um homem jovem, um trabalhador, apoiou a mão sobre o braço de Billy. Ele olhava para Billy de modo curioso, da mesma maneira que a jovem mãe fizera.

*Ele acha que sou louco*, pensou Billy. *Todos pensam. Não entendem.*

— Estou bem — respondeu ele, com paciência. — Estou ao telefone.

— Não tem sinal aqui, amigo — observou o homem, com gentileza. — Estamos dentro de um túnel. Está vendo?

Billy olhou pelas janelas sujas para a escuridão. Em pânico, ele gritou para o aparelho.

— Alô? ALÔ?

O jovem estava certo. A linha tinha ficado muda.

A voz tinha ido embora.

A REUNIÃO DO COMITÊ Seleto estava esquentando.

— Com todo respeito, ministra do Interior...

— Não me fale de respeito, Giles — exclamou Alexia De Vere, irritada. — Essa é a questão toda, não é? Essas pessoas não têm respeito. Não por nossos valores, não por nossas instituições, não por nossa bandeira. E somos covardes demais para enfrentá-las.

— Covardes? — murmurou o ministro da Agricultura aos sussurros. — Que diabos uma mulher sabe sobre lutar pela porcaria da bandeira.

Alexia se virou para ele como uma cobra cascavel.

— O que você disse, Charles?

— Nada.

— Não, por favor. Se tem algo a dizer, por favor, compartilhe com todos nós.

Os seis homens sentados ao redor da mesa se entreolharam nervosos, como colegiais que viam o lado ruim da professora. Estavam ali para discutir o problema dos trabalhadores agrícolas imigrantes que faziam protestos na Parliament Square. Os protestos estavam ficando cada vez mais ousados. Na semana anterior, dois catadores de beterrabas albaneses urinaram na Union Jack, um incidente que chegou às manchetes nacionais e acendeu um novo debate sobre imigração do qual o Ministério do Interior não precisava. Todos estavam com os nervos abalados, mas a ministra do Interior parecia particularmente ferina naquela manhã. O pobre Charles Mosely, ministro da Agricultura, parecia prestes a ter as bolas arrancadas.

— Acha que sou algum tipo de cidadã de segunda classe, Charles?

— É claro que não, Alexia. — *Acho que é uma vaca de primeira classe, assim como o restante do gabinete.*

— Que bom, pois da última vez que verifiquei, meu passaporte era tão válido quanto o seu.

— Compreendo isso, ministra do Interior. A questão é que nenhum de nós acredita que encher esses dois homens de acusações criminais vai resolver alguma coisa.

— São muito pobres. — O ministro de Comércio e Indústria falou devagar, como se explicasse algo muito simples para uma criança pequena. — Destituídos, efetivamente.

— Irrelevante — disse Alexia, de modo desencorajador. — São vândalos criminosos e estão mijando nas mãos que os alimentam. Estão transformando este governo em motivo de chacota.

Depois de caminhar até o bebedouro, Alexia encheu um copo de plástico, obrigando-se a ficar calma. Sabia que estava exagerando. Interpretando tudo de modo pessoal demais. Mas tinha passado uma noite frustrante em claro, fixada na reunião do dia anterior com o comissário Grant, e, por algum motivo, os seis rostos amargos e nada amigáveis que a observavam ao redor da mesa naquela manhã a incomodavam mais do que o normal.

Alexia mantivera-se calma no dia anterior, tendo se recusado a demonstrar fraqueza diante de Sir Edward Manning e do comissário. Como uma mulher da política, não podia baixar a guarda, jamais. Mas a verdade era que estava assustada, cheia de uma profunda sensação de agonia que não conseguia afastar. Alexia recebera ameaças antes, é claro, quando era ministra das Prisões. Mas aquele negócio com William Hamlin e a voz inflamada ao telefone eram diferentes.

E o cachorro. Alexia se sentia péssima pelo cachorro.

Normalmente, a ministra teria ficado completamente inabalada ao presidir uma reunião na qual todos os homens no recinto estavam contra ela. A inveja e a hostilidade ao redor da mesa naquela manhã eram palpáveis, mas não eram novidade. Naquele dia, no entanto, Alexia se sentia cansada e vulnerável. Para piorar as coisas, quando finalmente conseguiu dormir na noite anterior, teve um pesadelo terrível, do tipo que não tinha havia anos — o sonho do afogamento. Correntes fortes e escuras puxavam-na para baixo. Os pulmões se enchiam de água, ela não podia respirar. O pobre Teddy fez o melhor que pôde para acalmar a esposa, pegou um copo d'água para ela às quatro horas da manhã. Depois disso, ele caiu no sono novamente, mas Alexia ficou deitada, acordada, observando o amanhecer sobre o rio com os olhos injetados e exaustos.

O Parlamento pararia para o longo recesso de verão em duas semanas. Alexia mal podia esperar. Só em pensar na casa de verão em Martha's Vineyard e em passar tempo com Lucy Meyer, sua única amiga de verdade, ficava repleta de uma ansiedade que mal podia descrever.

— Alexia? Está conosco? — falava Giles Fring, do departamento estratégico de fronteiras de imigração.

— Desculpe-me, Giles. O que estava dizendo?

— Precisamos preparar uma declaração, ministra do Interior. — O suspiro irritado de Fring dizia tudo. — Precisamos chegar a algum tipo de consenso.

— Temos um consenso.

— Não, não temos — respondeu prontamente o ministro de Comércio e Indústria.

— Temos sim, Kevin. Esse departamento é meu, a decisão é minha. Decido um curso de ação e vocês concordam com ele. *Voilà*. Consenso.

Os homens ao redor da mesa trocaram olhares de desespero.

— Nossa declaração é a seguinte: "O governo não vai tolerar atos de violência ou ódio direcionados à Grã-Bretanha ou ao seu povo. É de responsabilidade dos tribunais a decisão quanto ao destino dos Srs. Silchek e Vladmizc. Mas a ministra do Interior autoriza, por meio desta, a desocupação imediata da Parliament Square. Além disso, os vistos de trabalho de todos aqueles envolvidos nos piquetes da semana passada serão revistos imediatamente."

Revolta irrompeu na sala.

— Não pode estar falando sério, Alexia! Revogar vistos? E quanto à liberdade de expressão?

— Não revogar. Rever.

— Mas com vistas à deportação das pessoas! Por um protesto pacífico.

— Não houve nada de pacífico com o que aconteceu àquela bandeira, Kevin.

— O primeiro-ministro jamais permitirá.

Alexia deu um leve sorriso. O ministro de Comércio e Indústria estava começando mesmo a irritá-la.

— Ah, acho que vai descobrir que ele permitirá. O apoio de Henry é irresoluto.

Depois de atirar os papéis sobre a mesa com um ódio petulante, Kevin Lomax disparou para fora da sala.

Charles Mosely falou:

— Se não há mais nada, ministra do Interior, eu sugiro reconsiderar o tom da declaração. Parece...

— Forte? — sugeriu Alexia.

— Eu ia dizer "stalinista". De modo direto, não vai angariar nenhum voto para nós.

— Eu discordo.

— Mas, Alexia, seja racional. Todos...

— Reunião encerrada. Tenham um bom dia, cavalheiros.

Dez minutos depois, no banco de trás do Daimler ministerial, Alexia tirou os sapatos e suspirou pesarosamente.

— Qual é o problema desses homens, Edward? São todos uns covardes.

Sir Edward Manning se mexeu, desconfortável, no assento. Ele havia coberto com um curativo o ferimento no dedo, explicara ter sido um acidente na cozinha, mas as linhas que Sergei Milescu abrira em seu peito eram muito mais difíceis de disfarçar. Não eram apenas angustiantemente dolorosas, mas o deixavam em um estado constante de medo de que o sangue vazasse pela camisa a qualquer momento. Sergei queria informações sobre a Sra. De Vere, algo escandaloso o suficiente e sério o bastante para forçá-la a sair do cargo. No momento, Edward não fazia ideia de como as conseguiria. Tudo isso tornava a concentração algo extremamente difícil.

— Quero dizer, me diga, Edward. Eles se esqueceram de quantos homens morreram por aquela bandeira?

— Duvido muito que Charles Mosely tenha se esquecido — disse Sir Edward entre os dentes trincados. A dor era quase insuportável. — O filho dele foi morto há três anos em Helmland. Ficou em pedaços com a explosão de uma bomba na estrada.

Alexia arquejou.

— Ai, meu Deus. Sério? Eu não fazia ideia.

— Estava nas suas anotações, ministra do Interior.

— Estava? Merda. Não é de surpreender que ele estivesse tão emotivo com relação à coisa da bandeira. Por que não me impediu, Edward?

Os dois sabiam que era uma pergunta retórica. Durante alguns minutos, o Daimler deslizou em silêncio, cada um dos passageiros perdidos nos próprios pensamentos.

Alexia observava Sir Edward Manning enquanto ele olhava pela janela. *Ele parece ainda mais rigoroso e controlado hoje do que normalmente.*

*Não confio nele.*

A percepção foi instantânea e inesperada, mas também foi completa, uma reação instintiva, não um julgamento crítico.

*Não confio nele, mas preciso dele. Se quero sobreviver ao viveiro de cobras, um bom secretário pessoal é essencial. Precisamos encontrar um modo de trabalharmos juntos.*

— Tem alguma sugestão, Edward?

— Sugestão para o quê, ministra do Interior?

— Para como posso consertar as coisas com Charles Mosely. Usei a palavra "covarde" com um homem que perdeu o filho na guerra.

— Em minha experiência, ministra do Interior, um pedido de desculpas costuma ser o primeiro passo.

— Eu deveria ligar para ele?

— Eu escreveria. Uma carta, não um e-mail. Um bilhete formal, escrito à mão, com um pedido de desculpas no grau apropriado de arrependimento.

Alexia De Vere sorriu.

— Obrigada, Edward. É o que farei.

Levou menos de uma hora para que Henry Whitman ficasse sabendo sobre o debate acalorado no Ministério do Interior. Charles Mosely fora gravemente ofendido. Uma declaração incendiária fora redigida para a imprensa, sem seu conhecimento ou consentimento. Fazia apenas uma semana desde que Alexia De Vere ofendera gravemente os russos com uma observação estúpida no Parlamento sobre lavagem de dinheiro. E agora isso.

Ele estava furioso.

— Devo ligar para a ministra do Interior, primeiro-ministro? — perguntou Joyce, a secretária de Whitman, ansiosa. Alexia De Vere era ainda menos popular com as mulheres do Partido Tory do que com o homens que o comandavam.

— Sim. — Henry Whitman hesitou. — Quero dizer, não. Faça apenas uma ligação para o escritório central e certifique-se de que nenhuma declaração seja liberada para ninguém até que eu veja o texto e o aprove.

Joyce ergueu uma das sobrancelhas.

— O senhor *não quer* falar com a Sra. De Vere? Tem certeza?

— Foi o que eu disse, não foi? — disparou Henry Whitman.

A secretária saiu. Sozinho no escritório, no número dez da Downing Street, Henry Whitman fez uma ligação do celular pessoal.

— Preciso daquela informação.

— Você vai consegui-la.

— Quando? Estou sendo feito de chacota aqui. Preciso de algo que possa usar.

— Em breve.

— Espero que sua fonte seja boa.

— Minha fonte é impecável. Muito bem colocada. Muito motivada. — Houve uma pausa na linha. — Gostaria de ver uma foto dele?

— Uma foto? — Antes que Henry Whitman pudesse responder, uma imagem enviada por MMS surgiu em sua caixa de entrada. Ele clicou para abri-la e desejou fortemente que não o tivesse feito.

— Jesus Cristo.

— JESUS CRISTO, NOSSO Senhor e Pai, o recebe em seu coração.

— Aleluia!

A jovem pastora era nova na St. Luke's Church e estava passando por maus bocados. Gilbert Drake não era normalmente fã de mulheres pastoras, mas até mesmo ele estava preparado para abrir uma exceção para aquela garota, com os cabelos loiros soltos, silhueta esguia e bochechas sardentas de garotinha.

— Jesus Cristo perdoa seus pecados e o lava na água benta de Seu amor.

— Aleluia!

— Padrinhos de batismo e de crisma, podem agora submergir seus postulantes.

Gilbert Drake apoiou uma das mãos sobre o ombro do rapaz e o empurrou para baixo, até que a cabeça do menino estivesse completamente sob a superfície da água da piscina batismal. Durante alguns segundos, Gilbert observou os cabelos pretos do garoto ondularem para cima, erguidos do couro cabeludo pela água como se fossem os cabelos de um cadáver.

*Como seria fácil afogar alguém. Afogar uma criança. Só seria preciso ficar ali.*

Era um pensamento pecaminoso. Gilbert o afastou.

— Em nome do Pai, do Filho e do Espírito Santo.

— Amém.

— Agora, ergam os postulantes, limpos dos pecados, para a Luz do Senhor.

As crianças saíram da água ao mesmo tempo, arquejando coletivamente em busca de ar. A congregação deu vivas. Na piscina batismal, trocavam-se abraços molhados. O afilhado de Gilbert Drake ergueu o rosto para ele, o sorriso triunfante e com um dente faltando, a pele macia de ascendência indiana era o único detalhe marrom entre os outros garotos de rosto pálido do bairro de East End.

— Consegui, tio Gil! Consegui!

Os olhos de Gilbert Drake se encheram de lágrimas.

— Você conseguiu, Nikil. Seu irmão mais velho teria ficado tão orgulhoso.

O QUARTO QUE BILLY Hamlin alugara em Kings Cross era escuro e úmido e deprimente. Uma lâmpada sem luminária pendia, pateticamente, do teto, as persianas de plástico das janelas estavam quebradas e a cama de solteiro esquálida cheirava a fumaça de cigarro e suor.

Billy não se importava. Ele se deitou na cama e fechou os olhos, e uma sensação de paz lhe percorreu o corpo.

Em alguns dias ele a veria.

Em alguns dias, tudo acabaria.

Billy dormiu.

# Capítulo 15

Roxie De Vere observava seu corpo nu no espelho com a testa franzida. Uma pequena curva no ventre a incomodava.

*Estou ficando gorda. Se estufar o bastante, pareço grávida.*

Ela tentou, impulsionando-se para a frente na cadeira de rodas que os terapeutas do Guy's Hospital tinham desenvolvido especialmente para ela, para permitir que tomasse banho sozinha. Virando-se de lado, Roxie acariciou o estômago inchado e fez uma pose maternal.

— É o mais próximo que chegarei — disse ela, em voz alta.

Naquele momento, o ódio de Roxie pela mãe era como algo sólido e físico, um ursinho de pelúcia que ela podia levar ao peito e acariciar. Em outros, parecia mais uma pedra, algo pesado e preso ao chão, ao qual a jovem poderia se acorrentar enquanto gritava. Um dia conseguiria. Rolaria aquela pedra até o oceano da autopiedade e se afogaria. E então sua mãe se arrependeria.

Será mesmo? Roxie não sabia mais.

Só sabia que Andrew Beesley era o único homem que jamais amaria. E que, graças à mãe, ele desaparecera.

Depois de empurrar a cadeira até o quarto, Roxie se vestiu. Levou um bom tempo, mas graças à criatividade da equipe médica e às centenas de milhares de libras gastas com o problema pelo pai,

Teddy, Roxie agora conseguia cuidar de quase todas as tarefas diárias sozinha.

— Você poderia viver de forma independente, sabe — dissera-lhe Marie, a fisioterapeuta-chefe de Roxie, repetidas vezes. — Ter sua própria casa. Não *precisa* mais viver na casa dos seus pais se não quiser.

Roxie contou a Marie que ficava em Kingsmere pelo pai.

— Mamãe fica tanto tempo longe. Meu querido pai ficaria desesperadamente sozinho. — Mas o verdadeiro motivo pelo qual ficava era para punir a mãe. Por mais que Roxie odiasse morar sob o mesmo teto que a mãe, sabia que Alexia odiava a situação ainda mais.

*Por que aquela vaca deveria ter uma vida pacífica e feliz com papai depois do que fez comigo?*

*Ela deveria ser punida. Deveria sofrer.*

Roxie prendeu os cabelos loiros em um rabo de cavalo e passou blush nas bochechas. Ainda era uma linda jovem, apesar do corpo arruinado. O recesso de verão do Parlamento começaria em breve. Como sempre, a família De Vere debandaria para Martha's Vineyard para as férias, com Alexia pegando aviões para Londres quando necessário.

*Se pelo menos tivesse um jeito de machucá-la de verdade*, pensou Roxie. A única coisa com que Alexia se importava realmente era a carreira. Por direito, era isso o que ela deveria perder. Infelizmente, a mãe de Roxie tinha um dom quase sobrenatural para sobrevivência política.

Mesmo assim. *Um dia...*

Em seu escritório, em Cheyne Walk, Alexia De Vere folheava o arquivo que Sir Edward Manning lhe dera. A ministra pedira a informação no dia anterior, mas, com sua típica eficiência, Edward colocara o arquivo na mesa dela às oito horas naquela manhã. Era muito mais grosso e mais detalhado do que esperava.

— Conseguiu tudo isso com o Departamento de Estado dos Estados Unidos? — perguntou ela.

— Consegui de uma fonte confiável, ministra.

— E ninguém mais sabe que pedi? Não discutiu isso com o comissário Grant?

Sir Edward Manning pareceu afrontado.

— Você me pediu que não discutisse, ministra. É claro que não.

*Talvez eu estivesse errada em desconfiar dele. É leal ao departamento, se não a mim, pessoalmente. Contanto que eu me certifique de que nossos interesses estão alinhados, Edward será um aliado útil,* pensou Alexia.

— Tem certeza de que está se sentindo bem, Edward? — perguntou ela, colocando o relatório de lado. — Parece estar sentindo dor. Seu peito.

Tardiamente, Sir Edward Manning percebeu que estava agarrado ao ferimento novamente. Precisou trocar de camisa três vezes no dia anterior e tomava pílulas de ibuprofeno como se fossem M&Ms. Sergei Milescu passara na casa de Edward na noite anterior para perguntar sobre o "progresso". Ele insistira em fazer sexo, o que fora uma agonia para Edward, e saíra com a ameaça velada de violência pairando pesadamente no ar.

— Meus amigos não são pessoas pacientes, Eddie. Querem resultados.

— Mas nem mesmo sei o que estou procurando! — exclamara Sir Edward Manning. — Preciso de tempo. Preciso ganhar a confiança dela. Não pode explicar?

Sergei Milescu deu de ombros.

— O problema não é meu. Vejo você em breve, Eddie.

Sir Edward olhou para Alexia De Vere.

— Tive um pequeno acidente, ministra do Interior. Caí da bicicleta a caminho do trabalho.

Alexia pareceu horrorizada.

— Quando?

— Ah, faz alguns dias. No fim da semana passada.

— Bem, por que diabos não me contou? Vá para casa descansar.

— Não é necessário, ministra do Interior.

— É sim. Você está com 60 anos, Edward. Precisa levar essas coisas a sério.

— São apenas alguns arranhões e machucados. Estou perfeitamente bem para trabalhar.

Alexia balançou a cabeça.

— Não quero saber. Eu mesma vou trabalhar de casa esta tarde, então não há necessidade de você ficar aqui. Vá para casa. Pedirei que meu motorista o leve.

Enquanto relia o relatório que Edward lhe dera no escritório de casa, Alexia imaginou se o secretário tinha *mesmo* ido para a cama ou se voltara para o escritório para trabalhar. Servidores públicos de carreira como Sir Edward Manning — "vitalícios", como eram conhecidos no Parlamento — eram quase todos viciados no trabalho, tanto quanto nos burburinhos da vida em Westminster. Mas Alexia rapidamente se esqueceu de Edward quando o relatório, mais uma vez, lhe prendeu a atenção.

AVALIAÇÃO PSIQUIÁTRICA CONFIDENCIAL:
WILLIAM J. HAMLIN.

O paciente exibe sintomas de esquizofrenia paranoica clássica, inclusive delírios e alucinações auditivas, frequentemente desencadeados pelo telefone ou pela televisão. Ele alega ouvir uma voz específica, uma alucinação negativa dominante clássica que combina comentários críticos com instruções específicas ao paciente. Hamlin descreve a voz, intermitentemente, como do sexo feminino (Mãe? Morta na infância do paciente. Paciente aludiu, durante tratamento, a sentimentos de abandono e traição.). Em geral, sofre de pensamentos obsessivos em relação a mulheres, em sua maioria não sexuais/de orientação fami-

> liar, p. e. ansiedade aguda em respeito à filha. O divórcio também parece ser um fator subjacente nos pensamentos delirantes e na psicose, embora o relacionamento com a ex-mulher pareça bom.
>
> Depressão intermitente, mas sem pensamentos suicidas. Não se enaltece. Não há registro de tendências violentas e há agressão bastante limitada.
>
> A condição do paciente é controlável com medicação e cuidado caseiro, quando aceito. Antipsicóticos atípicos foram bastante eficazes no tratamento desse paciente, especialmente Geodon (ziprasidona). Infelizmente, o histórico do paciente de tomar os remédios é ruim. Abuso de álcool permanece um fator agravante recorrente.

O psiquiatra datara e assinara o relatório 18 meses antes. Alexia lera as anotações do médico diversas vezes, tentando compreender a vida interior torturante de William Hamlin, tanto pelo que estava escrito quanto pelo que ela captava nas entrelinhas: quem *era* aquele homem que a procurava?

E o que queria com ela?

> Tem relacionamentos próximos com mulheres, com a esposa, com a filha — mas mulheres são a raiz de sua instabilidade mental.
>
> Ele se sente abandonado e traído por elas. E, no entanto, não é um homem rancoroso, não é violento.
>
> Ele ouve vozes, vozes assustadoras.

Alexia sorriu. *Acho que isso é algo que temos em comum. Minhas vozes, porém, são reais. Não tem quantidade de ziprasidona suficiente para silenciá-las.*

No geral, tudo o que lera no arquivo de Sir Edward Manning confirmava a visão do comissário Grant. William Hamlin não envenenara o cão de Alexia e Teddy. Nem, apesar de todas as probabilidades, desejava mal a ela. Mesmo assim, a ideia desse homem solto por aí, perambulando confuso pela Inglaterra em busca de Alexia, caçando-a, não era agradável. O comissário Grant não avançara em localizá-lo.

— É muito difícil com pacientes psiquiátricos. A não ser que ativamente busquem ajuda, ou agridam alguém, eles saem rapidamente do radar. Sendo um turista sem Registro Nacional de Saúde, sem endereço fixo, sem Seguro Social, Hamlin é, efetivamente, um fantasma aqui.

Alexia De Vere tinha medo de fantasmas.

Estava na hora de ver até onde se estendia a lealdade de Sir Edward Manning.

James Martin, o chefe de comunicações na Downing Street, apoiou a cabeça nas mãos.

Henry Whitman perguntou:

— O quão ruim é, James? Sinceramente.

— Sinceramente, primeiro-ministro? Não é bom. Hesito em usar a palavra "desastre", mas...

Os dois homens estavam sentados em torno de uma mesa redonda de conferências com um mar de primeiras edições de jornais espalhados diante de si. A declaração de Alexia De Vere sobre o caso dos trabalhadores agrícolas causara um levante na imprensa liberal. Também incendiara os elementos mais direitistas do público britânico, incitando violência racista e inquietação pública em uma escala não vista desde o famoso discurso "Rios de Sangue" de Enoch Powell, nos anos 1960.

— Houve saques em Burnley, um incêndio criminoso em uma instalação da imigração em Dover e protestos violentos no cais em Southampton. O Partido Nacional Britânico está clamando por levantes em massa simultâneos em Londres, Manchester e Birmingham no sábado. Autointitularam-se o “Movimento Retomada da Inglaterra”.

— Meu Deus. O que dizem os jornais?

— Nada que o senhor queira ouvir. O *Guardian* chamou Alexia de “metralhadora giratória”. O *Times* ponderou se o Ministério do Interior não é quem está no comando do governo e o *Indie* acredita que a ministra deveria ser julgada de acordo com o Ato de Incitação de Ódio Racial. Então, há o *Sun*, que eleva Alexia a heroína. Ah, e esta charge do *Telegraph*.

James Martin entregou ao chefe a página relevante. Exibia Alexia De Vere vestida como Lady Britannia e sentada em um trono com o primeiro-ministro como o cachorrinho de estimação sob os pés. Alexia oferecia a Henry um osso, no qual se lia *União Europeia*. A legenda dizia: *Mastigue isto, garoto*.

— Achei que tivesse dito a ela para amenizar o tom da declaração.

— Eu disse — respondeu Henry Whitman, sombrio.

— Não podemos continuar dessa forma, primeiro-ministro. Você deve ser visto retomando o controle.

— Pegarei um avião para Burnley esta manhã. Pode organizar uma coletiva de imprensa para as seis da tarde aqui?

— Posso, mas sugiro fazermos isso esta manhã, o mais rápido possível. A única coisa que o senhor não quer é que o Ministério do Interior chegue primeiro.

ALEXIA ATENDEU À LIGAÇÃO no carro.

Ela esperava que o primeiro-ministro estivesse irritado. Mas não tão irritado.

— Eu disse a você, disse expressamente, para amenizar o tom da declaração.

— E eu amenizei.

— Você mudou uma palavra! Já viu o que está acontecendo lá fora? É uma situação massiva de desordem pública, Alexia. As pessoas serão mortas.

— As pessoas estão com raiva, Henry — respondeu Alexia, friamente —, e eu não as culpo. O público inglês está cansado de ser feito refém por um bando de imigrantes desrespeitosos que sugam nossos benefícios e mijam na nossa bandeira. Estou defendendo eleitores comuns.

— Besteira. Você está tentando tornar o capital político pessoal. Se quer entrar em alguma disputa de poder com os colegas do gabinete, faça isso em particular.

— Mas, Henry.

— Fique QUIETA! — Era a primeira vez que Henry Whitman levantava a voz para ela. — Não diga nada, entendeu? NADA. Para mim, para a imprensa, para ninguém. Fique na sua e deixe que eu cuide dessa bagunça. Estamos entendidos?

Alexia ficou em silêncio.

— Tem ideia de quantas pessoas estão pedindo sua demissão, Alexia? — A frustração do primeiro-ministro era palpável. — Quanta pressão há sobre mim para mandar você embora?

— Não faço a mínima ideia — disse Alexia, em tom desafiador. — E nem me importo.

— Bem, deveria se importar. Eu posso ir bem longe, sabe, Alexia. Lembre-se disso.

— Eu também, Henry. Talvez *você* devesse se lembrar disso.

Ela desligou. Sentado ao seu lado, Sir Edward Manning percebeu que as mãos de Alexia tremiam. Se era de medo ou de ódio, ele não sabia.

— Posso ajudar, ministra do Interior?

— Não, obrigada, Edward. Estou bem.

Os dois seguiram em silêncio no carro. O trânsito ficou mais leve quando entraram na Embankment. Em alguns minutos, estariam em Parliament Square.

— Há *sim* uma coisa, Edward. É sobre o arquivo que me deu ontem à noite, sobre nosso amigo, Sr. Hamlin. O americano.

Os ouvidos de Sir Edward Manning ficaram atentos. O primeiro-ministro claramente esfolara viva a Sra. De Vere. A carreira dela estava por um fio por causa daquele furor sobre imigração. No entanto, a preocupação principal da mulher parecia ser um único e inofensivo maluco.

*Por quê?*

— O que tem ele, ministra do Interior?

— Bem, a polícia não teve sucesso em rastreá-lo. Imagino se você poderia saber por meio de alguma... fonte alternativa.

— Entendo.

— Gostaria de localizá-lo.

Sir Edward parou por um momento, como se estivesse prestes a fazer uma pergunta, mas obviamente achou melhor não fazê-la.

— É claro, ministra do Interior. Considere feito. Ai, meu Deus!

A cena na Parliament Square era caótica. *Multidão* seria forte demais, mas havia grupos de protesto enraivecidos de todos os lados do debate exibindo placas e gritando slogans concorrentes. A foto de Alexia era erguida como um ícone, triunfantemente por alguns grupos e ironicamente por outros. Um grupo de maioria masculina, com feições do Leste Europeu, havia desenhado chifres diabólicos na cabeça da ministra do Interior. Pelas janelas escurecidas do Daimler, Alexia ouvia a agressão, tanto os gritos em inglês de "vaca racista" quanto os berros cheios de ódio em diversas línguas eslavas.

— Dê a volta — ciciou Sir Edward Manning para o motorista. — Entraremos pelos fundos.

— Não faremos tal coisa — disse Alexia, com firmeza. — Pare aqui. — E antes que Sir Edward pudesse impedi-la, a ministra abria a porta do carro e saía.

— Ministra do Interior! — gritou ele para Alexia, mas foi inútil. O barulho da multidão era ensurdecedor. Depois que as pessoas perceberam quem era, o pandemônio irrompeu. Felizmente, dois policiais se deslocaram para proteger a ministra, um de cada lado, mas ofereciam pouca proteção contra a massa inflada de corpos.

Pela segunda vez naquele dia, Alexia sentiu-se assustada. Mais cedo, a ligação do primeiro-ministro havia deixado-a amedrontada, embora não tivesse demonstrado isso nem para Henry Whitman nem para a própria equipe. *Jamais demonstre fraqueza. Jamais recue.* Quando encurralada, Alexia tinha a tendência de lutar com ainda mais força. Ela sabia perfeitamente que a declaração sobre o caso da bandeira fora um erro. Mas jamais admitiria, principalmente agora, quando as apostas eram tão altas. Ela devia parecer forte, para Downing Street, para o gabinete, para todos. Força era o que Alexia De Vere tinha de melhor.

Mas aquilo era diferente. Aquilo era medo físico. Agira por impulso, saltara para fora do carro, mas agora sabia que tinha sido um erro. *Eu deveria ter ouvido Edward e entrado pelos fundos. Isto é perigoso.*

Ciente de que poderia ser fotografada, Alexia ergueu a cabeça enquanto era empurrada em meio à multidão agitada, quase toda composta por homens. Mas por dentro, sentia medo. A proximidade física dos homens era intimidadora. Alexia conseguia sentir o hálito ruim deles, azedo pelo rancor, e, de repente, sentiu náusea. Então, do nada, sentiu-se agarrada pelo braço e puxada para a frente. Não conseguia ver seu salvador, mas sabia que ele a arrastava na direção da entrada privativa para o Parlamento, em direção à segurança.

*Meu agente de segurança. Graças a Deus. Preciso tomar mais cuidado da próxima vez.*

Depois de relaxar o corpo, ela se permitiu ser puxada para perto, escapar dos rostos raivosos dos dois lados, concentrar-se somente na porta à frente. Finalmente, o perigo passara. Uma barreira de policiais se moveu atrás de Alexia, forçando os homens que protestavam a recuarem. A mão que segurava seu braço o soltou, e Alexia ergueu o rosto pela primeira vez, em direção aos olhos de seu salvador.

— Você! — arquejou ela.

— Eu.

Billy Hamlin sorriu. Então disse as duas palavras que Alexia De Vere achou que jamais ouviria de novo. Duas palavras que trouxeram de volta o passado e que encheram seu coração com um pavor máximo e abjeto.

— Olá, Toni.

# PARTE TRÊS

# Capítulo 16

TONI GILLETTI ACHOU QUE desaparecer seria difícil. Na verdade, foi assustadoramente fácil.

Alguns dias após o julgamento de Billy Hamlin, ela saiu de fininho pela janela do quarto nas primeiras horas da manhã e fugiu. Fugiu e fugiu e não olhou para trás. Quando não conseguiu mais fugir, esperou. Por retribuição. Esperou que o pai, Walter, fosse buscá-la. Ou os amigos. Ou a polícia. Ou os advogados de Billy, já ocupados trabalhando em uma apelação. Certamente, em algum momento, a verdade a alcançaria, não? Toni seria arrastada de volta para a prisão e abandonada para apodrecer.

Mas nada aconteceu. Nenhum apelo na TV, nenhum detetive particular caro em seu encalço. Ninguém foi atrás de Toni Gilletti. Ninguém se importava.

Bem, não ninguém, exatamente. A única pessoa que se importava *mesmo* havia sacrificado a liberdade por Toni Gilletti e se permitido ser rotulado como assassino. Em troca, Toni prometera casar-se com ele, dar-lhe a vida exatamente como ele dera a sua a ela. Olho por olho.

Mas quando chegou a hora, Toni não conseguiu. Não podia sacrificar no altar sua vida inteira por um erro adolescente. Não por Billy Hamlin. Por ninguém. Depois que percebeu isso, o caminho de Toni estava claro: não restava mais nada para fazer a não ser fugir.

Ela passou os primeiros dois anos da nova vida naquela meca das almas perdidas: Las Vegas. Nevada era como outro planeta, quente, seco, desalmado e desperto. Um lugar tão bom para se perder como qualquer outro. Era 1975 e os negócios estavam fervilhando, com novos hotéis e cassinos brotando do chão todo mês como krakens enormes de concreto que se erguem sobre as ondas. Todos estavam contratando e ninguém se importava com o passado. Se havia um lugar para se reinventar, era Las Vegas em meados dos anos 1970. E foi exatamente isso que Toni Gilletti fez. Rebatizou-se Alexia Parker (sua melhor amiga no ensino fundamental se chamava Alexia, e Toni sempre amara o nome. Parker simplesmente soava discreto e real), começou a trabalhar como atendente de bar. Não tinha documentos nem número de seguridade social, mas os empregadores de Vegas ficavam felizes em pagar em dinheiro. Alexia Parker era uma garota sexy, algo de que os fregueses gostavam. Ela também trabalhava muito e era confiável, o que os empregadores amavam. Garotas sexy havia aos montes em Vegas, mas Alexia Parker combinava a boa aparência com abstinência, não bebia nem usava drogas. Isso era muito mais raro. Ela também parecia ter feito um voto celibatário, jamais saía com clientes ou com outros funcionários do bar.

Toni Gilletti tinha sido festeira. Mas Toni Gilletti estava morta. Alexia Parker vivia para trabalhar. Em dois anos ela ganhou o suficiente para pagar a faculdade. Inscreveu-se na UCLA, pretendendo formar-se em ciência política.

Infelizmente, ao contrário dos donos de bar de Las Vegas, a UCLA *precisava* de documentos. Alexia Parker não tinha número de seguridade social, não tinha passaporte, nenhuma certidão de nascimento, nenhum tipo de histórico. Isso era um problema.

Alexia resolveu o problema ao mudar-se para Los Angeles, quebrar o voto de celibato e dormir com Duane, do escritório da seguridade social no Santa Monica Boulevard.

— Eu poderia ser demitido por isso. Eu poderia ir para a cadeia — gemeu Duane, ao digitar os detalhes falsos de Alexia Parker nos registros nacionais enquanto ela lhe pagava um boquete de especialista sob a mesa.

— Eu também — disse Alexia, cuspindo o pau contraído de Duane como se fosse uma galinha rejeitando uma minhoca. — O que significa que nós dois manteremos em segredo, certo?

— O que está fazendo? Não pare agora!

— Eu *disse*, nós dois manteremos em segredo. Certo, Duane?

— Certo, sim, é claro. Combinado. Não vou contar a ninguém. Apenas, por favor, por favor, não pare.

Alexia Parker deixou o escritório de Duane com um cartão de seguridade social recém-laminado e uma certidão de nascimento antiga. Os resultados do exame SAT ela mesma forjou.

Alexia não se considerava uma pessoa desonesta. Ela simplesmente fazia o que precisava ser feito. Olhava para a frente, nunca para trás, e resolvia problemas conforme eles surgiam, usando o talento natural para atuação e a imitação como ajuda para forjar a nova identidade.

Primeira regra da política: seja pragmática.

Apenas dois anos depois, enquanto trabalhava como uma condenada, formou-se *summa cum laude* e entrou em um avião para Londres. De modo algum poderia perseguir uma carreira política em Washington, não sem que o passado voltasse para assombrá-la. Mas a política estava em seu sangue agora. Era hora de um novo capítulo.

Alexia Parker pousou no aeroporto de Heathrow sem amigos, sem contatos e com 200 libras em dinheiro no bolso.

Tinha 23 anos.

O APERTO DE BILLY Hamlin no braço de Alexia estava ficando mais forte.

— Por favor, Toni. Preciso conversar com você.

Com o coração acelerado, Alexia se soltou dele.

— Creio que tenha se confundido. Não conheço nenhuma Toni. Com licença.

A entrada para parlamentares ficava a apenas alguns metros de distância. Alexia subiu aos tropeços, desesperada, temendo pela vida. Mas Billy Hamlin se precipitou em sua direção e agarrou-a novamente.

— Toni, pelo amor de Deus, sou eu. Sou Billy.

Alexia olhou nos olhos dele e viu a confusão, o desespero. *O que está fazendo aqui, Billy? Você não entende? Toni está morta. Ela morreu há anos. Sou Alexia agora, uma nova pessoa, uma fênix que se ergueu das cinzas de uma vida arruinada. Não posso deixar que você me arraste de volta para lá!*

— Me solte.

— Sei que é ocupada. — Lágrimas escorreram pelos olhos de Billy Hamlin. — Mas isso é importante. É questão de vida ou morte. Minha filha corre um perigo terrível.

— Dê um passo para trás, por favor, senhor. — Finalmente, um policial conseguiu puxar Billy para longe. Tonta de alívio, Alexia quase desmaiou. Ainda bem que Sir Edward Manning ressurgiu a tempo, agarrou a mão de Alexia e a ajudou a passar pelo portão e entrar no prédio.

— Está bem, ministra do Interior?

Alexia assentiu. Ainda estava tremendo. Pela porta fechada ela podia ouvir os gritos de Billy. Sir Edward Manning os ouvia também.

— Toni, por favor! É minha filha. Minha filha! Por que está fazendo isso? EU SEI QUEM VOCÊ É!

Os dois esperaram que a comoção se apaziguasse e que o silêncio se instaurasse. Então, Sir Edward Manning falou:

— Acho que precisamos conversar, ministra do Interior. Não acha?

* * *

Eles se retiraram para o escritório particular de Alexia. Sir Edward Manning fechou a porta e a trancou.

— Aquele era ele, não era? Era William Hamlin.

Alexia assentiu.

— Acho que era. Sim.

— Ele conhecia você. Vocês dois se conheciam.

Alexia olhou para além de Sir Edward, para fora da janela. Dois cargueiros abriam caminho, determinados, pelo Tâmisa, tão distraída e imperturbadamente quanto uma dupla de cisnes sonolentos.

*Esta é a realidade. Londres, Parlamento, minha vida com Teddy. O presente.*

*Sou Alexia De Vere. Sou a ministra do Interior da Grã-Bretanha.*

*O passado se foi.*

Mas o passado não tinha ido embora. Estava do lado de fora da Parliament Square, segurando-a em plena luz do dia, exigindo ser ouvido. Estava ameaçando tudo que Alexia havia se tornado, tudo pelo que trabalhara.

— Ministra? — Sir Edward Manning perturbou os devaneios de Alexia. — Qual é sua conexão com William Hamlin?

— Não temos conexão, Edward.

— Não acredito nisso, ministra — disse o servidor público, diretamente. — O que me disser não irá mais longe do que estas quatro paredes. Mas preciso saber o que está acontecendo. Caso contrário, não posso fazer meu trabalho.

A mente de Alexia estava acelerada.

Deveria confiar nele?

Tinha escolha?

— Nós nos conhecemos vagamente. Quando crianças. É só isso. Não ponho os olhos em Billy há quase quarenta anos.

— Mas escolheu não compartilhar essa informação com a polícia. Por quê?

— Porque eu nasci nos Estados Unidos e cresci lá. Ninguém neste país sabe disso, nem a mídia, nem o partido, nem mesmo meus amigos pessoais, e eu gostaria que permanecesse assim.

Sir Edward Manning absorveu a informação. Era uma revelação e tanto. Ter chegado tão longe na vida pública quanto Alexia De Vere e conseguido, de modo bem-sucedido, esconder uma parte tão importante do passado era um grande feito.

— Posso perguntar por que escolheu esconder isso, ministra do Interior? Afinal de contas, ser norte-americana dificilmente é um crime.

— De fato. Mas não sou norte-americana, Edward. Renunciei à cidadania anos atrás, antes de concorrer ao Parlamento. Minha vida adulta inteira foi passada neste país e eu me considero completamente inglesa. Além disso, não escondi nada. Jamais fui perguntada a respeito da infância a não ser das formas mais genéricas. Isso jamais foi mencionado, é só.

— Mas está sendo mencionado agora.

Alexia suspirou.

— Sim. Naquela noite em Kingsmere, a figura na filmagem do circuito de TV. Havia algo de familiar em relação a ele. Não consegui identificar a princípio. Mas então relembrei.

— Reconheceu Hamlin?

— Não definitivamente. Não sabia que era ele. Não tinha certeza. Como estou dizendo, não o via desde que éramos crianças. Mas assim que o comissário Grant mencionou o nome...

Alexia deixou a frase pairando no ar.

— Sabia que ele tinha sido preso?

Alexia hesitou por um momento. Então falou:

— Sim. O caso chegou aos noticiários na época.

— Sobre a criança que se afogou.

— Sim. — Alexia estremeceu. Apenas ouvir a palavra *afogou* fazia seu sangue congelar. — Mas eu não sabia nada sobre o que aconteceu com ele desde então. A doença mental, as ilusões, todas essas coisas.

— Por que acha que Hamlin iria querer contatá-la? — perguntou Sir Edward.

— Não faço ideia. Você viu o arquivo sobre ele. Teve problemas financeiros e com os negócios, além dos problemas de saúde mental.

Sir Edward Manning tentou se lembrar. Ele se recordava de ter lido algo sobre falência. A oficina de Hamlin fechara durante a recessão.

— Acha que ele pode estar atrás de dinheiro?

Alexia deu de ombros.

— Como eu disse, não faço ideia.

— Vocês eram amantes?

A pergunta foi tão direta que, por um momento, Alexia ficou zonza.

— Eu... nós... Isso importa? Pelo amor de Deus, Edward, foi há quarenta anos!

— Pode importar, ministra do Interior. Hamlin sabe algo que pode ser usado para chantagear você?

Alexia virou o rosto.

— Não. Nada em que consiga pensar.

— E quanto a caprichos sexuais, coisas dessa natureza?

— Não. — Alexia lançou ao secretário particular um olhar que poderia ter congelado fogo.

— Drogas?

— Não! Quero dizer, talvez um baseado. Eram os anos 1960. — A ministra passou uma das mãos pelos cabelos. — Olhe, quando o comissário Grant confirmou que o homem em Kingsmere naquela noite era Billy Hamlin, fiquei mais curiosa do que qualquer outra coisa. Por isso pedi o arquivo dele em particular. Mas o que li me perturbou. Billy, obviamente, não está bem. Ele é psicótico, desenvolve obsessões esquisitas com indivíduos famosos. E agora aparece aqui, na Inglaterra, comportando-se de maneira muito confusa e agressiva em relação a mim. Não gosto disso.

— Nem eu, ministra do Interior — falou Sir Edward Manning com sinceridade. — Nem eu.

Durante alguns momentos, o silêncio pairou. Até certo ponto, Alexia dissera a Edward a verdade. Não sabia o que Billy Hamlin queria com ela. O homem havia mencionado algo sobre a filha estar em perigo, mas de acordo com o relatório psiquiátrico, ameaças não específicas à vida daqueles que ama eram um tema comum nos delírios de Billy. Ou talvez ele precisasse de dinheiro. Quem saberia?

O que Alexia sabia com certeza era que não deixaria Billy Hamlin destruir sua vida. Tinha trabalhado duro demais pela carreira e pelo casamento para permitir que fossem ameaçados por um fantasma do passado, um passado com o qual ela já não tinha mais conexão. Não enquanto ainda respirasse.

Além disso, a garota por quem Billy Hamlin estava procurando já estava morta.

Alexia De Vere enterrara Toni Gilletti há muito, muito tempo.

— Edward?

— Ministra do Interior?

— Gostaria que você se livrasse dele.

Os pelos no pescoço de Edward Manning se eriçaram. Ele olhou para a chefe com um olhar renovado.

*Há uma determinação ali, uma implacabilidade que não via antes. Ela é uma lutadora. Uma sobrevivente.*

*Exatamente como eu.*

O que Hamlin gritara para Alexia, quando a polícia o arrastou para longe?

*Eu sei quem você é.*

Sir Edward Manning desejou poder dizer o mesmo. No mínimo porque a própria sobrevivência pudesse agora depender disso. Ele pensou em Sergei Milescu e nas pessoas sem rosto que o pagavam. Lembrou-se da dor aguda da faca de cozinha quando ela cortou sua pele, do terror frio de ser amarrado à própria cama, indefeso, com a lâmina pairando sobre as genitais. Ele se lembrou da câmera e das coisas terríveis e degradantes que Sergei o obrigara a fazer.

Edward Manning tinha os próprios segredos.

Durante poucos segundos tensos, o servidor público e a ministra do gabinete se olharam, um de cada lado da mesa, como dois lagartos do deserto. Sem piscar, de sangue-frio, e tão imóveis quanto estátuas, cada um avaliando as intenções do outro. Seriam parceiros de caça, unidos contra Billy Hamlin? Ou um deles seria o predador e o outro a presa?

— Sim, ministra do Interior. Posso me livrar dele. Se é o que você quer.

— É sim, Edward. É sim.

— Então considere feito. — Sir Edward Manning se levantou para deixar a sala. Quando chegou à porta, virou-se. — Somente uma pequena pergunta, ministra. Ouvi Hamlin chamá-la de "Toni". O que foi aquilo?

— Era um apelido que tinha quando pequena — respondeu Alexia, sem hesitar. — Para ser sincera, não me lembro por quê. Tão estranho ouvi-lo de novo tantos anos depois.

— Posso imaginar — disse Sir Edward Manning.

A porta se fechou e ele se foi.

TUDO ACABOU MUITO RAPIDAMENTE.

Não houve advogados, nenhuma ligação, nenhum comparecimento a tribunais ou apelações. Depois que Alexia De Vere se recusou a vê-lo, a polícia jogou Billy Hamlin na traseira de uma van com outros seis homens que protestavam e o manteve em uma cela na delegacia de polícia de Westminster. Algumas horas depois, um homem bem-vestido foi buscá-lo.

— Sr. Hamlin? Houve um mal-entendido. Pode vir comigo.

O homem parecia paternal e gentil. Tinha um sotaque educado e vestia um terno. Billy se sentiu bastante seguro ao entrar no carro do homem, com motorista particular, presumindo que iriam direto para o Ministério do Interior. Na verdade, assim que a porta do carro se fechou, Billy foi amarrado e injetaram nele algum tipo de sedativo. Teve a leve consciência de ter sido transferido do carro chique para outro, uma van branca de aparência anônima, e levado para o aeroporto de Heathrow. Depois disso, foi como um sonho. O passaporte lhe foi tirado, então devolvido com diversos carimbos de aparência hostil, em cor preta, nas páginas finais. Billy foi escoltado, sem bagagem, para um avião comercial comum da Virgin Atlantic, amarrado ao assento e, enquanto lutava contra o sono induzido por drogas que inevitavelmente lhe chamavam, Billy foi lançado ao céu cinzento e chuvoso. Quando acordou, estava em Nova York, jogado de volta, sem dinheiro e sozinho, em solo norte-americano como um pacote indesejado devolvido ao remetente.

Confuso, Billy achou um banco no aeroporto para se sentar e verificou os bolsos em busca do celular.

*Sumiu.*

Não! Não podia ter sumido! O que aconteceria quando a voz ligasse? Quem atenderia?

Billy Hamlin começou a tremer.

Por que Alexia De Vere não o ouvira? Por que ele não a fizera escutar?

Billy havia falhado. Agora, haveria sangue, mais sangue, e estaria nas mãos dele.

O homem chorou.

— Sr. Hamlin?

Billy ergueu o rosto, derrotado.

Não se debateu quando braços fortes o agarraram e o carregaram para longe.

# Capítulo 17

— Tudo bem. Então temos nove lagostas, 3 quilos de lagostim, tomates frescos de Adams Farm para a salada. Quantos desses?

Lydia, a cozinheira/governanta filipina da família Meyer, ergueu um enorme e ruidoso saco de tecido.

— Bastante. O suficiente para alimentar um exército, Sra. Lucy.

— Bom. Porque *seremos* um exército. Agora, o que mais? Bife?

— Já está no forno, assando em fogo baixo.

— Pão fresco?

— Temos.

— Morangos? Água tônica para o gim-tônica de Teddy? Ah, droga. — Lucy Meyer levou uma das mãos cobertas de diamantes até a testa febril. — Acabou totalmente o gim. Mandarei Annie até a cidade para comprar um pouco. Acha que a A&P ainda está aberta?

— À uma da tarde? Sim, Sra. Lucy. Definitivamente. — A governanta apoiou uma das mãos de modo reconfortante no braço da chefe. Lydia gostava de trabalhar para a Sra. Meyer. — Tente relaxar. O jantar será simplesmente perfeito.

Lucy Meyer esperava que sim. Gostava que as coisas fossem perfeitas, desde os jantares festivos aos reflexos levemente caramelo nos cabelos até a mobília atualizada em todas as estações na casa de verão em Martha's Vineyard. Durante a infância, a família de Lucy passava o verão perto de Nantucket. Ela se lembrava dos piqueniques da mãe naquelas férias como algo de beleza muito exótica, desde as saladas coloridas com frutos do mar frescos até a louça francesa requintadamente descombinada e as toalhas de linho engomadas jogadas sobre as mantas de piquenique. Quanto aos jantares, não eram menos do que espetaculares. Lucy se lembrava de mesas longas e antigas reluzindo com cristal fino e a prataria mais requintada. Naquela época, os homens usavam smoking para jantar, e as mulheres deslizavam em *chiffon* e lantejoulas e seda e renda e joias. Lucy e o irmãozinho assistiam às preparações, maravilhados, antes de serem enxotados para o andar de cima, para o quarto, pela babá.

É claro que as coisas haviam mudado desde os anos 1960. Como adulta, Lucy preferia Martha's Vineyard a Nantucket, em parte porque tinha mais vida e parecia menos arrogante. Tudo em Vineyard tinha a ver com refeições ao ar livre e festas na piscina e frutos do mar sustentáveis e pescados no local. Mas isso não queria dizer que um esforço não deveria ser feito, principalmente para o jantar de boas-vindas de Alexia e Teddy.

Depois de caminhar até o enorme e fechado escritório, Lucy afofou novamente as já perfeitas almofadas sobre os sofás Ralph Lauren e tentou aceitar o conselho da governanta.

*Relaxe. É só uma festa. Tudo ficará bem.*

Como diabos a amiga Alexia De Vere lidava com o estresse de governar um país, Lucy Meyer não fazia ideia. Ela achava o gerenciamento de um lar algo bastante exaustivo.

O mundo de Alexia De Vere era muito diferente do de Lucy Meyer. Mas o que fazia a amizade entre elas funcionar era que nenhuma das duas mulheres teria trocado a própria vida pela da outra. Lucy amava ser dona de casa e anfitriã tanto quanto Alexia amava a política e as armadilhas do poder. As duas mulheres eram excelentes no que faziam. E, apesar das vidas diferentes, tinham algumas coisas em comum. As duas eram casadas com maridos maravilhosos e que lhes davam apoio, ambos trabalhando no setor financeiro. Teddy De

Vere era gerente de um fundo de hedge, com um negócio europeu de nicho, porém lucrativo. Arnie Meyer trabalhava com capital de risco e possuía parcelas em fundos pelos Estados Unidos, assim como na Ásia e agora no mercado crescente do Oriente Médio. Os dois homens nunca trabalharam juntos diretamente, mas entendiam os negócios um do outro. Desde o primeiro dia, tinham se entendido perfeitamente.

Era difícil acreditar que mais de vinte anos tinham se passado desde que Arnie Meyer vendera aos De Vere a casa de verão deles. Gables era uma propriedade confortável, de tamanho médio, no limite da propriedade Pilgrim Farm, dos Meyer. Tinha piscina, uma pequena casa de hóspedes e um quintal atraente cheio de clêmatis, rosas e malváceas enormes. Arnie e Lucy viviam na "casa grande", muito maior. Uma fazenda do século XVIII espetacular, com pé-direito alto, piso de carvalho original e quartos amplos e arejados, cheios de luz. Alexia e Lucy eram mães jovens, as duas, quando se conheceram, no verão em que Teddy comprou Gables. Lucy se lembrava da primeira vez que encontrara Alexia como se fosse ontem. Já uma parlamentar inglesa, Alexia era claramente ambiciosa desde então. Mas ninguém, muito menos Lucy Meyer, imaginava que a nova vizinha algum dia chegaria às alturas vertiginosas do poder que agora ocupava.

*Minha amiga ministra do Interior britânica.*

Lucy, literalmente, jamais se cansava de dizer.

Aquela noite era uma ocasião mais do que especial. Não somente porque Alexia e Teddy voltariam à ilha para passar o verão depois da nomeação triunfante de Alexia. Mas porque Michael, o filho ridiculamente bonito dos dois, se juntaria à família pela primeira vez em muitos anos. Roxie sempre vinha no verão. Pobre garota, não tinha mais nada para fazer e, é claro, desde o acidente, ela e o pai haviam se tornado praticamente inseparáveis. Mas Michael De Vere não ia a Vineyard desde a adolescência. Lucy Meyer não conseguia evitar pensar em como seria maravilhoso, como seria lindo e perfeito e simplesmente maravilhoso se Michael De Vere se apaixonasse por Summer. *Então todos poderíamos ser uma única família, grande e feliz.*

A filha de 22 anos de Lucy havia terminado recentemente com o namorado da faculdade, o insuportável e arrogante Chad Bates. (*Chad. Sério? Quem tem um filho recém-nascido perfeito e o chama de Chad?*) Para Lucy, isso significava que Summer estava pronta para um novo romance. E imagine só se Summer e Michael se casassem e tivessem filhos! Lucy e Alexia poderiam ser vovós juntas.

Poderia acontecer. Lucy Meyer poderia fazer isso acontecer.

*E tudo começa esta noite.*

MICHAEL DE VERE ESTAVA sentado no banco dos fundos da Grace Church em Woodlawn Avenue, roncando alto enquanto a congregação cantava "Bind Us Together".

— *Acorde!* — A irmã, Roxie, o cutucou nas costelas. — As pessoas estão olhando.

Michael acordou sobressaltado. Imediatamente, uma onda de náusea o atingiu como um soco no estômago. Que diabos estava fazendo ali? Que loucura o havia possuído para ir, não somente àquela igreja cheia de americanos episcopais caretas, mas àquela ilha?

Sabia a resposta, é claro. Estava ali num esforço de agradar ao pai. Teddy ficara tão furioso com Michael por ter largado Oxford que ameaçara deserdar o filho.

— Deixarei até o último centavo para sua irmã! Não pense que não deixarei!

Mas Michael mantivera-se firme, insistira nos planos para a Kingsmere Eventos e alugara um escritório em Oxford com o amigo Tommy. Por um incrível golpe de sorte, imediatamente conseguiram um trabalho grandioso no Hamptons, organizando uma festa de 60 anos para um incorporador imobiliário bilionário em seu novo superiate (Oceano). Apenas 48 horas antes, Michael estivera deitado de costas em um bote de luxo com uma supermodelo em cada braço, olhando para fogos de artifício que custavam 100 mil dólares e explodiam pelo céu de East Hampton, enquanto calculava mentalmente seu lucro. (Tudo bem, chamá-las de "supermodelos" talvez fosse forçar um pouco a barra. As garotas eram, na verdade, prostitutas de luxo russas, mas cobravam como supermodelos e pareciam deusas, então quem se importava?) A última coisa na terra que Michael queria fazer na manhã seguinte era pegar um avião para a sonolenta Martha's Vineyard, a ilha mais presunçosa do mundo. Mas Teddy insistira.

— Significaria muito para sua mãe se você viesse este ano.

Apesar de toda a aparente independência de espírito, Michael De Vere era devotado à mãe *e* à herança. Não tinha intenção de perder qualquer uma das duas. Então, ali estava ele, com uma ressaca desesperadora, engomadinho como um peru de Natal de blazer e gravata, tentando não vomitar durante a Oração ao Senhor.

Finalmente, a cerimônia acabava. Michael empurrou a cadeira de rodas de Roxie até a luz brilhante do sol, encolhendo-se de dor por trás dos Ray-Bans.

Alexia deslizou um braço magro pela cintura do filho.

— Você está bem, querido? — perguntou ela. — Não parece muito bem.

— Estou bem, mamãe, obrigado.

— Ele está de ressaca — resmungou Teddy.

— Cerimônia linda. — Michael forçou um sorriso inocente, mas Teddy não engoliria.

— Por favor. Tente outra. Consigo sentir o cheiro de bebida no seu hálito daqui.

Nas habituais calças de gorgorão, blazer esportivo e sapatos Oxford — Teddy De Vere vestia a mesma roupa para a igreja todo domingo do ano, e não via motivo para mudar porque estava nos Estados Unidos, ou porque a temperatura estivesse passando dos 30ºC —, o pai de Michael parecia Lorde Grantham, de *Downtown Abbey*, tão inglês quanto o chá PG Tips e sanduíches de pepino. Se a

Disneylândia tivesse um parque temático da Inglaterra, Teddy De Vere poderia ter sido um dos personagens.

Alexia piscou para Michael.

— Com ou sem ressaca, ficamos felizes por ter vindo, querido. Não ficamos, Teddy?

— Hunf.

— Agora precisamos ir dizer oi ao padre Timothy. Veremos vocês no jantar esta noite.

— Jantar? — Michael franziu a testa.

— Na casa dos Meyer — disse Alexia, beijando-o na bochecha e limpando uma marca de batom com o lenço. — O coquetel começa às seis da tarde.

— Eu não ganho um beijo? — falou Roxie, sarcástica.

Alexia bocejou.

— Vire o disco, Roxanne. Às vezes me pergunto se tem alguma ideia de como pode ser chata.

— Vaca — murmurou Roxie, conforme a mãe se afastava.

Michael se encolheu. Ele odiava o conflito entre a mãe e a irmã mais do que qualquer coisa. Depois de empurrar a cadeira de Roxanne pela rua até o café Even Keel, o lugar preferido para passarem o tempo desde a adolescência, o rapaz comprou para Roxie um *frappucino* conciliatório.

— Suponho que agora vai defendê-la, não é? — disse Roxie.

— Não. Vou me manter longe disso.

— Você e papai são igualmente ruins. Jamais a enfrentam.

— Eu sinceramente não sei se conseguirei ir ao coquetel dos Meyer esta noite — disse Michael, mudando de assunto mecanicamente. — Parece que alguém jogou uma bigorna na minha cabeça.

— Bem, *eu* vou jogar uma bigorna nela se você me abandonar esta noite. Não pode me deixar sofrendo durante horas sozinha enquanto mamãe conta vantagem: reunião do G7 isso, número dez da Downing Street aquilo. Lucy Meyer ouvindo tudo como um poodle sentadinho no colo dela. Blé.

Michael franziu a testa, mas não disse nada.

— Summer virá especialmente para isso, sabia — provocou Roxie. — Sei que você não iria querer deixar de *vê-la*.

Michael revirou os olhos na direção do céu. Summer Meyer fora colega dele e de Roxie na infância. Sempre teve uma quedinha silenciosa, porém intensa, por Michael. Por ser tímida mesmo quando pequena, durante a adolescência a pobre Summer ganhou uma quantidade absurda de peso. Da última vez que Michael a viu, a menina devia ter uns 17 anos e pesava cerca de 90 quilos, e ficava tão silenciosa na presença dele que parecia beirar o autismo. Pensar em quatro horas de festa tentando iniciar uma conversa educada com uma sósia da Rosie O'Donnell, gentil, porém muda, era de revirar o estômago. E o estômago de Michael já estava se revirando.

— Se eu for, você obriga papai a me colocar de volta no testamento?

Roxie gargalhou.

— Não. Mas se não for, quando eu receber todo o dinheiro da família e você estiver totalmente dependente de mim, mandarei você trabalhar.

— Tudo bem. Eu vou. Mas *não* vou me sentar ao lado de Summer Meyer e ponto final.

— Michael, você vai se sentar *ali*. Ao lado de Summer. Se ela chegar algum dia.

Lucy Meyer apontou para uma cadeira vazia à direita de Michael. Roxie De Vere caiu em risinhos, o que lhe rendeu um olhar mortal de Michael. Isso é o que se pode chamar de assento privilegiado! À esquerda de Michael estava Vangie Braberman, a viúva meio surda do senador Braberman, que possuía um dos chalés menores na propriedade Pilgrim Farm. Vangie tinha 70 e tantos anos e uma série complexa de enfermidades que lhe forneciam material incansável para conversas. Michael De Vere a conhecia desde a infância, e àquela altura devia saber tanto sobre a síndrome do intestino irritável de Vangie Braberman quanto o médico dela, e era certamente mais do que ele queria saber. Vangie se recusava a usar um aparelho de surdez, mas carregava uma trombeta de ouvido que um dia pertencera a sua avó, o que a fazia parecer algo saído de um livro de imagens vitorianas. A senhora gostava de acertar os jovens com o objeto caso insistissem em murmurar, algo que, de acordo com Vangie, a geração de Michael fazia "CONSTANTEMENTE!".

À direita de Michael, uma cadeira vazia estava reservada para Summer Meyer. Em um golpe sutil de sorte sobre a nuvem negra que, no momento, pairava sobre a cabeça de Michael, o avião de Summer se atrasou ao decolar de Boston, e o jovem foi poupado dos olhares tímidos e penetrantes dela durante a entrada da refeição, pelo menos. Mas Summer deveria chegar a tempo da sobremesa. Se a memória de Michael não falhava, nenhuma força no planeta poderia manter Summer Meyer longe de uma boa sobremesa. A perspectiva do *tiramisu* de Lucy seria o suficiente para que a garota viesse nadando pelo estreito de Boston. *Primeira baleia é observada na costa de Vineyard este verão.*

Enquanto isso, a mãe de Summer, Lucy, alinhada e linda em um vestido branco liso de duas peças e sandálias plataforma de ráfia, estava de pé deliciando-se com o papel de anfitriã. Lucy Meyer tinha um modo maternal e aconchegante a respeito de si que a própria mãe de Michael jamais tivera, mas também conseguia se manter em excelente forma. Quando menino, Michael costumava ter uma quedinha por Lucy Meyer como a maior das mamães gostosas. Ele ficou satisfeito ao ver que a mulher não tinha mudado.

— Agora, se todos já estiverem sentados, antes de começarmos eu gostaria de dizer algumas palavras. — A voz tilintante e feminina de Lucy ecoou pela sala. — Todos nós aqui esta noite nos conhecemos há muito tempo. Arnie e eu gostamos de pensar nisto como a família Pilgrim Farm. Cada um de vocês tem um lugar especial em nossos corações. Mas um dos membros de nossa festa merece atenção especial esta noite.

Todos os olhos se voltaram para Alexia, que corou visivelmente diante do coro de "urras".

— Não contente em ir para o Parlamento inglês, nossa Sra. De Vere decidiu que deveria governar o país inteiro.

— E quem melhor? — disse Teddy, com uma gargalhada, sorrindo de orgulho.

— Quem de fato? Então, além de uma festa de boas-vindas, esta noite gostaríamos de parabenizar tardiamente a querida Alexia. Pode ser uma republicana determinada...

— Conservadora — corrigiu Alexia.

O pai de Lucy fora político e a família dela inteira era democrata até o fim.

— ...mas amamos você e não poderíamos sentir mais orgulho. A Alexia!

— A Alexia!

Quinze copos foram erguidos, o cristal antigo clicando e tilintando à luz de velas. Durante o brinde, Michael arriscou um olhar na direção da irmã. O copo de Roxie também estava erguido, mas o rosto antes gentil da jovem agora estava rígido como pedra. Michael pensou, com tristeza: *Dá para acender um fósforo com esse ódio. Há morte naqueles olhos.*

— Desculpem-me pelo atraso.

Todos ergueram o rosto. Uma garota alta, de cabelos escuros, entrou na sala durante o brinde, deixando a mochila cair com um ruído no chão de madeira. Ela vestia Levi's simples e uma camiseta branca com o decote baixo o suficiente para mostrar as marcas de biquíni. A enorme cabeleira castanha estava presa nas costas com um rabo de cavalo, e seu rosto sem maquiagem reluzia com saúde e juventude, apesar do cansaço óbvio. Ela era simplesmente deslumbrante.

— Summer, querida! — Arnie Meyer se levantou para abraçar a filha.

— Finalmente. — Lucy bateu palmas. — Venha se sentar, querida, aqui. Está ao lado de *Michael.*

Summer corou e lançou um olhar para a mãe. Isso é o que se pode chamar de morrer de vergonha! Lucy quase dera tapinhas no assento da cadeira!

— Não vai dizer oi?

— Oi. — Summer assentiu, desconfortável, para Michael. — Quanto tempo.

— Sim.

Ele queria dizer algo galanteador, mas estava ocupado demais erguendo o queixo de cima da mesa. *Minha nossa. Se Arnie não tivesse dito o nome dela em voz alta, eu sequer a teria reconhecido.*

— Vai ficar na ilha muito tempo? — perguntou Summer a Michael, com educação.

— Hã... eu, hã...

— Infelizmente não — respondeu Alexia pelo filho, para a mesa toda —, Michael acaba de iniciar um novo negócio na Inglaterra. Temos sorte por ele ter conseguido vir, não é, Teddy?

— Hmm — resmungou Teddy, com reprovação.

— Ele precisa voltar em dois dias.

— Bem, eu... não necessariamente — gaguejou Michael. Os olhos dele estavam fixos nas maçãs do rosto de Summer e na pele bronzeada e translúcida da jovem. E nos lábios dela, macios e de um rosa claríssimo, abrindo-se de modo convidativo enquanto ela tomava um gole de vinho branco gelado. Sempre tivera aqueles lábios? Por que Michael jamais os notara antes? — Talvez eu possa ficar um pouco mais. Tommy pode segurar o forte durante um tempo. Sabem. Se for necessário.

— Mesmo? — Alexia se alegrou. Ter Michael com eles tornava tudo muito mais fácil em casa. — Isso é maravilhoso. Tem certeza de que tem esse tempo?

— É claro, mãe. Qualquer coisa por você.

Roxie De Vere se perguntava como o irmão conseguia manter o rosto impassível.

* * *

MAIS TARDE, NA COZINHA, Alexia ajudava Lucy a preparar café.

— O jantar foi triunfante, Luce. Muito obrigada.

— Foi tudo obra de Lydia. De toda forma, deixe o jantar pra lá — disse Lucy, enquanto dispunha xícaras de café com estampas de rosas sobre pires de porcelana cor de marfim. — Me conte. Como é? Quero dizer, como é *de verdade*?

— O trabalho? É emocionante. — Alexia sorriu, mas havia cansaço em seus olhos. Ela estava escondendo alguma coisa.

— Porém?

— Nenhum porém. É uma grande honra ter sido nomeada. E um enorme desafio, é claro.

— Querida — disse Lucy, com carinho —, você não está na Fox News agora. Não precisa me dar o discurso do partido. Nossa, eu nem mesmo posso votar na boa e velha Inglaterra, então pode ir me dizendo a verdade.

Alexia sorriu.

— Isso é verdade, eu acho. Bem, o trabalho é incrível. Mas tem sido estressante. Tive um ou dois incidentes desagradáveis.

— O que em inglês significa...?

— Ameaças. Houve um telefonema, algumas semanas antes de eu vir para cá. — Alexia contou a Lucy sobre a voz sinistra e distorcida e sobre os xingamentos fanáticos e inflamados. — Algo a respeito de derramar meu sangue. Não sei.

— Meu Deus — arquejou Lucy. — Que assustador.

— Eu não iria tão longe. Mas me incomodou o fato de esse louco ter meu número de telefone.

— Aposto que sim — disse Lucy, baixinho. — Teddy sabe?

— Ele sabe sobre o telefonema.

Lucy conhecia a amiga bem o suficiente para ler nas entrelinhas.

— Mas tem mais. Algo que você não contou a ele.

A implicação fez com que Alexia sorrisse.

— Há tanto que não contei a ele, Luce! Acredite em mim, você não faz ideia. Há coisas que, se ele soubesse, fariam com que me deixasse em um segundo.

— Teddy? Deixar você? Jamais!

— Deixaria.

Alexia se sentou na cadeira de balanço no canto. Ali, naquela cozinha familiar com a melhor amiga, tão longe de Londres e de Westminster e de tudo o que acontecera, ela sentia uma ânsia sufocante de se livrar do fardo. De que alguém, outra pessoa nesse mundo, soubesse a verdade toda sobre seu passado. Quem ela era — quem tinha sido — e o que havia feito. Que alguém a perdoasse.

Será que Lucy Meyer poderia ser essa pessoa?

Depois de apoiar as xícaras de café, Lucy foi até o lado da amiga.

— Alexia, você está tremendo, querida. Qual é o problema? O que quer que seja, pode me contar. Não pode ser tão ruim assim.

*Não pode?*

— Alguém tentou me contatar algumas semanas atrás. Alguém do meu passado.

— Que tipo de pessoa? Um namorado, você quer dizer?

— Mais ou menos, acho. — Alexia apoiou a cabeça nas mãos. — Quero contar para você. Mas não sei por onde começar. Há coisas que você não sabe sobre mim. Coisas que ninguém sabe. Coisas terríveis.

Lucy Meyer absorveu essa informação. Ela entendeu instintivamente que não deveria forçar, que deveria deixar que Alexia compartilhasse os segredos quando quisesse.

— Mas esse homem do seu passado... ele sabe?

— Sim. Ele veio me ver. Estava na prisão e tem histórico de problemas mentais.

— Meu *Deus*, Alexia. Você *precisa* contar a Teddy. Esse homem parece extremamente perigoso.

— Sim, bem, eu lidei com isso.

— Como?

— Fiz com que o deportassem.

— Que bom.

— Foi mesmo? Veja bem, agora não sei se foi a coisa certa. Devo a esse homem, entende. Ele fez algo por mim uma vez, uma coisa gentil e nobre, com um preço muito alto para si mesmo. Mas quando ele precisou de mim, eu o dispensei. — Para a própria surpresa de Alexia, ela viu que começava a chorar. — É que me senti sob tanta pressão! As ameaças ao telefone, Billy surgindo daquele jeito, do nada...

— O nome dele é Billy? O do homem do seu passado.

Alexia assentiu.

— E houve outras coisas também. O gabinete inteiro me odeia. Sei que estão me difamando quase diariamente. Então teve aquela coisa terrível com nosso cachorro, que foi envenenado. O cachorro de Teddy.

Lucy, de súbito, pareceu horrorizada.

— Às vezes parece que tudo isso está conectado, todo esse ódio. Mas não sei qual é a conexão. Isso é péssimo. Não sei, e não saber está me levando à loucura. Este deveria ser o momento mais feliz da minha vida, mas, em vez disso, sinto como se estivesse ficando maluca.

— Bem — disse Lucy, de forma racional —, parece que esse Billy pode ser a raiz de tudo. Agora que o fez ser deportado, as coisas começarão a melhorar, tenho certeza.

— Espero que sim. — Alexia fungou. — Mas e se não tiver nada a ver com ele? Qualquer um poderia estar por trás daquelas ameaças. Poderia ser um dos prisioneiros cujas sentenças eu aumentei ou um de seus familiares. Tantas pessoas me odeiam, Lucy. Até minha própria filha me odeia. Vamos admitir, se tem alguém que quer meu sangue derramado, é Roxanne.

— Isso não é verdade — falou Lucy, fielmente, embora suspeitasse de que fosse verdade. Não pôde deixar de notar a cara feia de

Roxie durante o jantar, o modo como a garota tinha literalmente estremecido ao som da voz de Alexia, como se tivesse sido mordida por uma cobra. As coisas claramente tinham piorado desde que Lucy vira os De Vere pela última vez. Mas Alexia podia ser terrivelmente cáustica com a filha também, um fato para o qual ela parecia completamente cega.

Arnie Meyer colocou a cabeça para dentro da cozinha e ficou espantado ao ver a mulher de joelhos reconfortando Alexia De Vere. Arnie jamais vira Alexia chorar na vida. Nem mesmo quando a filha estava no hospital lutando pela vida.

— Qual é o problema?

— Não é nada — falou Alexia.

— Posso ajudar?

— Sim — respondeu Lucy, de forma prática. — Pode levar as coisas do café para a mesa. Precisamos de um minuto aqui.

— Devo chamar Teddy?

— Não. — Alexia balançou a cabeça com veemência. — O pobre Teddy já está estressado o bastante. Deixe-o relaxar. Sinceramente, Arnie, estou bem. Só fiquei um pouco emotiva.

Depois de tirar um lenço de linho branco perfeitamente passado de uma gaveta, Lucy Meyer o entregou à amiga.

— Não podemos conversar agora. Tem gente demais aqui.

— Eu sei. Sinto muito. Estraguei seu jantar.

— Besteira. De toda forma, o jantar era *seu*.

— A festa é minha e eu choro se quiser?

— Exatamente! — As duas mulheres gargalharam. — Eu ia dizer que deveríamos sair para caminhar juntas amanhã. Conheço uma ótima praia reservada no norte da ilha. Se sairmos bem cedo, teremos o lugar só para nós.

— Parece paradisíaco. Mas amanhã não posso. Teddy vai voltar para Londres para uma reunião de negócios importante na terça-feira, e prometi a ele que passaríamos o dia juntos amanhã. Vamos velejar.

— Na semana que vem, então. Depois que ele viajar. Não vou a lugar algum.

Alexia apertou a mão de Lucy. Sentiu-se imensamente grata pela amizade entre as duas.

— Eu adoraria.

— Então poderá me contar tudo.

*Se ao menos eu pudesse.*

— Agora, vamos — disse Lucy, de súbito. — Não podemos continuar deprimidas aqui dentro. Vamos ver se aquele seu filho divinamente lindo finalmente se apaixonou pela minha filha. Tenho a roupa do casamento toda planejada, sabe. Está no meu armário há anos.

Alexia gargalhou alto.

*Graças a Deus por Lucy.*

# Capítulo 18

NA MANHÃ SEGUINTE AO jantar de Lucy, Michael De Vere chamou Summer Meyer para sair.

— Reservei a melhor mesa no Marco's. Sábado à noite, às oito.

— Isso é gentil da sua parte — disse Summer. — Mas acabei de sair de um relacionamento. Não estou pronta para começar a sair de novo.

— Que tal comer? — retrucou Michael. — Já está comendo? Porque comida é importante, sabe. Páreo a páreo com a água. E respirar ar. Você respira ar?

Summer riu.

— Sim, Michael. Eu respiro ar.

— Graças a Deus. Então, de toda forma, de volta à comida. A comida no Marco's é a melhor da ilha. É só o que estou dizendo.

— Sério? Obrigada pela dica. Preciso pedir para a viagem e experimentar alguma noite. *Sozinha.*

Summer desligou.

NA MANHÃ SEGUINTE, MICHAEL De Vere apareceu à porta na propriedade Pilgrim Farm.

— Trouxe um presente para você.

Ele colocou um pacote cuidadosamente embrulhado nas mãos de Summer Meyer.

Ela o abriu. Era um livro de receitas.

*Refeições para um.*

— Quanta consideração. — A garota tentou não rir, mas era impossível.

— Tenho *muita* consideração — replicou Michael. — Como o coração partido está se recuperando?

— Devagar.

— Quer acelerar o processo?

— Tchau, Michael. Obrigada pelo livro.

Às duas horas da manhã, no dia seguinte, Summer foi acordada de um sono profundo por um rap alto na janela do quarto. Cambaleando para fora da cama, a garota abriu a janela e por pouco não foi atingida no rosto por uma pedrinha.

— O que está *fazendo*? — Summer esfregou os olhos, sonolenta.

Michael sorriu para cima sob o luar.

— Tentando chamar sua atenção. Está funcionando?

— Não.

— Eu trouxe um violão.

— *Não* trouxe.

— Gostaria que eu fizesse uma serenata para você?

— Não! Eu gostaria que você fosse para casa, seu lunático. Está no meio da noite.

— Tudo bem. Não vou cantar, *se* você concordar em jantar comigo.

— Michael, já passamos por isso.

— Você pode cozinhar o jantar para um e eu como a metade.

— Estou apaixonada por outra pessoa!

— Eu sei. Chad Bates. Sua mãe me contou.

— Então.

— Então o quê? Vocês terminaram. Conheço Barry Manilow, sabe. — Michael sacudiu o violão em uma ameaça fingida. — E não tenho medo de usá-lo.

Summer caiu na gargalhada.

— Meu Deus. Você não aceita um não como resposta, não é?

— É um traço de família.

— Tudo bem. Vou jantar com você. Mas como um velho amigo, nada além disso. Agora, pelo amor de Deus, vá para casa e me deixe dormir um pouco.

Michael De Vere foi para casa. Mas Summer Meyer não dormiu. Ela ficou deitada, acordada, pensando em Chad, Chad, que amara tanto e por tanto tempo e com quem realmente acreditara que se casaria até que ele disse, em maio, que "precisava de espaço" e depois nunca mais ligou para ela. Chad era sério e racional e um gênio, e seria um jornalista importante algum dia.

Então Summer pensou em Michael, com a jaqueta de couro e aquele violão ridículo jogado sobre o ombro, a versão de Martha's Vineyard de John Mayer. Michael era sexy e imaturo e impulsivo e desistira de Oxford para se tornar um festeiro profissional.

*Aí está sua resposta*, disse Summer a si mesma. *Michael De Vere não é o tipo de homem do qual eu preciso na vida.*

*Definitiva e categoricamente, não.*

— ESCREVI UM POEMA para você.

Eles estavam jantando, não no Marco's, mas em um café pequeno e discreto diante da praia Eastville Point. Summer acabara um delicioso hambúrguer com fritas, acompanhado de duas cervejas Sam Adams, e estava começando a relaxar com relação à noite (*É claro que dois velhos amigos podem jantar juntos. Não precisa significar alguma coisa*) quando Michael tirou o envelope do bolso.

A expressão dela se anuviou.

— Um poema? Achei que tínhamos combinado. Eu falei sério sobre não estar pronta para começar a sair de novo. E mesmo que fosse um encontro romântico, não sou mesmo o tipo de garota que gosta de poesia.

— Como você sabe? Ainda não leu.

Summer abriu o envelope e leu em voz alta.

*Havia um perdedor chamado Bates.*
*Que dançava o fandango sobre skates.*
*Mas ao cair no porrete*
*Perdeu o cacete*
*E é inútil até em banquetes.*

Summer sorriu.

— Muito romântico.

— Gostou? — Michael sorriu de volta. — Criei um monte de poeminhas do tipo, mas achei que esse era o melhor. Ele jamais mereceu você, sabe.

— Como você pode saber? Nem sequer o conhece!

— Eu sei, mas, por favor: *Chad*. Que tipo de nome é esse?

— É um nome perfeitamente normal.

— Sejamos sinceros, não é um nome que se pode imaginar em um grito de êxtase, é? "*Chad! Ah, Chad! Mais forte, Chad!*"

— Pare! — Summer fingiu indignação. — Imagino que "Michael" soasse muito melhor, não é?

— Claro. Simplesmente rola pela língua. Mostrarei mais tarde, se quiser.

Summer inclinou a cabeça para um lado e o avaliou mais de perto. Com short marrom-claro da Abercrombie, chinelos e uma camiseta que dizia Balliol Boat Club, com o bronzeado do Hamptons e cabelos castanhos ondulados grandes, num estilo roqueiro, Michael parecia ainda mais bonito do que o normal. Desde criança, ele fora bonito. Mas havia algum conteúdo por trás daquele rostinho lindo?

— Eu tinha uma queda enorme por você quando éramos crianças.

— Eu suspeitava — respondeu Michael.

— Esta é a parte em que você deveria dizer que sempre gostou de mim também — provocou Summer. — Não gostava?

— A questão é que... — Michael balançou a cerveja no fundo da garrafa de modo pensativo. — Você não era tão pequena assim.

— Ei!

— Não, sério. Você era absolutamente enorme.

Summer pegou um pedaço de pão da cesta entre os dois e o atirou em Michael.

— Isso não é digno de um cavalheiro!

— Mas é verdade. — Ele gargalhou. — Você era gigantesca, e nunca dizia nada. Só ficava me encarando, como um hipopótamo prestes a dar o bote. Isso me aterrorizava, se quer saber.

Era basicamente a coisa mais grosseira que alguém já dissera a Summer, mas, por algum motivo, porque vinha de Michael, era engraçado.

— Como perdeu peso?

— Comi menos.

— Boa estratégia.

— Obrigada. — Os dois sorriram. — Não sei — disse Summer. — Fiquei mais feliz, acho.

— Sabe o que é engraçado? — disse Michael, depois de terminar a cerveja e pedir outra.

*O fato de que eu deveria estar com o coração partido, mas neste momento me sinto completamente feliz?*

*O fato de que sei que você é um provocador e não leva nada a sério, mas ainda assim quero ir para a cama com você?*

— Não. O quê?

— Conheço você desde que tinha 5 anos de idade, mas não conheço você de verdade.

Michael esticou o braço até o outro lado da mesa e tocou a mão de Summer, virando-a e, vagarosamente, acariciando a parte interna do punho da jovem com o polegar. Chad Bates nunca tinha feito aquilo. Summer sentiu a descarga de sangue correndo na virilha com a pressa de quem precisa pegar um avião.

— Vamos para a cama.

— Em que está pensando?

Teddy De Vere olhou para a esposa. À meia-luz do luar, a pele de Alexia parecia impecável, como costumava ser quando os dois estavam namorando. As sombras da noite haviam apagado as rugas e as marcas da idade, deixando nada além do lindo perfil do qual Teddy se lembrava: o maxilar delineado, o nariz longo e aquilino, as sobrancelhas altas. Alexia tinha quase 60 anos, mas ainda era uma mulher sensual e desejável, pelo menos aos olhos de Teddy. Ele a amara durante a maior parte da vida adulta, e aquela mulher havia mudado sua vida completamente. Se pudesse escolher apenas uma palavra para descrevê-la, seria *força*. A beleza da força de Alexia era contagiosa. Ela o deixara forte. Teddy a amava por isso.

Os De Vere estavam jantando no deque da propriedade Gables, apenas os dois. Uma lua crescente pendia em um céu coberto de estrelas e sapos coaxavam, sonolentos, no lago nos fundos da propriedade. As luzes da casa de hóspedes ainda estavam acesas, mas nenhum dos filhos estava em casa. Roxie estava jantando com uma amiga, um evento raro, de fato, ultimamente, e Michael estava em algum lugar com Summer Meyer. Desde o jantar de Lucy e Arnie, Michael andava seguindo a garota dos Meyer como um cachorrinho. Embora Teddy não quisesse admitir, era bonitinho. Ele não conseguia se lembrar de ter visto o filho tão apaixonado, a não ser que se considerasse a queda de infância de Michael pela mãe dele.

Alexia emitiu um suspiro.

— Por que esse suspiro? Algo a está incomodando?

— Não, na verdade não. Só estava pensando em como é adorável aqui. Como é tranquilo.

Alexia estava certa. Era uma noite perfeita em Martha's Vineyard, o ar estava levemente úmido e adocicado com os aromas das rosas, das violetas, das alfazemas, os quais competiam com o odor suculento do frango ao limão e alho que saía pela janela da cozinha. Mesmo assim, Teddy sentiu que Alexia não estava inteiramente presente.

— Você está preocupada. Consigo perceber. O que foi, meu bem?

Ao segurar o copo de Pellegrino com ambas as mãos, Alexia aproximou os joelhos do peito.

— É tão óbvio assim?

— Somente para mim.

— Se eu contar, promete que não vai ter uma reação exagerada?

— Farei o melhor. O que foi, Alexia?

— Você se lembra daquele homem que foi ao portão de Kingsmere, na noite seguinte a minha nomeação?

— Vagamente. Me lembro que você deixou a mesa. Mas não disse que não era nada?

— E não *era* nada. Provavelmente ainda não é nada.

Teddy ergueu uma sobrancelha.

— Provavelmente?

— Eu não contei a você, mas algumas semanas atrás, em Londres, eu o vi de novo. O mesmo homem.

— Mas... você jamais o viu. Me lembro agora. Ele tinha ido embora quando você chegou ao portão, e a câmera não estava funcionando.

— *Estava* funcionando — falou Alexia, envergonhada. — Menti porque não queria deixar você preocupado.

— Pelo amor de Deus, Alexia. Não sou criança. Quero saber essas coisas.

— Eu sei. Sinto muito. De toda forma, entreguei a gravação à polícia e eles descobriram quem era.

— Bem? Quem era?

— Um americano. É um ex-condenado com histórico de doença mental.

— Jesus Cristo.

— Não é tão ruim quanto parece. Ele não é violento nem nada. Mas a questão é que ele apareceu de novo. Em Parliament Square, umas duas semanas antes do recesso de verão. Ele me segurou quando eu saía do carro com Edward. Nós...

— Ei, ei, ei, espere um pouco. — Teddy se endireitou no assento. — Ele *segurou* você? O que quer dizer? Ele a machucou?

— Não. Eu fiquei chocada, mas não.

Teddy absorveu essa informação. Odiava quando Alexia guardava segredos, principalmente segredos como aquele. Era trabalho dele proteger a mulher. O dever dele. Teddy se sentiu completamente castrado.

— Onde estava a polícia quando tudo isso aconteceu? Seus supostos seguranças?

— Estavam lá. Eles o afastaram de mim.

— Espero que tenha prestado queixa.

Alexia pareceu hesitar. Os olhos de Teddy se arregalaram.

— Você *prestou* queixa?

— Não precisei. Edward lidou com a situação.

— Como?

— Nós o deportamos. Silenciosamente. Não queria que a imprensa transformasse isso em matéria. Só queria que ele fosse embora.

Teddy assentiu em aprovação. Aquela era a única coisa reconfortante que ouvira a noite toda. Durante alguns minutos, ele ficou sentado em silêncio, bebericando o Bordeaux de modo contemplativo. Então perguntou a Alexia:

— Qual é o nome dele?

A mulher pareceu surpresa com a pergunta.

— Isso importa?

— Importa para mim, sim. Eu gostaria de saber.

— Sinto muito, mas não posso contar.

Teddy olhou para Alexia com incredulidade.

— O quê? Não seja boba, querida. Quem era ele?

— Eu diria se pudesse, Teddy. Mas não posso. Você precisa confiar em mim nesse caso.

— Confiar em você? Essa é boa! Você obviamente não confia em mim o suficiente para fazer confidências. — Teddy se levantou com raiva e começou a caminhar de um lado para outro no deque. De repente, toda a tranquilidade e o bem-estar da noite foram embora. Ele se sentia como se tivesse recebido um soco no estômago.

— Não fique com raiva. Você sabia no que estávamos nos metendo quando sugeri meu nome para esse cargo — suplicou Alexia.

*Sabia?*, pensou Teddy, com amargura.

— Não sou mais uma parlamentar obscura. Sou a ministra do Interior.

— Eu sei qual é o nome do seu cargo, Alexia. — Era incomum que Teddy perdesse a calma, principalmente com ela, mas o homem não parecia capaz de se conter.

— Então também deveria saber que haverá coisas, muitas coisas, que não poderei compartilhar com você. — Alexia devolveu o golpe. — É apenas o modo como as coisas são.

— Então por que me contar algo? Por que me contar que está preocupada com esse homem e não me deixar ajudá-la?

Alexia sentia a frustração na voz de Teddy, e a mágoa. Talvez não devesse ter dito nada. Mas depois da noite anterior, na cozinha de Lucy Meyer, ela sentia uma necessidade crescente de conversar sobre seus temores.

— Eu contei a você porque você pediu. E porque eu queria ser honesta, o mais honesta possível.

— Sim, bem. Não é bom o bastante, porcaria!

Depois de envolver a cintura de Teddy com os braços, Alexia pressionou o corpo contra o do marido. Era um gesto de afeição. Vulnerável. Carente. Contido. Apesar de não querer, Teddy sentiu o coração derreter.

Ao se virar, ele a pegou nos braços.

— Quero protegê-la, Alexia. Só isso. Você consegue entender?

— Você *está* me protegendo — sussurrou Alexia. — Neste momento. Preciso tanto de você, Teddy. Não conseguiria fazer nada disso sem você.

Teddy a beijou com força na boca. Ele jamais deixaria de desejá-la.

Jamais.

Deitada, nua e satisfeita, enroscada nos braços de Michael De Vere, Summer Meyer encarava o teto, sorrindo de orelha a orelha.

Era oficial.

Ela havia superado Chad Bates.

A respiração de Michael fazia cócegas em sua orelha, e o peso morno do corpo dele tocava as costas de Summer. Ele cheirava a suor, perfume e sexo, e Summer não achava que algum dia tivesse desejado um homem com tanta intensidade. Ao beijá-lo, ela sussurrou:

— Estava pensando no que você disse antes.

— Sobre a sua bunda ser a oitava maravilha do mundo? — A mão de Michael deslizou para baixo.

— Não, isso não. — Summer riu.

— Porque é, sabe. Sinceramente, se você fosse inglesa, eu faria com que ela fosse preservada para a nação. É claro que vocês ianques não têm senso de patrimônio cultural.

— Estou falando do que você disse sobre nós não nos conhecermos de verdade, mesmo depois de todos esses anos.

— Ah. Isso.

— É verdade.

— Bem, espero que seja um pouco menos verdade agora.

Ao esticar o braço na direção dos seios de Summer, Michael traçou uma linha, preguiçosamente, ao redor dos mamilos dela com o dedo indicador. Summer gemeu de prazer. A mão dele no corpo dela era pura felicidade. A jovem estremeceu ao pensar em onde e como ele havia aprendido aquela técnica.

— Estou falando sério. Quero dizer, conheço sua família inteira melhor do que você. Sua mãe é uma máquina. Seu pai é um santo.

— Eu não iria tão longe — murmurou Michael.

— E Roxie sempre foi tão alegrinha e doce... antes de... você sabe.

— É. — Michael deu um sorriso triste. — Ela foi.

— Mas não sei nada sobre você. Não de verdade.

Michael se deitou de costas e esticou os braços como uma versão gostosa de Jesus.

— Me pergunte qualquer coisa. Sou um livro aberto.

— Tudo bem. — Summer se levantou da cama. Michael amava o modo como os longos cabelos castanhos da jovem se derramavam sobre os ombros até os lençóis. — Por que deixou Oxford?

— Essa é fácil — disse Michael. — Era chato. Próxima pergunta.

— Você se entedia com facilidade?

— Muito. Isso é divertido.

— Com mulheres?

— Se forem entediantes, sim. Não se preocupe. Você não é entediante.

Ele estendeu a mão até o meio das coxas dela. Summer removeu a mão dele com firmeza.

Michael sorriu. Ele gostava de desafios.

— Mais alguma pergunta, Srta. Meyer, ou a testemunha pode se retirar?

— Muitas. Por que você sempre defende sua mãe quando ela e Roxie brigam?

Michael franziu a testa.

— Defendo?

— Você fez isso no jantar, na outra noite.

Ele pensou por um tempo, então respondeu.

— Acho que a defendo porque ninguém mais faz isso. Amo Roxie tanto quanto as outras pessoas, e todos nos sentimos terríveis pelo que aconteceu com ela. Mas minha irmã pode ser muito injusta com mamãe. Ela a culpa por tudo.

— Mas a culpa não é da sua mãe? — perguntou Summer.

— Ela pode ser cruel com Roxie de vez em quando — admitiu Michael. — Tem culpa quanto a isso.

— Mas não foi ela quem afastou o namorado de Roxie? Foi o que ouvi.

— Não se pode afastar uma pessoa que não quer ser afastada. Ele era um homem adulto, não uma cabra.

Michael estava irritado, mas não tinha certeza do porquê. Jamais tinha conversado sobre aquilo com alguém, nem mesmo com Tommy, seu melhor amigo. Ninguém na família falava sobre o assunto. Mas talvez, percebeu o rapaz, isso fosse parte do problema, parte do que dava poder à tragédia de Roxie. O fato de que havia se tornado um tabu.

— Vou te dizer o que aconteceu. Mamãe contratou um tenista profissional durante um verão, um cara chamado Andrew Beesley. — Michael cuspiu o nome como se fosse veneno.

— Você não gostava dele.

— Não, não gostava. Desde o início. Era uma serpente. Bonito, e ele sabia disso.

*Olha quem fala*, pensou Summer, mas, sabiamente, não disse nada.

— Tudo em que Beesley estava interessado era transar com mulheres. Acho que nunca se importou com Roxie, mas ela se apaixonou por ele profundamente.

— E sua mãe não aprovou?

— Meus pais não aprovaram. Nem eu, nem a maioria dos amigos de Roxie. Quando Roxie e Andrew ficaram juntos, ele já havia transado com metade de Oxfordshire.

*E aposto que você transou com a outra metade.*

— De toda forma, ele e Rox se tornaram um casal. Depois de alguns meses, Andrew a pediu em casamento. Roxie ficou exultante. Aceitou na hora. Mas mamãe ficou preocupada, achou que fosse um golpe do baú, e com bons motivos, como acabou se provando. Ela o convidou para almoçar um dia, quando Roxie estava em Londres. Pelo que entendi, mamãe ofereceu dinheiro, caso Andrew rompesse o noivado, se mudasse para a Austrália e jamais entrasse em contato com Roxie de novo.

— Ela o subornou.

— Sim. Contra a vontade do meu pai.

— Quanto dinheiro ofereceu a ele?

Michael deu de ombros.

— Não sei. O bastante para mandá-lo de volta na classe executiva. Suspeito que algumas centenas de milhares. De toda forma, seja lá quanto foi, ele aceitou. Quase mordeu a mão de mamãe, ao que parece, o que, para mim, deixa claro como ele se importava pouco com Rox, para início de conversa. Tudo que Andrew Beesley queria era uma fatia da herança de minha irmã. Quando mamãe deixou claro que Roxie não conseguiria um centavo se o casamento fosse em frente, Andrew saiu de lá em disparada.

"Roxie culpou mamãe inteiramente. Disse que ela não deveria ter interferido, que havia envenenado Andrew contra ela. Acredito que até mesmo tenha acusado mamãe de dormir com Andrew, em certo momento, o que mostra como ela se descontrolou. — Michael balançou a cabeça com tristeza. — Foi horrível.

— Tenho certeza. — A compaixão de Summer era sincera. Conseguia imaginar como devia ter sido doloroso para todos eles.

— A verdade é que Rox tinha perdido completamente a cabeça àquela altura. Estava tão apaixonada pelo desgraçado, completa, inútil e perigosamente apaixonada. Ela ficou arrasada quando Andrew foi embora, de verdade. Acho que nem mesmo mamãe esperava que Roxie sofresse tanto.

Havia lágrimas nos olhos de Michael. Hesitante, Summer esticou a mão e acariciou o rosto dele.

— Não continue se não quiser.

Michael segurou a mão da jovem e a beijou.

— Não. É bom falar sobre isso, na verdade. É um alívio. Cerca de duas semanas depois de Beesley ter ido embora, recebi uma ligação de papai me dizendo que Roxie tinha pulado da janela do quarto em Kingsmere. Ela, com certeza, queria morrer. Não foi um pedido de ajuda ou nada dessas besteiras. Ela deixou um bilhete que detonava a pobre mamãe.

— Que horror. Para todos vocês.

— Sim — disse Michael. — Mas, sabe, ela não morreu. Poderia ter sido pior.

— Mas *alguma coisa* morreu.

— Sim. Alguma coisa morreu. A garota que ela era morreu. A família que *éramos*. É triste pra cacete, mas eu não podia fazer nada sobre isso na época, e ainda não posso.

Summer passou os braços ao redor de Michael, apoiando a cabeça do rapaz sobre o travesseiro macio que eram seus seios.

— É claro que não pode. Não é culpa sua, sabe.

— Também não é culpa da mamãe. Não completamente, de toda forma. Mas ela não consegue evitar. Depois da queda de Roxie, papai foi tão carinhoso e piedoso, e mamãe simplesmente... não foi. Não é que ela não se importe. Só não é muito expressiva quando se trata de emoções.

*É totalmente uma porra de uma máquina*, pensou Summer. Alexia sempre intimidara a jovem, e ainda intimidava, até certo ponto. Não a chamavam de Dama de Ferro por nada. E Alexia sempre teve uma relação conturbada com Roxie, mesmo antes de o namorado entrar em cena.

Como se lesse a mente de Summer, Michael falou:

— Mamãe não é uma pessoa carinhosa e gentil como a sua mãe. Ela é prática e segue com as coisas. Não gosta de lamúrias.

— Ela acha que Roxie está se lamuriando? Isso é um pouco pesado sob as circunstâncias, você não acha?

— Na verdade, não — replicou Michael, defensivo. Mas então ele ponderou. — Não sei. Talvez. Ela é rigorosa, e Roxie não é, e acho que, fundamentalmente, mamãe não conseguiu entender por que Roxie fez o que fez.

— E quanto a você? — perguntou Summer.

— Eu o quê?

— Você entende?

— Não. Tentei. Mas não entendo. Entendo amar alguém, mas não se perder a tal ponto. Não é saudável.

*Não*, pensou Summer, *não é. Mas é humano*.

Ela se perguntou se Michael De Vere já tinha se apaixonado.

Mas essa era uma pergunta que tinha medo de fazer.

# Capítulo 19

ALEXIA DE VERE FECHOU os olhos e tentou aproveitar a sensação da brisa salobre nos cabelos e a areia morna entre os dedos dos pés. Durante anos, durante todos os anos dos 20 aos 30, Alexia evitara praias. Eram os sons que a incomodavam mais: o bater rítmico das ondas, o ruído distante da risada das crianças. Só de pensar nesses sons Alexia ficava enjoada e angustiada. Mas desde que Teddy a persuadira a comprar a propriedade Gables no início dos anos 1990, Alexia redescobrira aos poucos o amor pelo mar. A ironia era que Teddy, provavelmente o homem mais inglês do mundo, escolhera comprar nos Estados Unidos. Mas Arnie Meyer oferecera um negócio irrecusável a Teddy, e com os passar dos anos, tanto ele quanto Alexia tinham passado a amar Martha's Vineyard.

Ultimamente, Alexia achava a vastidão do oceano tranquilizante, e não assustadora. Ela gostava da sensação de a natureza ser tão grande, e da própria vida e das próprias dificuldades serem tão pequenas em comparação. Durante toda a vida, Alexia De Vere lutara para *ser* alguém, alguém importante, alguém cuja vida importava. Um menininho tinha perdido a vida por causa dela, e um homem decente tivera a vida destruída. Alexia devia isso aos dois, fazer a própria vida importar, alcançar algo significativo. Por isso era irônico, de certa forma, que a sensação de *in*significância que o oceano lhe dava fosse responsável por uma paz tão profunda em Alexia.

— Rapidinho, nada de embromar! — A imitação de Mary Poppins de Lucy Meyer era vergonhosamente ruim, mas sempre fazia Alexia rir, porque Lucy *era*, de verdade, Mary Poppins, em muitos sentidos. — Nunca chegaremos à praia na hora do almoço se você ficar de pé aí com os olhos fechados feito a Kate Winslet no *Titanic*.

Era uma alusão infeliz. Com bastante frequência, nos últimos dias, Alexia sentia como se estivesse a bordo do *Titanic*, navegando infinitamente em direção à própria ruína. Ela tinha resolvido as coisas com o primeiro-ministro antes do recesso de verão do Parlamento — pelo menos achava que resolvera. E apesar da tempestade de reprovações dentro do partido devido ao modo como Alexia cuidou do caso da difamação da bandeira, em todas as pesquisas de opinião a popularidade da ministra do Interior estava alta. Até mesmo o *Daily Mail* estava mudando o tom para apoiar a rigorosa posição de Alexia em relação à imigração. Mas a turbulência na vida pessoal a impedira de aproveitar esses sucessos. Não poder conversar direito com Teddy sobre a pressão que sofria era a parte mais difícil. A simples alusão a Billy Hamlin na outra noite deixara o marido em pânico. Se Alexia não desconfiava antes, agora sabia: precisava resolver seus problemas sozinha.

— Me desculpe — gritou ela para Lucy. — Vá na frente.

Lucy e Alexia tinham finalmente encontrado tempo para a tão adiada caminhada até o farol Gay Head. Perigosamente próximo dos penhascos em eterna erosão, a estrutura atual, de tijolos vermelhos, fora construída em 1844 para substituir uma torre de madeira autorizada pelo presidente John Quincy Adams, e era uma atração turística popular na ilha. Com o conhecimento enciclopédico das trilhas arenosas e das estradas secundárias de Martha's Vineyard, no entanto, Lucy tinha traçado uma rota onde nenhum turista incomodaria Alexia e ela.

Desde a conversa particular entre ambas na cozinha de Lucy, duas semanas antes, nenhuma das mulheres fizera alusão aos "segredos" do passado de Alexia. Elas estavam caminhando havia mais de uma hora, e Alexia não dissera nada, deixando que Lucy preenchesse o silêncio com sua tagarelice animada sobre o caso de amor tórrido entre Michael e Summer.

— Estou dizendo, ouço os sinos da igreja.

— Você sempre ouve sinos de igreja. — Alexia gargalhou. — Você é o Corcunda de Notre Dame.

Alexia queria desesperadamente falar sobre Billy Hamlin e sobre seu passado. Mas começar a conversa era mais difícil do que achara que seria. Naquela primeira noite em Pilgrim Farm, cercada pela gentileza e pelos desejos carinhosos de todos, o assunto havia surgido naturalmente. Agora, à luz fria do dia, Alexia teria de recomeçar.

*Como se faz isso depois de quarenta anos de silêncio?*

No fim, Lucy quebrou o gelo para a amiga.

— Então — disse ela, quando as duas finalmente pararam para almoçar em uma clareira, no alto dos penhascos. — Ainda quer conversar sobre Billy?

*Ela se lembra do nome. Esteve pensando nisso.*

— Não tem problema se não quiser. Só achei melhor perguntar. Caso ainda a esteja incomodando.

Lucy falou muito casualmente, entre mordidas em um sanduíche de ovo com agrião. Até mesmo a escolha de palavras da amiga era inofensiva. Billy Hamlin estivera "incomodando" Alexia. Não aterrorizando. Não assombrando. *Incomodando*. Como uma mosca, ou um furo na meia.

Alexia mordeu o lábio, nervosa. Era naquele momento ou nunca mais.

— O que você diria se eu contasse que um dia fiz algo terrível? Algo que eu daria qualquer coisa para desfazer, mas que não posso mudar.

Lucy tentou não trair o próprio nervosismo quando respondeu.

— Eu diria bem-vinda à raça humana. Todos temos arrependimentos, Alexia. Principalmente em nossa idade.

*Arrependimentos. Incomodando.* Lucy fazia tudo parecer tão aceitável, tão normal. Mas ela não sabia a verdade. Ainda não.

— Isso é mais do que um arrependimento. É uma coisa que enterrei por quase quarenta anos. Ninguém sabe. Nem mesmo Teddy. E se isso se tornar público, significaria o fim da minha carreira política. Talvez até mesmo o fim do meu casamento.

Lucy Meyer respirou fundo para se acalmar.

— Estou ouvindo.

TEDDY DE VERE SE recostou no assento na primeira classe e fechou os olhos enquanto o 747 estremecia e começava a subir, sobrevoando Boston. Ele se preocupava em deixar Alexia sozinha, principalmente com Roxie ainda sendo tão difícil. Mas os negócios não poderiam se gerenciar *completamente* sozinhos durante o verão todo. Além disso, Teddy tinha outras coisas com que lidar em Londres.

Como ministra do Interior, Alexia era uma figura pública. Certa quantidade de atenção indesejada era inevitável. Mas ela também era a Sra. Edward De Vere, esposa, mãe e membro de uma das famílias mais tradicionais e mais grandiosas da Inglaterra. Proteger o nome da família De Vere era o trabalho de Teddy. E ele não poderia protegê-lo se soubesse apenas metade dos fatos.

Era hora de ter uma conversinha com Sir Edward Manning.

— COMO FOI A CAMINHADA?

Summer Meyer estava na cozinha, em Pilgrim Farm, arrumando o último buquê de flores que Michael De Vere tinha levado para ela quando a mãe entrou. Com seu vestido de verão amarelo e chinelos, o cabelo recém-lavado caindo, encharcado, pelas costas, Summer era a visão da felicidade. Mas Lucy estava alheia e passou diretamente pela filha, seguindo para as escadas.

— Mãe? Está tudo bem?

— Está tudo bem — disse Lucy.

Ela subiu para o quarto e fechou a porta, afundando na cama. A história que Alexia contara a abalara profundamente. Lucy estava feliz por estar sozinha, feliz por Arnie não estar ali para enchê-la de perguntas. Precisava pensar.

Lucy pensou em Teddy de Vere. De acordo com Alexia, Teddy não sabia nada do passado da esposa. Lucy não tinha motivos para não acreditar, mas, mesmo assim, pensar nisso a deixara profundamente chocada. Um casamento de trinta anos, um casamento sólido, para todos que observassem, mas construído sobre uma farsa! Alexia De Vere não era sequer uma pessoa de verdade. Era um personagem, uma farsa, uma impostora criada a partir do nada por uma garota chamada Toni Gilletti, quase quarenta anos antes.

Uma garota norte-americana.

Uma garota "má".

Uma garota sem esperanças, sem futuro, sem perspectivas.

Lucy Meyer jamais teria se tornado amiga de Toni Gilletti. Nem em um milhão de anos. No entanto, Alexia era sua amiga mais próxima, quase uma irmã, durante metade de sua vida adulta.

Naquele momento, quando Alexia despejara a confissão, Lucy havia sido calma e prática, garantindo à amiga que deportar Billy Hamlin fora a coisa certa a fazer.

— Você fez o que precisava para proteger a si e a sua família. É isso, fim de papo.

— Mas ele desistiu de tanta coisa, Lucy, para me proteger.

— Aquela decisão foi dele. Ele é responsável pelas próprias ações. Você é responsável pelas suas.

Por fora, Lucy esperava ter mostrado apoio, tranquilidade, confiança. Mas por dentro, as emoções dela fervilhavam como um mar violento e tempestuoso.

Ouviu-se uma batida hesitante à porta.

— Sou só eu. Tem certeza de que está bem? — Summer entrou com um jarro de peônias estendido como se fosse uma oferta de paz. — Posso ajudar?

Lucy estampou de volta seu sorriso de sempre.

— Estou bem, querida. Acho que talvez Alexia e eu tenhamos exagerado na caminhada, só isso. Estou exausta.

— Quer que eu prepare um banho de banheira para você?

Lucy beijou a filha na bochecha.

— Não, querida. Não estou tão velha assim. Consigo fazer isso. Você deveria estar na praia com Michael, se divertindo.

À menção do nome de Michael, o rosto de Summer se iluminou como o Sol.

Lucy pensou: *Amor juvenil. Como é maravilhoso!*

*E como é perigoso.*

Fora o amor juvenil — de Billy Hamlin e Toni Gilletti — que causara a tragédia que definiria a vida de Alexia De Vere. A própria Alexia tinha sido bem-sucedida e prosperara. Mas outras vidas tinham sido arruinadas. Lucy pensou no garotinho que se afogara. Nicholas. Ele era a verdadeira vítima ali, não Billy Hamlin, de quem Alexia parecia sentir uma pena indescritível. Certamente a vítima não era a própria Alexia. Mas, de alguma forma, a história de Nicholas tinha se perdido, fora obscurecida pela fama e pelo sucesso de sua amiga. O menino se tornara parte do papel de parede, pano de fundo para o que tinha acontecido em seguida.

Para o que Alexia tinha se tornado.

Para o que Alexia conquistara.

Para o que Alexia agora poderia perder, se Billy Hamlin ou os outros diversos inimigos da ministra do Interior conseguissem o que queriam.

Lucy Meyer deveria permanecer leal. Não havia dúvida quanto a isso. Irmãs sempre permaneciam leais umas às outras. Irmãs se protegiam em todas as adversidades. Lucy Meyer fora criada para acreditar na família, e ainda acreditava nisso.

Lucy manteria o segredo de Alexia.

Mas depois da revelação daquele dia, nada jamais seria o mesmo entre as duas de novo.

# Capítulo 20

Era uma noite de fim de verão típica de Londres: chuvosa, cinzenta e fria. O resultado disso é que os pubs estavam lotados.

No Old Lion, na Baker Street, Simon Butler trabalhava no turno de sempre atrás do bar quando um homem desorientado surgiu.

— Olha só aquele. — A senhoria, chefe de Simon, também viu o homem. Ela imediatamente reconheceu os ombros caídos, o andar cambaleante, o olhar vazio e a desesperança de barba por fazer daqueles que há muito são sem-teto. — Parece que ele já bebeu demais.

O homem seguiu diretamente para o bar.

— Caneca, por favor. — Ele empurrou a mão cheia de notas trocadas sujas na direção de Simon.

— Saindo.

*Ele não veio encontrar ninguém. Está aqui para beber. Para esquecer.*

Enquanto Simon tirava a cerveja para o homem, reparou que ele murmurava consigo mesmo. Baixinho, a princípio, mas então de modo mais agitado, os clássicos devaneios confrontadores e paranoicos dos esquizofrênicos.

— Bebida não é a resposta, sabe — disse o atendente, com gentileza, e entregou a cerveja ao homem. De perto ele parecia ainda pior do que longe, de pele macilenta e olhos injetados. O homem cheirava a desespero e terra, uma lufada de fumaça infeliz flutuando sem rumo ao vento.

— Ela ia se casar comigo.

O homem não estava falando com Simon. Estava falando consigo mesmo, com ninguém, com o ar.

— Ela me amou um dia. Nós nos amamos.

— Tenho certeza que sim, amigo. Tenho certeza que sim.

*Pobre coitado*. Ele não era perigoso. Apenas patético.

O mundo era cruel.

Brooks é um dos clubes de cavalheiros mais exclusivo de Londres. Erguido no lado oeste da St. James Street, foi fundado por quatro duques e um punhado de outros aristocratas nos anos 1760, e começou sua vida como um salão político para os Whigs, os liberais de então.

Atualmente, ampliou seus membros, mas ainda é bastante frequentado por diplomatas, políticos e servidores públicos. As únicas condições verdadeiras e veladas para candidatura a membro são que os candidatos devem ser: do sexo masculino, ingleses e inquestionavelmente de classe alta.

Teddy De Vere não era um membro, pois pertencia ao Carlton Club do Partido Tory, do outro lado da rua. As duas instituições se consideravam rivais em termos de cavalheiros, e membros dos dois clubes são bastante raros. Teddy era, no entanto, um convidado habitual no Brooks, então o almoço daquele dia não era nada fora do comum.

— De Vere.

Sir Edward Manning, o secretário pessoal permanente de Alexia, cumprimentou Teddy amigavelmente. Com a própria ministra do Interior, Sir Edward mantinha uma distância apropriadamente formal. Mas o marido de Alexia era outra história. Os dois homens se conheciam vagamente. Como socialmente iguais que se encontravam em particular, a familiaridade era perfeitamente apropriada.

— Manning. Obrigado por se encontrar comigo. Tenho certeza de que sua agenda deve estar lotada.

— Não mais do que a sua, meu velho.

Os dois pediram gim-tônica e dois bifes de filé malpassados com as famosas batas fritas do Brooks. Teddy foi direto ao assunto.

— É sobre Alexia.

— Presumi que fosse. O que o está incomodando?

— É um pouco estranho. Ela mencionou que estava com problemas com um rapaz que conheceu há anos.

Nem por um segundo Sir Manning traiu a surpresa por Alexia ter escolhido confidenciar ao marido sobre Billy Hamlin. A ordem de deportação fora executada tão rápida e secretamente que nem mesmo o agente de segurança da ministra do Interior tinha sido informado sobre ela. E tinha sido a pedido de Alexia! Se Hamlin tinha uma chave obscura para o passado da ministra, Sir Edward imaginou que a última pessoa que ela gostaria que soubesse seria seu marido, o bonzinho, porém tolo, Teddy.

— Ela deu a entender que esse homem a está assediando.

De novo, Sir Edward não disse nada. Teddy de Vere não fizera uma pergunta, e sim uma afirmação. Sir Edward Manning não chegara ao alto escalão do serviço público britânico respondendo a afirmações.

— O que me incomoda nisso é que Alexia não quer me dar o nome do homem. Só diz que você "lidou com isso". — Teddy cortou uma fatia suculenta do bife e a pôs na boca. — Então, o que quero saber é: você lidou?

— Sim — respondeu Sir Edward, no tom comedido de sempre. — Até onde pude.

— O que isso quer dizer?

— Oficiosamente?

— É claro.

— O homem ao qual a ministra do Interior se referiu é um cidadão norte-americano.

— Ela me contou. Também disse que era um ex-condenado e um lunático.

Sir Edward Manning ergueu a sobrancelha de forma lacônica.

— Não tenho certeza se iria tão longe. A questão é que, devido à nacionalidade dele, nossos poderes, embora consideráveis, são limitados.

— Alexia disse que você o deportou.

— Isso está correto. Ele foi deportado, e o passaporte dele recebeu carimbo vermelho, e agora é impossível que ele entre de novo na Grã-Bretanha de forma legal. Conversei em particular com alguns dos nossos amigos norte-americanos e pelo que entendi, ele também foi internado. Até onde sei, continua em uma instituição de segurança em algum lugar da costa leste.

Teddy De Vere não pareceu reconfortado.

— Até onde você sabe? *Em algum lugar*?

— Não é perfeito — admitiu Sir Edward. — Mas considerando que tudo isso foi feito por baixo dos panos, de certa forma, é o melhor que podemos fazer sem colocar em risco o Ministério do Interior. Sempre é preciso pensar no que seria dito à imprensa caso isso *fosse* revelado? Até que ponto uma pessoa pode ir? Fazer um ex-condenado esquizofrênico que assediou a ministra do Interior ser deportado e internado seria aceitável para a maioria dos eleitores, em minha opinião, caso a história vazasse. Principalmente se o homem em questão é um norte-americano. Ninguém gosta deles.

— De fato — concordou Teddy. — É possível que a história vaze?

— Vazamentos não são apropriados. Infelizmente, acontecem diariamente.

Teddy assentiu, como quem compreende.

Sir Edward continuou.

— A nomeação de sua esposa irritou bastante gente, como você sabe. Houve reuniões inapropriadas contra ela durante toda a crise da bandeira maculada. Muitas pessoas estão fervorosamente em busca de um risco no verniz dela. Não queremos dar-lhes um.

Durante alguns minutos, os dois homens retornaram aos seus bifes e Teddy falou:

— Então esse lunático ainda pode entrar ilegalmente no país?

— Qualquer um pode fazer qualquer coisa ilegalmente. — Depois de tomar um gole de Borgonha, Sir Edward limpou levemente os cantos da boca com um guardanapo com um monograma estampado.

— E se ele entrasse? O que aconteceria então?

— Então nós o prenderíamos, como qualquer outro imigrante ilegal, e o deportaríamos de novo. Olhe, De Vere, entendo sua preocupação. Sentiria o mesmo se fosse minha esposa.

Teddy tentou, sem sucesso, imaginar o absurdamente afetado Sir Edward Manning com uma esposa.

— Mas sinceramente não acho que você ou a ministra do Interior tenham motivos para se preocupar. Esse homem é doente. Não tem fonte de renda. Confie em mim, eu o conheci e não é nenhuma mente criminosa. Simplesmente lhe faltam meios para voltar à Grã-Bretanha.

Os dois terminaram as refeições. Teddy pediu um pudim de *toffee* com calda de caramelo. Sir Edward, consciente da própria cintura, pediu um espresso duplo. Sergei Milescu gostava que ele ficasse em forma. Em breve, Edward esperava, ele poderia dar a Sergei o que o rapaz queria e o tiraria de suas costas para sempre, literal e metaforicamente. Até então, os cardápios de sobremesa deveriam ficar totalmente fechados.

Sir Edward assinou a conta. Os dois pegaram os casacos.

Sir Edward perguntou a Teddy:

— Quando voltará para Boston? Ainda está de férias, não está?

— Vou e volto. Tenho um voo de volta esta noite, na verdade. Quero voltar para Alexia. As coisas ainda estão complicadas em casa com nossa filha, e não gosto de deixá-la sozinha.

Pela segunda vez em uma hora, Sir Edward Manning escondeu a surpresa. Ele entendia que o desentendimento entre a Sra. De Vere e Roxanne era um tabu, mas Teddy acabara de mencioná-lo de forma bastante aberta.

— Bem, dê minhas lembranças à ministra do Interior — disse Sir Edward, educadamente. — Estamos ansiosos para que ela volte.

— Darei — respondeu Teddy. — E muito obrigado pelo almoço. Ah, mais uma coisa — acrescentou ele, casualmente.

— Sim?

— Acho que não consigo persuadi-lo a me dar o nome desse cara, consigo?

O HOMEM FOI AO pub todos os dias durante a semana seguinte. Sempre se sentava no bar e tomava duas cervejas, nada mais, e jamais falava com outra pessoa que não Simon Butler.

Simon Butler e a voz na cabeça dele.

Simon agora sabia um pouco sobre o homem. Ele estava em Londres para visitar um amigo. Amava carros. Tinha uma filha. Alguém ia se casar com ele, mas a pessoa havia mudado de ideia. Isso tudo Simon achava que era verdade. Mas muito do que o homem dizia era pura paranoia.

O governo inglês estava em seu encalço.

A ministra do Interior estava tentando silenciá-lo.

Um assassino treinado queria-o morto e estava derrubando seus entes queridos, um a um.

Toda noite, o homem contava a Simon Butler sobre "a voz". Ao telefone. Em sua cabeça. Em seus sonhos. Dizendo-lhe o que fazer. Aterrorizando-o. Ninguém acreditava no homem. Mas a voz era real.

Ele não quis contar a Simon seu nome. Isso era parte dos delírios paranoicos. Não podia confiar em ninguém. Mas o homem mencionou uma filha, Jennifer, diversas vezes.

Uma noite, após o trabalho, Simon falou com a senhoria:

— Eu gostaria de tentar encontrá-la. Essa filha obviamente é a única família dele, e o cara precisa de ajuda. Ela deve estar morrendo de preocupação.

A senhoria olhou para o jovem barman com afeição. Era um bom rapaz, Simon Butler. Gentil. Diferente do filho dela, Arthur. Doía-lhe dizer, mas Arthur e seus colegas eram delinquentes.

— É uma boa ideia, Si. Mas você só tem um primeiro nome para procurar. Isso não vai levá-lo muito longe, vai?

Simon deu de ombros.

— Se você estiver mesmo preocupado, é melhor ligar para o serviço social. Talvez possam ajudá-lo.

— Talvez — respondeu Simon. — Eu precisaria de um endereço.

NÃO ERA UM HOSPITAL, era uma prisão.

Sim, havia médicos, os habituais homens de jaleco branco. Mas eles não queriam ajudá-lo. Queriam controlá-lo. Prendê-lo. Tudo de que Billy Hamlin se lembrava era ser trancafiado, amarrado e dopado até o último fio de cabelo, sabe Deus com o quê. Coisas para fazê-lo esquecer, fazê-lo relaxar, mantê-lo em um estado de inércia permanente.

A voz havia sumido. Os médicos chamaram isso de progresso.

Mas o pânico de Billy cresceu.

O tempo estava acabando.

Por mais que isso o assustasse, Billy precisava da voz. Ele precisava que a voz dissesse a ele o que fazer em seguida. Que lhe desse outra chance. A vida de Jenny dependia disso.

Ironicamente, fora Jenny quem o salvara. Ela ainda estava em segurança — até então — e depois que localizou o pai, ia visitá-lo todos os dias. Billy não podia contar a toda a verdade sobre a voz à filha. A verdade a aterrorizaria, e Billy não queria isso. Mas ele falava com Jenny sobre as drogas, sobre a névoa com espessura de algodão em sua mente, que neutralizava qualquer sensação e emoção. Sobre a vontade de ser livre. Finalmente, Jenny convenceu os médicos de que poderia cuidar do pai, de que ele estaria mais seguro em casa com ela. Mal sabia a menina que era ele, Billy, na verdade, que mantinha *Jenny* a salvo, observando-a, noite após noite, enquanto ela dormia, em vigília constante no modesto apartamento da filha no Queens.

Billy não quisera ir embora. Sair de fininho como um ladrão na noite, sem explicação, sem dizer adeus. Mas a voz ligara e lhe deixara instruções. E a voz devia ser obedecida.

Flexionando as mãos em punhos, Billy as pressionou contra os olhos, desejando não chorar. Ele precisava se manter concentrado. E positivo. Concentrado e positivo, essa era a chave.

Ele estava ali, afinal de contas, em Londres. Tinha conseguido. Isso, por si só, era um feito notável. Mas a primeira coisa que soube quando chegou em solo britânico era que Alexia De Vere não estava na Inglaterra. O Parlamento estava no longo recesso de verão, e a ministra do Interior estava em férias de três semanas logo em Martha's Vineyard, a menos de 160 quilômetros do hospital no qual Billy tinha sido trancafiado. Ele poderia ter ficado onde estava! A ironia era tão amarga que o sufocava, como a mão fria do destino se fechando ao redor de seu pescoço.

Alexia De Vere havia partido. Mas voltaria.

Não havia mais o que fazer a não ser esperar.

Simon Butler estava furioso. O serviço social era tão útil quanto uma pistola d'água em um incêndio florestal.

— Temos alguns panfletos — informou, inutilmente, o imbecil entediado da suposta linha de informações. — Ou você pode acessar nosso site para detalhes sobre o centro de entrega mais próximo.

Simon se lembrou dessa mesma atitude de "o problema não é meu" quando seu irmão Matty estava doente.

— Qual é o endereço do site? — perguntou o barman bruscamente. — Www-ponto-não-dou-a-mínima-ponto-com?

— Entendo sua frustração, Sr...

Simon Butler desligou. Precisava haver um jeito melhor.

Billy Hamlin estava se sentindo melhor.

O sol tinha surgido, e Londres não parecia mais um ensaio sobre o cinza. As mulheres vestiram de novo suas saias curtas, as pessoas sorriam umas para as outras na rua e o público do pub tinha se dispersado para as calçadas, com as pessoas recostando-se em mesas de piquenique para fumar, rir e aproveitar a novidade de tomar o drinque da noite ao ar livre.

O Parlamento regressaria em nove dias, mas Alexia De Vere voltaria em seis.

Estava quase acabado.

Billy costumava ir ao Old Lion, na Baker Street. Era cheio e anônimo, com mais clientes passageiros do que habituais, e Billy gostava do barman de lá. Ele era amigável, mas não invasivo, e dava a Billy batatas fritas e amendoins de graça. Mas o Old Lion tinha assentos do lado de fora, então, naquele dia, Billy abriu uma exceção e foi para o Rose and Crown, na Marylebone.

Durante as primeiras duas cervejas ele estava bem. Mas conforme a tarde se tornou noite e Billy continuou bebendo, seu humor ficou mais sombrio.

— Ela ia se casar comigo, sabe.

— Quem?

Um grupo de rapazes estava sentado ao lado dele no bar, sujeitos do distrito financeiro com roupas refinadas. *Há quanto tempo estão aqui?*, Billy se perguntou. Não havia reparado neles antes.

— Toni. Toni Gilletti.

— Certo. Tudo bem. — Os rapazes se viraram.

Por algum motivo, Billy se sentiu humilhado. Ele agarrou um dos rapazes pelo braço.

— Eu sei de coisas, entende? Sei de coisas sobre a ministra do Interior. Poderia derrubar o governo britânico. É por isso que estão atrás de mim.

— Qual é o seu problema, babaca? — O corretor da bolsa sacudiu o braço para se desvencilhar e acidentalmente empurrou Billy do banco do bar. Ao perder o equilíbrio, Billy caiu sobre uma mesa de jantar próxima, mandando pratos e talheres pelos ares. Alguém gritou.

Em seguida, Billy estava de pé. Alguém, um dos clientes que jantava, lhe dera um soco. Em pânico, Billy golpeou descontroladamente, chutando e gritando enquanto os funcionários do bar o carregavam até a rua.

— Se voltar, eu chamo a polícia — gritou o senhorio para ele. — Porra de maluco.

Somente quando começou a caminhar para casa, cambaleando entre ruas que não conhecia, Billy percebeu o quanto estava bêbado. Estava com os lábios entreabertos, sentia náusea e tontura, e um de seus olhos parecia começar a se fechar. Pior do que isso, Billy não fazia ideia de onde estava. Os sorrisos que vira nas ruas mais cedo tinham sumido agora. As pessoas pelas quais passava o encaravam, as expressões delas mudavam de nojo para hostilidade escancarada.

*Estão com medo de mim.*

A ideia deixou Billy triste.

Quando ele conseguiu voltar para a pensão, que ficava entre uma fileira de casas vitorianas idênticas ao longo da Edgware Road, era quase meia-noite. Cansado, Billy subiu as escadas aos tropeços. Um estranho estava de pé do lado de fora de sua porta.

— Billy Hamlin?

Como um rato encurralado, Billy olhou da esquerda para a direita, em busca de uma saída, mas não havia uma.

— Quem é você? O que quer?

— Não se preocupe, Billy. — O estranho sorriu. — Não sou da polícia. Você não está em perigo nenhum. Estou aqui para ajudar.

Apesar do sotaque inglês de classe alta, Billy reconheceu instantaneamente o tom de voz sincero e preocupado de um assistente social profissional. Ouvira-o tantas vezes nos Estados Unidos que era deprimentemente familiar. Mas quem teria denunciado Billy ali? Quem sequer sabia que ele estava na Inglaterra?

— Olhe, estou bem. Não preciso de ajuda.

— Todos precisamos de ajuda, Billy, de vez em quando. Não precisa se envergonhar.

— Não sei quem o mandou, mas estou bem. Por favor, me deixe em paz. — Billy vasculhou os bolsos em busca da chave da porta.

— Aqui. — O estranho se aproximou por trás de Billy. — Me deixe ajudá-lo com isso.

A faca estava tão afiada que Billy Hamlin mal a sentiu deslizando entre as escápulas e perfurando seu coração.

# Capítulo 21

ALEXIA DE VERE BEBERICAVA o suco gelado de cranberry enquanto olhava pela janela do avião. No colo, uma pasta espessa do ministério se abria de modo reprovável. *Soluções de Imigração para a Grã-Bretanha do Século XXI*. Por algum motivo, mesmo o título parecia deprimente, como um copo de água fria no rosto. Alexia não conseguia lidar com ele no momento.

As férias em Martha's Vineyard tinham feito muito bem à ministra. Lucy Meyer, em particular, animara Alexia e fortalecera a determinação da amiga. Alexia tinha feito a coisa certa ao fechar a porta para Billy Hamlin e para seu passado. Lucy tinha confirmado isso. Nada de bom poderia vir do encontro de Alexia com Billy no momento, de conjurar o fantasma de Toni Gilletti e a vida que ela, Alexia, trabalhara tanto para deixar para trás. Gradualmente, Alexia começou a reescrever a história na própria mente. Não tinha dispensado Billy Hamlin de modo grosseiro. Billy estava doente, e Alexia tinha lhe conseguido ajuda. Edward Manning lidara com as coisas, e ela confiava nele. Estava na hora de seguir em frente e tocar com os negócios do governo. Quanto a Teddy, de modo simples, o que ele não soubesse não o machucaria.

Teddy estava dormindo ao lado de Alexia agora, roncando tranquilamente com um copo meio bebido de Glenfiddich em uma das mãos e a edição do dia anterior do *Times* na outra. Com a consideração de sempre, Teddy pegara um avião de volta para Martha's Vineyard para os últimos dias da última semana de férias deles, em vez de ficar em Londres e esperar por Alexia lá. *Quantos maridos de políticas assomariam 8 mil milhas aéreas em uma semana apenas para fazer companhia às esposas?*

Alexia gostara particularmente de ter Teddy consigo porque Roxie e Michael tinham voltado para a Inglaterra uma semana antes. O pobre Michael havia se separado da jovem e doce Summer Meyer com uma relutância infinita para voltar para Tommy e os negócios. Roxie, não querendo ficar ali sem a companhia do irmão, voltara para casa também. Os últimos dias na propriedade Gables tinham sido como uma segunda lua de mel para Teddy e Alexia, lembranças que ela apreciaria por um bom tempo.

*Eu não estava apaixonada por ele quando nos casamos*, pensou Alexia. *Mas eu o amo agora. Amo nossa vida juntos, tudo o que construímos.*

Depois de retirar o jornal da mão de Teddy com cuidado para não acordá-lo, Alexia virou as páginas de notícias do país. Edward Manning a havia mantido informada por e-mail duas vezes por dia durante as férias, então Alexia já estava a par de todas as notícias que importavam ou que requeriam uma declaração ou uma ação da parte dela. Mas não segurava, de fato, um jornal inglês nas mãos havia três semanas.

**TAXA DE DESEMPREGO SOBE**

A manchete a irritou. Porcaria de jornalistas do *Times*. Era descarado o modo como manipulavam esses dados. Na verdade, empregos estavam sendo criados nos setores público e privado, uma observação feita por Alexia durante o *BBC News at One*, em transmissão via satélite, no dia anterior. O *Times* podia ser um jornal de Murdoch, mas até onde Alexia podia ver, todos os jornalistas que trabalhavam nele eram trotskistas.

Ela virou até a página dois, onde havia uma matéria entediante sobre fazendas eólicas. Energia renovável entediava terrivelmente Alexia, mas assuntos ecológicos eram importantes para o primeiro-ministro, então, como o restante do partido, ela dizia estar sempre de acordo com tudo. Alexia se perguntava se qualquer outra pessoa no gabinete sabia sobre o caso de Henry Whitman com Laura Llewellyn, a muito linda e muito casada ecolobista cujo marido, Miles Llewellyn, era o maior doador financeiro particular do Partido Conservador. Duvidava disso. Ela mesma só descobrira por acaso, ao esbarrar, por acidente, com Henry e Laura em um hotel obscuro de Yorkshire na semana anterior à conferência do partido um ano antes, em Blackpool. Se as fofocas corressem soltas, Alexia provavelmente teria sido a última a saber. Os supostos colegas do gabinete eram o grupo de desgraçados mais distantes com que Alexia já tivera a infelicidade de trabalhar. E ela já tinha trabalhado com muitos desgraçados.

Quando a ministra virou para a página quatro, uma matéria pequena, de uma coluna, chamou-lhe a atenção.

**ESFAQUEAMENTO FATAL NÃO DEIXA PISTAS**

Alexia começou a ler.

> A polícia atualmente não tem pistas sobre o esfaqueamento fatal de um americano em Edgware Road, na sexta-feira à noite. William Hamlin, um assassino condenado com problemas psicológicos...

Alexia se agarrou ao assento para se equilibrar.

> ...que teve o visto negado e entrou no Reino Unido de forma ilegal, foi encontrado morto do lado de fora do apartamento com uma faca de cozinha ainda alojada no coração.

*Não. Não pode ser verdade. Billy não! Ele está nos Estados Unidos. Está em segurança. Edward cuidou disso.*

Alexia continuou lendo.

> Simon Butler, gerente do bar no Old Lion, na Baker Street, onde Hamlin tinha se tornado cliente regular durante o verão, descreveu o homem assassinado como uma "alma perdida". O Sr. Butler recentemente havia contatado o serviço social com relação ao estado mental volátil de Hamlin, mas alega que foi "enxotado" pela equipe. A polícia convoca testemunhas.

O jornal ficou embaçado diante dos olhos de Alexia. O coração dela batia forte, e sua boca e garganta pareciam secas, como se tivesse engolido areia. Alexia sacudiu Teddy, para que o marido acordasse.

— Veja isto!

Teddy De Vere se sentou bruscamente, derramando o uísque na camisa.

— Que droga. O que foi, querida?

— Veja. — Alexia apontou para a fotografia de Billy, uma foto de ficha criminal que devia ter sido tirada há mais de uma década. — É ele.

— Ele quem?

— O homem sobre quem eu estava falando.

— Por favor, não fale em charadas, Alexia. Estou quase dormindo.

— William Hamlin! — disse Alexia, exasperada.

— Ah. Então esse é o nome dele. Você não quis me dizer antes, lembra?

— *Era* o nome dele — falou Alexia. — Ele foi morto. Assassinado.

— Achei que tivesse dito que ele tinha sido deportado?

— Tinha. Deve ter voltado, de alguma forma. E agora está morto. Leia o artigo.

Teddy leu. Enquanto o fazia, pensou na conversa com Sir Edward Manning, apenas uma semana antes.

*Confie em mim. Ele não tem os meios para voltar para cá.*

Que piada. Teddy estremeceu ao pensar em como aquele louco tinha se aproximado de contatar Alexia uma segunda vez, talvez até de machucá-la.

— O jornalista não menciona você. — Ele entregou o jornal à mulher.

— Não. Ninguém parece ter feito a conexão.

— Que bom. — Enquanto limpava o líquido âmbar da camisa com um guardanapo, Teddy virou-se e afofou o travesseiro de novo. — Então você não tem com que se preocupar. Boa noite.

Alexia ficou chocada.

— Nada com que me preocupar? Teddy, ele foi assassinado.

— Exatamente. Então não vai incomodá-la de novo, não é? Isso é uma boa notícia para mim.

— Por que você está sendo tão insensível? — perguntou Alexia, irritada. — Ele não merecia morrer. Estava doente. Confuso.

Teddy se sentou, cansado.

— Olhe, Alexia, o homem ameaçou você. Você não pode esperar que eu goste de pessoas que ameaçam minha mulher, ou que eu sinta pena delas. Não vou ser tão hipócrita a ponto de fingir luto por um perfeito estranho apenas para reconfortar sua consciência.

— Você está certo. Me desculpe. — Inclinando-se, Alexia beijou a bochecha do marido. — Estou chocada, só isso. Ele foi um garoto doce um dia.

— Hitler também — falou Teddy, enfático. — Tente descansar.

Em minutos, Teddy estava roncando alto.

A comissária de bordo foi até Alexia.

— Posso trazer algo para comer, ministra do Interior? Uma bandeja de queijos, talvez, ou frutas? Sei que disse que queria uma refeição leve.

Alexia se recompôs. Teddy estava certo. O que acontecera com Billy fora horrível, mas isso *colocava* um fim nas coisas. E não era o que ela queria, bem no fundo? Não era como se a morte dele fosse culpa de Alexia, ou responsabilidade dela. Por mais que fosse trágico, talvez fosse para melhor.

Alexia sorriu para a comissária de bordo.

— Aceito os queijos, por favor. Sem gorgonzola. E uma xícara de café forte. Tenho muito trabalho para fazer antes de pousarmos.

# Capítulo 22

O ANO SEGUINTE FOI TRIUNFANTE para Alexia De Vere. Conforme a economia da Grã-Bretanha se recuperava, o espírito de coletividade da nação florescia como um narciso que irrompe da camada de gelo depois de um inverno longo e frio. Uma pesquisa da Gallup identificou Henry Whitman como o primeiro-ministro em exercício mais popular desde Churchill, e o restante do gabinete se regozijava, satisfeito, no brilho que irradiava de Henry. Quanto a Alexia De Vere, a popularidade pessoal da ministra do Interior quase se igualava à do primeiro-ministro.

Como isso tinha acontecido? Apenas dois anos antes, Alexia De Vere era uma das figuras mais odiadas da política inferior britânica, uma reminiscência dos antigos dias ruins do conservadorismo insensível. Quando as pessoas pensavam em Alexia De Vere (se é que pensavam nela), associavam a figura da mulher com rebeliões carcerárias e justiça previsível do tipo "jogue fora as chaves da cela". O fato de ser podre de rica, de falar como se tivesse um ovo na boca e de ter se casado com um dândi que a fizera ingressar em uma família de classe mais alta do que os Windsor não ajudava a política a ganhar o coração dos eleitores comuns. Mas depois de um ano e meio no cargo, algo que ninguém, nem mesmo a própria Alexia, esperava que ela conseguisse, e apesar dos tropeços iniciais com relação à imigração, a Sra. De Vere tinha conseguido conquistar os corações e as mentes do público britânico com um golpe de misericórdia espetacular. As pessoas respeitavam o modo como ela havia fortalecido a polícia e colocado mais policiais nas ruas. Aprovavam a defesa de Alexia de hospitais, a posição liberal sobre a educação e o apoio pelas escolas gerenciadas por pais. Tinham gostado de sua Lei dos Asilos, para proteger os idosos de explorações e abusos. Sim, Alexia De Vere era durona. Mas também trabalhava arduamente, era eficiente e corajosa o bastante para lutar pelos valores e pelas instituições britânicas tradicionais. O rottweiler dos velhacos tinha se transformado no buldogue inglês da modernidade. Os inimigos de Alexia não puderam fazer nada a não ser se recostar e observar.

Depois de fechar um acordo para o estabelecimento de uma enorme montadora da Renault em East Midlands, criando milhares de novos empregos, Alexia recebeu um convite para tomar chá no número dez da Downing Street.

— Eu deveria tê-la nomeado ministra de Relações Exteriores. — O primeiro-ministro esticou as pernas enquanto um mordomo servia o chá. — Os franceses acham que o *soleil* brilha de dentro do seu *derrière*. Você é a estrela de Paris.

— Não sei nada disso — disse Alexia, modestamente. Ela jamais entendeu muito bem qual era seu relacionamento com Henry Whitman. Colegas do gabinete reclamavam que ele a apoiava irrestritamente, mas Alexia costumava sentir uma corrente de repúdio sob os sorrisos do primeiro-ministro.

— Experimente o bolo de chocolate — insistiu Henry. — É de Daylesford. Tem sabor de paraíso.

— Obrigada, mas vou recusar. — Alexia gostava muito de vestir tamanho 42 para ceder ao seu gosto por doces. — Você deve tomar cuidado para que Ian não ouça que você não leva o trabalho dele a sério. Ele está indo bem no Ministério do Exterior, não está?

— Está — admitiu Henry. — Mas digamos que ninguém vai colocar a carranca de Ian James na primeira página do *Le Figaro*.

Alexia gargalhou. Era verdade que o fato de ser fotogênica e seus modos bruscos e sisudos tinham ajudado a tornar a ministra uma figura popular na França e uma excelente embaixadora do governo britânico. Mas ela não imaginava que Henry Whitman a havia convocado para a Downing Street somente para elogiá-la.

— Há um motivo especial pelo qual queira me ver?

— Na verdade não. — Whitman bebericou o chá. Alexia sentiu os olhos do primeiro-ministro sobre si, estudando-a. Havia desconfiança ali, uma cautela que Alexia não compreendia. *O que ele quer saber? E o que quer que seja, por que simplesmente não me pergunta?* — Tem planos para o verão? Voltará para os Estados Unidos, presumo.

A conversa estava ficando cada vez mais estranha. *Por que Henry Whitman se importa com o lugar onde passo as férias? Está tentando se livrar de mim?*

— Na verdade, este ano não. Vamos ficar na Inglaterra. Essa festa ridícula que Teddy está organizando em Kingsmere dá mais trabalho do que a reunião do G7.

— Ah, sim. — Henry assentiu. — *A* festa.

Àquela altura, Westminster inteira sabia que o marido velho e charmoso de Alexia De Vere estava celebrando 300 anos da história da família De Vere com um evento grandioso em Kingsmere, sem dúvida uma das casas mais requintadas da Inglaterra. Qualquer um que fosse alguém na política europeia participaria, assim como os grandes e os bons do mundo do entretenimento e dos negócios. Seria como a festa White Tie & Tiara Ball de Elton John, sem o fator vulgaridade.

— Você irá, imagino? — perguntou Alexia.

— É claro.

— Com Charlotte?

As sobrancelhas de Henry Whitman se franziram.

— Obviamente com Charlotte. Não costumo ir a eventos sociais sozinho, Alexia.

— É claro que não.

Lá estava de novo. A frieza.

— Voltaremos da Sicília na noite anterior, mas com certeza iremos.

Depois de um silêncio constrangedor, o primeiro-ministro fez algumas perguntas educadas sobre a viagem de Alexia a Paris com Kevin Lomax. Como ministro do Comércio, o departamento de Kevin também estivera envolvido no acordo com a Renault, embora todos soubessem que Alexia o havia fechado.

— Como estão as coisas entre vocês dois ultimamente? — perguntou Henry Whitman.

— Bem — mentiu Alexia. — Cordiais. — Todos sabiam que Kevin Lomax queria a cabeça de Alexia em uma bandeja, tanto que a ministra imaginava por que Henry fizera a pergunta.

— Não antecipa nenhum problema na viagem?

— Não, primeiro-ministro. Nenhum.

— Que bom.

Henry Whitman se levantou e indicou que a conversa desconfortável tinha acabado. Mas quando Alexia chegou à porta, ele chamou.

— Tinha mais uma coisa que eu queria perguntar.

Alexia parou.

— Ah?

— Seu secretário pessoal. Está feliz com ele?

Alexia pareceu surpresa.

— Com Edward? Certamente. Ele é fantástico.

— Que bom. — Henry Whitman sorriu. — Excelente.

— Por que pergunta?

— Ah, motivo algum, motivo algum. Penso no Ministério do Interior como o carro-chefe do governo, só isso. Estava apenas verificando se as coisas estão bem.

Alexia ergueu uma sobrancelha.

— Por que não estariam?

— Motivo algum. Sinceramente. Você está interpretando demais. Eu simplesmente quero me certificar de que você tem o apoio de que precisa. Se esse apoio é Sir Edward Manning, então tudo bem.

— É Sir Edward Manning.

— Tudo bem! — O primeiro-ministro gargalhou. — Então não há problemas.

— Nenhum problema, Henry.

CINCO MINUTOS DEPOIS, QUANDO Alexia saiu do prédio, Henry Whitman deu um telefonema.

— Sou eu. Ela acaba de sair. Acho que temos um problema.

MICHAEL DE VERE SALTITAVA pela Broad Street em Oxford, dando passadas alegres e assobiando feliz.

Era estranho, mas durante os dois anos que passara em Balliol, a arquitetura barroca gloriosa e as "espirais oníricas" de Oxford tinham-lhe escapado por completo. Tudo de que Michael se lembrava eram palestras empoeiradas, chuva e muitas noites deprimentes no Old Boar Inn, com garotas que falavam demais e não acreditavam em depilar as axilas. Mas agora que ele era um homem livre — a Kingsmere Eventos estava prosperando tanto que até mesmo Teddy finalmente começara a aceitá-la —, Michael aproveitava tudo que a cidade tinha a oferecer. Naquele dia, com o sol brilhando e as cerejeiras floridas, a sensação de otimismo e de energia nas ruas era palpável. Como todas as cidades universitárias, Oxford pertencia aos jovens. Conforme ele passava por Exeter e pelas faculdades da universidade, Michael sentiu toda a alegria de ter 20 anos e ser bem-sucedido, de construir um negócio que amava e no qual era bom. Quando começaram a empresa, Michael e Tommy tinham alugado um escritório em Oxford para evitar pagar os aluguéis de Londres. Agora, com oito funcionários em tempo integral e contratos grandes entrando, poderiam facilmente ter custeado a mudança, mas nenhum dos dois queria. A vida não ficaria melhor do que aquilo.

Michael verificou o relógio. *Meio-dia e quinze.*

*Não posso me atrasar.*

Ele se dirigia ao San Domingo's, provavelmente o restaurante mais caro de Oxford, para um almoço com a mãe. Michael pagaria, então repassaria a conta como *Despesas Gerais com Clientes*. Ter os pais como clientes tinha suas vantagens. Para o choque e o prazer de Michael, Alexia persuadira Teddy a deixar o filho e Tommy organizarem a festa de verão em Kingsmere. Montaria o evento com orçamento mais barato, tendo cortado as tarifas normais — Teddy De Vere teria um enfarte se Michael tivesse cobrado as tarifas que costumava cobrar dos clientes ricos de Londres por eventos similares —, mas a publicidade para a Kingsmere Eventos seria impagável.

O parceiro de Michael, Tommy, se maravilhara com a lista de entretenimento atualizada naquela manhã.

— Viu isto? Mick Hucknall vai sair da aposentadoria para fazer uma apresentação solo, a princesa Michael de Kent fará os brindes e Nigel Kennedy acaba de aceitar fazer um recital de violino da varanda durante os drinques antes do jantar. E precisamos agradecer sua mãe por tudo isso.

— Na verdade, *eu* consegui Kennedy — falou Michael. — Nós nos conhecemos no ano passado, no lançamento da autobiografia dele.

Mas Michael compreendeu o que Tommy dizia. A comemoração dos Trezentos Anos de Kingsmere podia ter sido ideia de Teddy, mas era o poder social e político de Alexia que tornaria aquele um grandioso evento de mídia. Graças à mãe de Michael, a lista de convidados parecia uma filha da lista dos "100 mais poderosos" da *Vanity Fair* com a lista da Debrett, com apenas um toque do glamour da revista *Hello!* para balancear. Henry Whitman e a esposa estariam lado a lado com o presidente francês e o príncipe herdeiro da Espanha. Em outra mesa, Simon Cowell, Gwyneth Paltrow e Sir Bob Geldof compartilhariam um café após o jantar com a viúva duquesa de Devonshire, Nicola Horlick, e Sir Gus O'Donnell, ex-chefe dos servidores públicos de Whitehall e conhecido popularmente pelas iniciais: *GOD*. Michael dizia ser uma aposta segura que, se Jesus Cristo estivesse vivo, Ele abriria espaço na agenda de milagres para ir à festa de verão de Kingsmere. Afinal de contas, se a festa era boa o suficiente para Matthew Freud e Elizabeth Murdoch...

O San Domingo's estava cheio — o San Domingo's estava sempre cheio —, mas Michael foi levado a uma mesa espaçosa próxima à janela, que dava para o rio e para o famoso parque de caça Magdalen College. Ele mal teve tempo de se sentar e pedir uma garrafa de água com gás até que Alexia chegasse, poderosa e glamorosa em um terninho Prada verde-escuro e uma blusa de seda creme, a pasta ministerial em uma das mãos e um BlackBerry na outra.

— Querido. Está esperando há muito tempo?

— Não mesmo. Você está fabulosa como sempre, mãe.

Alexia lançou ao filho um revirar de olhos que dizia "ah, isso de novo", beijou-o nas duas bochechas e se sentou, então pediu tamboril defumado e uma salada verde, sem sequer olhar para o cardápio. Michael pediu o bife com fritas de sempre.

— Me desculpe por parecer tão apressada — falou Alexia. — Mas infelizmente...

— Você *está* apressada.

— Sim. Tenho essa porcaria de viagem a Paris amanhã com o ministro do Comércio, que me odeia. Mal tive um segundo para ler os documentos e agora seu pai insiste em que eu passe a noite em Oxfordshire antes de partir.

— Por quê?

— Ele acha que sua irmã e eu deveríamos passar mais tempo juntas. Como se o tempo fosse resolver alguma coisa.

Michael andara tão ocupado com o trabalho naquele ano que tinha visto Roxie muito pouco, e se sentia culpado por isso. Nas raras ocasiões em que tirava uma folga dos negócios, tentava passar o máximo de tempo possível com Summer, embora até isso fosse difícil, já que ela estava terminando a faculdade de jornalismo na NYU e Michael estava a quase 5 mil quilômetros de distância, em Oxford.

— As coisas não estão melhores com Roxie, então?

— As coisas estão na mesma. Abro uma porta e sua irmã a fecha. — Alexia deu um sorriso fraco, mas Michael conseguia ver a dor sob ele.

— Está mesmo abrindo portas, mamãe? — perguntou ele, com cautela. — Você às vezes é muito ríspida com Roxie, sabe.

— Eu sei. — Alexia suspirou. — Ela me frustra tanto, às vezes é difícil manter a calma. Mas *estou* tentando. Não quero desistir dela, Michael, mas é como se ela tivesse desistido de si mesma.

— Eu sei. — Michael suspirou.

— Enfim, chega dessa loucura. Como *você* está, meu querido? Como estão as coisas com a festa de papai?

— Maravilhosas, obrigado.

— Precisa de alguma coisa de mim?

— Não. — Michael bebeu um gole de água. — Você já fez mais do que podia. Tommy pediu para dizer que se algum dia se cansar de governar o país, você tem um emprego certo conosco.

Alexia deu uma gargalhada alta.

— Que gentil da parte de Tommy. Dê minhas lembranças a ele.

— Você não deve perder as esperanças com Rox, sabe — falou Michael, abruptamente. — Olhe como as coisas melhoraram comigo e com papai agora, em comparação com um ano atrás.

— Isso dificilmente é a mesma coisa.

— É sim, em alguns aspectos.

— Sua irmã jamais vai superar o fato de que Andrew Beesley a deixou. Não sei se ela quer superar isso, para dizer a verdade. Às vezes acho que Roxie se sente mais confortável como a vítima do que como uma pessoa feliz. — Alexia comeu um pedaço do peixe. — Isso parece absurdamente severo?

Parecia severo, embora Michael tivesse pensado o mesmo diversas vezes. Roxie gostava de ser a vítima, e Teddy gostava de ter uma vítima da qual tomar conta. De algum modo doentio e deturpado, a tragédia combinava com aqueles dois.

O rosto de Michael ficou sombrio.

— Odeio Andrew Beesley. Odeio tanto ele que é como uma dor no peito.

Alexia olhou para o filho com atenção.

— Odeia?

— Sim. Penso em como as coisas teriam sido diferentes se Roxie jamais o tivesse conhecido. Você não?

— Não — respondeu Alexia, com sinceridade. — Eu nunca penso no passado. O que aconteceu, aconteceu. Não pode ser mudado.

— Então você não odeia Andrew Beesley? — Michael parecia incrédulo.

— Não, eu não o odeio.

— Porque não tem problema se você odiá-lo, sabe. Seria normal.

Alexia gargalhou, mais por nervosismo do que por diversão. Algo a respeito do tom de voz de Michael a perturbava.

— Você *gostaria* que eu o odiasse?

— Não. Só estou dizendo que não a julgaria se o fizesse. Algumas pessoas são simplesmente ruins. Elas merecem sofrer. Elas merecem morrer.

O clima na mesa havia mudado. Michael estivera todo alegre e cheio de sorrisos quando Alexia entrou. Agora, de repente, estava tão frio que Alexia sentiu arrepios percorrerem seu corpo. Tivera a mesma sensação no número dez da Downing Street, quando Henry Whitman fora bastante enigmático a respeito do relacionamento dela com Sir Edward Manning.

*Será que Henry estivera tentando lhe dizer alguma coisa? Será que Michael estava tentando?*

— Como vai Summer? — perguntou Alexia, mudando de assunto para o que ela esperava que fosse um tópico mais alegre.

— Bem, eu acho.

— O que quer dizer com *acha*? Não sabe?

Desconfortável, Michael brincou com o guardanapo.

— Não a vejo faz uns dois meses, para ser sincero. Ela está em Nova York. Eu estou aqui. Não é fácil.

— Mas vocês se falam por telefone? Pelo Skype?

Michael assentiu sem convicção.

*Ai, meu Deus*, pensou Alexia. *Problemas no paraíso?* Ela esperava que não.

No início, Alexia não tinha compartilhado do entusiasmo de Lucy Meyer pelo fato de os respectivos filhos terem se tornado um casal. Mas Summer tinha sido boa para Michael. Ela o havia acalmado; dera a ele tranquilidade e satisfação a tal ponto que Alexia havia começado a torcer para que talvez as crianças *se casassem*. Certamente Summer Meyer seria uma nora muito mais aceitável do que a equipe de garçonetes, modelos e "estudantes" lituanas com as quais Michael saía antes de os dois ficarem juntos.

— Ainda são felizes juntos, não são?

— Mmm-hmm. — O guardanapo foi retorcido com mais força.

— E ela virá para a festa?

— Ã-hã. Vem no mesmo voo que Lucy e Arnie. Podemos mudar de assunto?

— É claro. — Mãe e filho conversaram, alegres, pelo restante da refeição, ambos fazendo piada com a obsessão excessiva de Teddy com as celebrações em Kingsmere e com a história da grandiosa família De Vere. Quando Alexia precisou ir embora, o humor esquisito que Michael exibira mais cedo havia desaparecido. Ele abraçou a mãe com o habitual sorriso despreocupado.

— Então, Paris amanhã?

— Paris amanhã. — Alexia suspirou. — Não consigo me lembrar da última vez que tive tanto trabalho.

— Não consegue? — Michael sorriu consigo mesmo. A mãe tinha sido uma viciada em trabalho com ambição voraz desde que ele nascera, e, quase certamente, desde muito antes disso. — Ouça, mãe, falei sério sobre Roxie. Não perca as esperanças. Bem no fundo, ela ainda ama você. Sei que ama.

Alexia beijou o filho nas duas bochechas.

— Tão gentil, meu menino.

Ela saiu do restaurante e não olhou para trás.

As reuniões sobre comércio em Paris foram entediantes, assim como todas as reuniões sobre comércio, pelo menos durante as sessões matinais. Na França, todos bebiam vinho no almoço, o que tornava a tarde um pouco mais suportável para a maioria das pessoas. Infelizmente, Alexia era completamente adepta do chá, um conceito tão estranho aos anfitriões parisienses que se tornou assunto de conversa.

— Mas é claro que toma vinho à noite, madame?

— Não, não. Eu não bebo.

— Ah, *oui, je vois*. Não bebe quando trabalha. Entendo. Esse é um hábito inglês, *n'est-ce pas*?

— Na verdade, não bebo álcool de jeito algum.

— Sinto muito. Não entendo.

— Não gosto.

— Não gosta?

— Não. Não é do meu gosto.

— Ah, *d'accord*. Mas tomará um pouco de Château Latour, é claro? Não é álcool, madame. É um excelente vinho.

Alexia tinha quase certeza de que Kevin Lomax estava por trás dos rumores de que ela não bebia porque era alcoólatra. Mas a última coisa que Alexia queria era ser arrastada para uma disputa contra Kevin, então deixou isso passar. As reuniões com Lomax eram estressantes, no melhor dos casos, e a questão do álcool não ajudava. Era um alívio poder escapar por algumas horas. Enquanto o ministro de Comércio e Indústria fazia um tour pela matriz da Renault e aproveitava sozinho o "*déjeuner de bienvenue*" do CEO da empresa, Alexia se retirava para fazer umas compras na Avenue Montaigne. Sem dúvidas os outros membros da delegação estariam embriagados quando ela voltasse para a sala do comitê. Alexia se irritava com o fato de que muito pouco era resolvido nas sessões da tarde, mas ela tentava se concentrar na tarefa que executava no momento: escolher um vestido para Roxie. Os assistentes na Christian Dior eram todos do sexo masculino, todos impecavelmente vestidos com ternos escuros como se fossem mordomos do século XIX e todos haviam dominado a arte do serviço eficiente e discreto.

— Como posso ajudá-la, madame? Está procurando roupas profissionais ou algo para a noite, talvez?

— Na verdade, eu queria algo para minha filha — disse Alexia. — Um presente.

Ela levara a sério o conselho de Michael e decidira se esforçar mais com Roxanne. Comunicações de natureza mais pessoal e emocional nunca foram o ponto forte de Alexia, por isso ela pensava em começar com uma oferta de paz. Um presente.

O assistente pegou a ministra pelo braço.

— Bem, madame, temos echarpes de seda clássicas, é claro. Muito chiques, muito bonitas. E nossa nova coleção de *sac-à-mains* acaba de chegar.

— Pensei em um vestido, talvez? Teremos uma festa de verão em breve e minha filha vai querer estar o mais linda possível. Ela é do mesmo tamanho que eu.

— E tão linda quanto a madame, tenho certeza — disse o assistente, com suavidade.

Uma antiga sensação de irritação percorreu Alexia, mas ela a suprimiu. Não era uma característica atraente sentir inveja da juventude e da beleza da própria filha, e Alexia não gostava de si mesma por isso. No fim das contas, ela amava Roxanne e sempre amaria.

Bateram-se palmas, estalaram-se dedos e, imediatamente, Alexia se viu cercada por metros de tecido farfalhante, algodão, estampa toile, seda texturizada, veludo e renda de todos os cortes e cores imagináveis. Fazia muito tempo desde que Alexia comprara roupas. Ultimamente, ela encomendava tudo pelo Net-A-Porter ou pedia a assistente pessoal que escolhesse as peças. Alexia percebeu que havia se esquecido de como a moda não virtual podia ser divertida.

Também tinha se esquecido de como os norte-americanos podiam ser irritantes, principalmente quando estavam de férias em outro país. Na cabine ao lado da de Alexia, uma mulher texana muito escandalosa e bastante vulgar gritava para que o marido desligasse o iPad e prestasse atenção nela.

— Eu juuuro por Deus, Howie, se você não desligar essa coisa agora mesmo, vou gastar tanto dinheiro aqui que você não vai conseguir pagar um táxi de volta para Georges V. — A mulher pronunciou "George Cinc", o que fez Alexia se encolher. Depois de ter erradicado o próprio sotaque americano quarenta anos antes, ela se incomodava com americanismos agora, como um ex-fumante que torce o nariz para a fumaça do cigarro dos outros. Obviamente, aquela mulher sentia a necessidade de se assegurar que a loja inteira sabia que ela e "Howie" estavam ficando no hotel mais caro de Paris.

— Você pode calar a porra da boca, Loreen? — respondeu o marido, entediado. — Estou tentando ouvir o noticiário aqui.

— O noticiário passa no hotel. Eu estou *tentando* fazer compras.

— Estou falando de notícias de verdade, não aquela porcaria comunista francesa.

"Notícias de verdade" se revelaram ser a emissora Fox, provavelmente o canal de que Alexia menos gostava. Mas, como o restante da loja, ela logo se descobriu ensurdecida pelo ruído do iPad de Howie, que estava no volume máximo, provavelmente para se impor e mostrar à jovem esposa estridente quem vestia as calças no relacionamento.

A equipe da Dior, como sempre, foi escrupulosamente educada.

— Senhor, creio que tenho de pedir que desligue isso.

— Pode pedir à vontade, Pierre — falou o texano, com grosseria. — Vou ouvir o noticiário e ponto final. Tem ideia de quanto dinheiro gastei na sua loja nas últimas 48 horas?

— Não, senhor, não tenho.

— É mais do que você ganha em um ano. Eu pago o seu salário, está bem, Pierre? Então vá embora.

— Howie! Pare de ser um babaca e me ajude a escolher um vestido.

Enquanto a discussão matrimonial continuava, Alexia se viu concentrada nas manchetes, como em piloto automático. O presidente dos Estados Unidos tinha feito um discurso popular no primeiro dia de sua viagem a Israel. Os gastos com a defesa norte-americana tinham subido de novo, pelo terceiro trimestre seguido. *Isso é um erro*, pensou Alexia. O euro estava caindo em relação ao dólar. Um arrogante homem de negócios de Miami tinha lançado o próprio nome para candidatura à Presidência da República na primavera seguinte. Mas foi o último item, acrescentado pela âncora quase como se ela tivesse se esquecido, que fez Alexia De Vere perder o fôlego.

— O corpo mutilado de uma jovem que foi levado pela correnteza para a praia de Jersey ontem de manhã foi identificado como sendo de Jennifer Hamlin, uma secretária de 22 anos do Queens, em Nova York.

*Jennifer Hamlin!*

O nome ecoou nos ouvidos de Alexia como um sino que ressoava terrivelmente. A mente dela retornou ao ano anterior. Billy Hamlin de pé na Parliament Square, chamando-a de Toni, implorando que ela o reconhecesse. Alexia ouvia a voz de Billy naquele momento, como se ele estivesse de pé ao lado dela.

— *Toni, por favor! É minha filha. Minha filha!*

*Ele estava assustado, temendo pela filha, e precisava da minha ajuda. Mas eu o dispensei. E agora a filha dele está morta. Assassinada, exatamente como o pobre Billy.*

Em meio à culpa, Alexia tentava se reconfortar em vão. Talvez fosse outra Jenny Hamlin? Não a filha de Billy? Mas ela sabia, no fundo do coração, que a coincidência era grande demais. Alexia se lembrava do arquivo sobre Billy Hamlin que Edward Manning havia compilado para ela. A família era do Queens. *O que Billy queria me contar sobre a filha? O que seria, enquanto eu estava com medo demais, autocentrada demais para ouvir? Será que eu poderia tê-la salvado? Salvado os dois?*

Alexia entregou os vestidos de volta ao assistente e saiu da loja, atordoada.

Do lado de fora, na Avenue Montagne, ela deu um telefonema.

— A filha de Billy Hamlin foi assassinada.

Do outro lado da linha, Sir Edward Manning não demonstrou emoção.

— Entendo. — Ele agira exatamente da mesma forma depois que Billy Hamlin foi encontrado morto no ano anterior, um caso que a polícia fechou sem identificar um único suspeito. Tranquilo. Calmo. Inabalado. Era o que Alexia esperava dele, o que queria, de certo modo, e, no entanto, irracionalmente, mesmo assim isso a chateava.

— Gostaria que eu fizesse alguma coisa, ministra do Interior?

— Sim. Consiga todas as informações sobe o caso. Tudo. Fale com a polícia dos Estados Unidos, com o Departamento de Estado, com o FBI. Não me importo como conseguirá isso e não me importo com quem saiba. Quero um relatório sobre o assassinato de Jennifer Hamlin na minha mesa quando eu voltar para Londres.

— E se as pessoas perguntarem por que o Ministério do Interior britânico está interessado em um inquérito sobre um assassinato norte-americano obscuro?

— Diga para se importarem com a porcaria dos próprios assuntos.

Alexia desligou, tremendo. De repente, as reuniões sobre comércio e a festa de verão idiota de Kingsmere não importavam mais. Ela só conseguia pensar em Billy Hamlin e em sua pobre filha. Exatamente como acontecera no verão anterior, o passado de Alexia emergia para reclamá-la. Mas dessa vez, ela não podia resistir. Não podia enfiar a cabeça na areia e simplesmente fugir. As pessoas estavam morrendo. *Por minha culpa?*

Naquela noite, Alexia De Vere pegou o Eurostar de volta a Londres com uma enorme sensação de augúrio no coração.

Roxanne De Vere jamais recebeu sua oferta de paz.

# Capítulo 23

Lucy Meyer se sentou na ponta da cama e começou a desfazer a mala com cuidado.

— Por que está fazendo isso? — perguntou Arnie. — Vou pedir que a recepção envie uma empregada.

— E deixar que uma garota malnutrida e sem treinamento da Europa Oriental deixe marcas de dedos imundos no meu Alaiia vintage? Não, obrigada — bufou Lucy. — Eu mesma o farei.

Arnie gargalhou. Ele se divertia com o fato de que mesmo ali, no ultraluxuoso Dorchester Hotel de Londres, onde havia reservado para a família uma das duas suítes reais (um membro da realeza de verdade, aparentemente, estava na outra suíte), a esposa desconfiasse demais de estrangeiros a ponto de deixar que a equipe do hotel a ajudasse a desfazer as malas. Arnie estava casado com Lucy havia muito tempo e aprendera a achar as idiossincrasias da mulher adoráveis, em vez de irritantes. Ao mesmo tempo, como um financista internacional que passava metade da vida em outras culturas, ele achava estarrecedor que a mulher pudesse ser tão resolutamente resistente a todas as coisas europeias. De acordo com Lucy Meyer, se algo não era feito *exatamente* como nos Estados Unidos, então era feito do modo errado.

Os Meyer tinham viajado para a festa de verão dos De Vere em Kingsmere, que aconteceria no próximo final de semana. Todos os vizinhos de Pilgrim Farm sabiam que Teddy e Alexia não fariam a viagem anual para Vineyard naquele ano por causa de algum evento grandioso de Teddy na Inglaterra. Mas somente quando chegaram em Londres, Lucy e Arnie perceberam exatamente como o evento do fim de semana seguinte seria extravagante. O primeiro-ministro britânico e sua esposa, Charlotte, voltariam das férias na Sicília para participar. Todos os jornais ingleses publicavam fotos de paparazzi das diversas celebridades internacionais que se reuniam em Londres como pombos exóticos, tudo isso ao comando da glamorosa ministra do Interior da Grã-Bretanha. Ainda mais emocionante era o fato de um grande número de celebridades passar as noites antes da festa no Dorchester, recuperando-se do jet lag e sendo vistas com frequência. Lucy Meyer já vira o príncipe Albert de Mônaco no bar do térreo, e o primeiro-ministro espanhol e a mulher tinham feito o check-in imediatamente antes dela e de Arnie. *Literalmente ao nosso lado na recepção!*, como Lucy escreveu, animada, em sua página do Facebook.

— Espero que Summer tenha optado por um vestido formal o bastante — disse Lucy, temerosa, enquanto pendurava o vestido prateado longo. — Lembra-se do último Natal, no White House Correspondents' Dinner, quando ela usou um modelo na altura dos joelhos? — Lucy estremeceu de leve e involuntariamente ao pensar nisso.

— Summer está sempre linda — falou Arnie Meyer, com lealdade. — Além disso, Michael organizou essa coisa, não foi? Tenho certeza de que ele a informou sobre o traje.

— Espero que sim. — Lucy pareceu preocupada. — Mesmo assim, acho que vou passar na Harrods antes de ela chegar e escolher umas duas opções de reserva, só para o caso.

— Só duas? — brincou Arnie. — Não faria mais sentido comprar todos os vestidos longos de alta-costura, querida? Você não quer deixar nada ao acaso.

— Você pode achar graça. — Lucy pegou a bolsa Chanel com acabamento em matelassê que estava na mesa ao lado da porta. —

Mas é muito importante para uma mulher se vestir de forma adequada nesses eventos.

— Eu sei disso, querida.

— Afinal de contas, Summer vai participar da festa como uma nora em potencial. Não nos esqueçamos disso.

Arnie Meyer revirou os olhos.

*Esquecer?* Com a febre por casamento de Lucy mais forte do que nunca, não havia chance de isso acontecer.

SUMMER MEYER ESPEROU AO lado da esteira número oito pela chegada da mala.

E esperou.

E esperou.

Finalmente, foi até o balcão de ajuda.

— Você tem certeza de que tudo foi retirado do avião?

— Creio que sim, senhorita. Tem a etiqueta da sua bagagem em mãos? Deve estar na parte de trás da passagem.

Summer vasculhou a bolsa. Como sempre, estava uma desordem total, cheia de maquiagem, canetas, barras de chocolate comidas pela metade e pedaços de papel com ideias para artigos especiais rabiscadas. Mas nada de passagem.

— Eu devo ter deixado no avião.

O homem no balcão foi compreensivo, anotou a descrição que Summer forneceu da mala sem etiqueta ("preta" e "grande") sem sequer dar um risinho. Mas ambos sabiam que seria um milagre se ela visse a mala de novo. Exausta e sentindo-se derrotada, ela pegou o primeiro trem expresso de Heathrow para Londres e afundou-se no assento, à beira das lágrimas.

*Qual é o meu problema? Preciso mesmo me recompor.*

Um observador imparcial poderia ter respondido a primeira pergunta de Summer com apenas um olhar. As sombras escuras sob os olhos e o tom pálido da pele dela demonstravam quanto Summer havia dormido pouco no último mês. O programa de jornalismo na NYU era intenso e requeria muitas noites viradas e muitas horas na sala de aula ou acorrentada à mesa de estagiária no *Post*. Mas o verdadeiro motivo para a falta de sono da jovem estava mais perto de casa.

Michael estava agindo de modo estranho. Fazia meses. Quando começou, pouco depois do Natal, Summer atribuiu o comportamento à pressão do trabalho. A Kingsmere Eventos ainda era um negócio novo, e Michael e Tommy trabalhavam como escravos para fazer com que desse lucros. Em geral, isso significava viagens exaustivas ao exterior, com uma festa em Cape Town em uma noite e outra em Londres ou Paris ou Nova York na seguinte. Com poucos empregados e funcionando à base de adrenalina e café espresso, não era surpreendente que Michael tivesse pouco tempo para romance.

Além de tudo isso, havia a coisa da distância. Summer tinha os próprios compromissos em Nova York, os próprios sonhos e ambições. Ela não podia ficar viajando de avião para a Inglaterra para bancar a esposinha para Michael De Vere. No entanto, o comportamento instável dele ia muito além disso. Os telefonemas esquisitos, as viagens canceladas, as mudanças de temperamento incomuns quando os dois estavam juntos, seguidas por rompantes de culpa. Podia ser intuição feminina ou o faro jornalístico para a verdade, mas Summer Meyer sabia que havia alguma coisa acontecendo, alguma coisa que Michael não contava a ela. E não era preciso ser Einstein para saber o que poderia ser.

Michael De Vere sempre foi mulherengo. Mesmo quando adolescente, tinha uma fila inteira de namoradas em rotatividade permanente. Summer sabia disso. Tinha entrado naquele relacionamento de olhos abertos. Mas, como uma tola, achou que ele poderia mudar. *Pior, achei que eu poderia mudá-lo. Que clichê.*

No dia anterior, logo antes de Summer ir para o aeroporto, Michael ligara.

— Estive pensando. Por que não fica com seus pais no Dorchester durante as duas primeiras noites? Vou estar atolado aqui nos preparativos de última hora. Você iria se divertir muito mais exercitando o AmEx de Arnie na Bond Street do que no meu apartamento em Oxford enquanto trabalho.

Summer concordara — o que mais poderia fazer sem parecer desesperada? —, mas por dentro, seu coração estava pesado. Michael e ela não se viam há meses. Mas em vez de estar contando as horas até estarem juntos novamente, ele estava adiando aquele momento.

*Se mudou de ideia quanto a mim, por que simplesmente não termina? Por que prolongar a tortura?*

Summer odiava Michael por isso, mas se odiava ainda mais por não ter coragem de alertá-lo. Ela não sabia quando, por que ou como tinha acontecido, mas estava tão apaixonada por Michael De Vere que era tão indefesa quanto um gatinho atirado em um rio, se debatendo e miando inutilmente enquanto o nível da água subia.

— Próxima parada London Victoria. Parada final.

Será que o relacionamento de Summer e de Michael teria sua parada final na festa de verão em Kingsmere? Ou antes disso?

Summer não suportava pensar nisso.

MICHAEL DE VERE ESTAVA de mau humor.

— Não me importo, Ajay, está bem? A moldura deveria ter chegado ontem. — Enquanto gritava com um walkie-talkie, ele caminhava de um lado para outro na propriedade da família, como um tigre faminto em busca do almoço. — Estou sentado aqui com cem mil em flores, lona o bastante para cobrir a frota da Marinha Real, uma escultura de gelo derretendo que foi entregue dois dias antes e não tenho marquise, porra. Não vou pagar um centavo a não ser que vocês cheguem aqui em uma hora.

O exterior de Kingsmere era glorioso no mês de junho, uma abundância de flores de maçã, de rosas e de buddlejas perfumadas irrompendo com vida e cor. Às seis da tarde, a casa era banhada por um brilho cor de mel da luz do fim do dia, tão aconchegante e convidativa quanto magnífica, arquitetonicamente falando. Teddy aparecera do lado de fora mais cedo, um orgulhoso Sr. Sapo observando os preparativos da festa no Salão do Sapo, sem, de fato, compreender nada do que acontecia. O que Teddy viu foram inúmeros jovens correndo de um lado para outro com talheres, louça, balões e coisas do tipo. Ele estivera apreensivo quanto a deixar Michael e Tommy organizarem um evento tão prestigioso, do qual dependia tanto a honra da família De Vere. Mas os garotos tinham sido muito diligentes, chegando antes do amanhecer para verificar a entrega dos banheiros químicos chiques e, no todo, comandando o que parecia ser um navio rigoroso.

Michael sorriu para o pai e fez um aceno confiante. Mal sabia Teddy que era o aceno do proverbial náufrago. Com menos de 72 horas até que os convidados VIPs da mãe começassem a chegar, Michael De Vere estava de pé em um jardim cheio de trabalhadores, comida, equipamentos e nenhuma porcaria de tenda. Enquanto isso, Alexia, que havia retornado da viagem a Paris com a aparência pálida de um lençol, tinha desaparecido completamente, entocada em Londres sem retornar às ligações de Michael. Roxie estava mais carente do que nunca conforme a perspectiva de uma noite aos olhos do público se aproximava. E, acima de tudo isso, Summer tinha pousado em Londres naquele dia e, naturalmente, esperava passar algum tempo com Michael.

*Estou sendo covarde. Deveria ser honesto com ela, e não adiar as coisas sem explicação*, pensava Michael. Mas havia um limite para a quantidade de estresse que ele podia suportar. Era uma sensação esquisita, querer ver alguém e ao mesmo tempo não querer. O trabalho era uma distração bem-vinda.

O celular dele tocou. Michael leu a mensagem de texto e sorriu, então verificou o relógio.

— Estamos com pressa, não é? — falou, brincando, Tommy Lyon, parceiro e melhor amigo de Michael. — Espero que não esteja pensando em dar o fora.

— Dá um tempo. Passei metade da noite aqui ontem — respondeu Michael, de modo racional.

— Trabalhando no pagode? Sim, eu vi. Você parece ter passado as horas do luar cavando um enorme buraco e preenchendo-o com concreto. Está fabuloso, aliás.

— Ha-ha.

O "pagode" ao qual Tommy se referia deveria ser a peça central da celebração dos 300 anos de Kingsmere. Teddy De Vere encomendara a construção de uma extravagância com colunas em estilo neogrego próxima ao lago, mas o projeto fora marcado por um problema após outro, desde um sistema de drenagem ruim até fundações que afundaram. No fim, Michael assumira. Tão próximo do fim do dia, ele fora forçado a implementar uma política de controle de danos, derramando concreto sobre as fundações ainda inacabadas. Com sorte, o concreto estaria seco no dia seguinte. Então, os paisagistas de Michael e de Tommy o cobririam com enormes oliveiras em vasos, amarrariam alguns pisca-piscas e, *voilà*, um jardim florentino improvisado.

— Não vai demorar muito — assegurou Michael a Tommy. — Quarenta minutos. Uma hora no máximo.

— Isso é tudo o que oferece a elas ultimamente? — provocou Tommy. — Pobrezinha. Quem quer que seja, tem minha compreensão.

Michael fez uma careta.

— Só assuma o meu lugar, pode ser?

— Tudo bem. E se sua namorada aparecer perguntando para onde você foi?

— Ela não virá. Está em Londres. Fazendo compras.

Tommy Lyon observou o amigo subir na nova Ducati e sair acelerado pela garagem. Um dia desses, os modos travessos de Michael cobrariam seu preço.

Tommy Lyon não sabia como o amigo conseguia.

* * *

ARNIE MEYER TINHA RESERVADO uma mesa para três no Scalini. O espaguete *alle vongole* era o melhor de Londres, podia-se pedir uma garrafa de Sangiovese e ganhar a segunda e ficava próximo o bastante da Harrods para que Lucy saísse da loja de roupa de noite da Marc Jacobs sem se incomodar em voltar para o hotel. Por saber que Summer estaria cansada e faminta depois do voo, Arnie fizera a reserva cedo: às sete e meia.

Com todos os planos de compras e de passeios de Lucy, Arnie Meyer sentia como se mal tivesse passado cinco minutos com a esposa desde que haviam chegado em Londres. Ele estava ansioso pelo jantar daquela noite. A presença de Summer seria um bônus.

— A mesa de sempre, senhor?

— Sim, por favor, Giacomo.

Arnie sorriu. Não ia ao Scalini fazia mais de quatro anos, mas aquelas pessoas se esforçavam para servir bem.

— E um gim-tônica enquanto espero as damas.

— É claro, Sr. Meyer.

Arnie Meyer adorava a Inglaterra. Estava feliz por ter feito aquela viagem, feliz porque Teddy De Vere insistira para que fosse. Depois que suas duas garotas preferidas chegassem, a noite seria simplesmente perfeita.

SUMMER ACORDOU QUANDO o trem chacoalhou até parar. *Já se passou uma hora?* Os cabelos castanhos dela estavam oleosos, brilhantes e colados às bochechas, e havia uma mancha úmida muito pouco atraente no lugar em que a baba havia caído na camiseta.

Ela queria tomar banho e trocar de roupa, se aconchegar entre lençóis recém-lavados e dormir durante um ano. Em vez disso, deveria estar em um restaurante italiano chique em menos de 15 minutos. Com a mala perdida sobre o Atlântico, Summer nem sequer tinha a opção de trocar de roupa no banheiro da estação. Àquela altura, mesmo uma camiseta limpa e um borrifo de perfume seria um luxo.

Se ao menos pudesse faltar àquela porcaria de jantar. Mas Summer sabia o que o pai diria se ela desistisse agora. "*Você é uma Meyer ou um rato?*" Ao pensar nas expressões tolas de Arnie, ao imaginar a voz do pai, ela começou a rir, e então a chorar.

*Preciso mesmo me recompor.*

Lucy Meyer chegou ao Scalini sem fôlego devido ao peso de bolsa após bolsa de roupas caras.

— Me desculpe pelo atraso. — Ela beijou a bochecha de Arnie.

— Está *mesmo* atrasada.

— Eu sei, querido. Acho que me empolguei um pouco. — Lucy deu um sorriso tímido.

Arnie conteve a irritação. Não sabia como Teddy De Vere conseguia viver, esperando constantemente pela esposa, jogando em posição recuada. O homem devia ser um santo. Por outro lado, pelo menos Alexia tinha desculpas melhores para os atrasos do que umas compras demoradas na Harrods.

— Onde está Summer? — perguntou Lucy, aparentemente alheia ao mau humor do marido.

— Me diga você. Acho que ela herdou o senso de pontualidade da mãe.

— Tenho certeza de que vai chegar em um minuto. Por que não pedimos aperitivos enquanto esperamos. Essas compras todas me exauriram.

*Sim. Um santo.*

*Definitivamente um santo.*

Summer estava atrasada.

O assistente pessoal que lhe dera instruções de como chegar ao restaurante estava confuso ou deliberadamente queria implicar com ela, pois *de modo algum* o restaurante ficava "em uma reta, à esquerda" da estação de trem. E nenhuma das pessoas que Summer parou na rua tinha ouvido falar dele, apesar da insistência do assistente de que era "um marco. Muito famoso".

Finalmente, quase nove da noite, ela se viu de pé do lado de fora. O lugar parecia aconchegante, não chique, totalmente iluminado por velas e com um cheiro convidativo de alho e azeite trufado que pairava até a rua através das janelas abertas. Do lado de dentro, um ruído baixo de risadas e conversas aumentava a atmosfera calorosa e tranquila.

*Se ao menos eu me sentisse calorosa e tranquila. Mas agora estou aqui. Precisa ser feito.*

Depois de estampar um sorriso no rosto e erguer a cabeça, Summer entrou. Ela viu a mesa imediatamente, caminhou até ela e se sentou.

— Summer! Meu Deus, o-o que está fazendo aqui?

O sangue deixou o rosto de Michael De Vere como se fosse água saindo da banheira.

— Acho que precisamos conversar, Michael. Você não acha?

ARNIE MEYER DESLIGOU.

— Bem, pelo menos está segura. Está em Oxford com Michael.

Os olhos de Lucy se arregalaram.

— Oxford? Isso foi meio repentino, não é? Por que será que não ligou para nos avisar?

— Porque ela tem 23 anos e a mesma consideração com os sentimentos dos outros que uma mosca frívola?

Lucy gargalhou.

— Acho que deve ser isso. Ela disse... quero dizer, acha que as coisas estão bem entre os dois?

Arnie revirou os olhos.

— Quem sabe? Ela disse que estavam "conversando sobre umas coisas", o que quer que isso signifique. Quer *tiramisu*?

Lucy não deveria comer, não se quisesse entrar no vestido no sábado. Mas o carrinho de sobremesas parecia bom. E ela tivera uma tarde exaustiva.

— Ah, pode ser, então. — Lucy piscou para o marido. — A gente só vive uma vez.

Summer estava deitada nos braços de Michael sentindo-se uma tola. Quando a assistente pessoal tapada da Kingsmere, Sarah, disse a ela que Michael tinha feito reserva no Bepe, em Oxford, às oito da noite — mesa para dois —, Summer se convenceu de que ele iria se encontrar com outra mulher. Por impulso, ela pegou o primeiro trem de Paddington com a intenção de confrontá-lo, mas, ao chegar no restaurante, encontrou Michael sozinho.

— Onde está sua companhia? — perguntou ela, de modo sarcástico.

— No banheiro.

— Entendo. Não se importa se eu esperar aqui, então? Estou louca para conhecê-la.

— Está?

Michael parecera mais confuso do que em pânico. Quando a companhia dele retornou do banheiro, Summer entendeu o porquê. Ela foi apresentada a um cavalheiro indiano perfeitamente charmoso. Ajay Singh tinha 50 e poucos anos, um leve cheiro de solvente e era um dos principais fornecedores de Michael e de Tommy.

— Achei que tivesse dito a você que eu precisava trabalhar esta noite — falou Michael, mais tarde, enquanto os dois caminhavam para o apartamento dele pelas ruas secundárias. A noite parecia onírica em Oxford, quente e sem nuvens, com um cobertor de estrelas brilhando sobre o rio como vaga-lumes. Eles passavam por casais de universitários agarrados na escuridão, e ali perto os sinos da Christchurch Cathedral soavam a meia-noite, como haviam feito todas as noites nos últimos oitocentos anos.

— Você disse. — Summer pegou a mão de Michael. — Mas eu queria muito ver você. Não está feliz por eu ter vindo?

— Você ainda não chegou por completo. — Puxando-a para si, Michael beijou a namorada com ferocidade. Era uma paixão que Summer não sentia havia meses, que temia que tivesse se perdido para sempre. — Mas vai chegar.

Michael cumpriu com a palavra. Na cama, mais tarde, os dois fizeram amor intensamente, de modo selvagem e maravilhoso, como havia sido no verão anterior, quando ficaram juntos pela primeira vez em Martha's Vineyard. Assim que Michael a tocou, Summer sentiu o cansaço deixar seu corpo e a tristeza de apenas algumas horas antes evaporar como gotas de chuva ao sol.

*Era coisa da minha cabeça. Não há nada de errado. Ele está trabalhando demais e nós estamos vivendo a oceanos de distância. Tudo vai ficar bem agora que estamos juntos de novo.*

Ao esticar um braço preguiçoso, Summer acariciou as costas nuas de Michael.

— Está nervoso com relação a sábado à noite?

— Nervoso? Estou aterrorizado. Tommy inventou uma expressão ótima ontem. Ele disse que eu estava "cagando porco-espinho". Estou mais ou menos assim.

Summer gargalhou porque além de ser engraçado também era um alívio enorme que fossem Summer e Michael de novo, e não os estranhos desconfiados que haviam se tornado.

— Vou precisar me lembrar disso. Encaixar em um artigo sobre política no Post: "Senador Brownlow 'cagando porco-espinho' devido às prévias eleitorais em Iowa." É, gostei. Acho que vai pegar. E quanto aos seus pais. Eles estão calmos?

— Minha mãe sim. Minha mãe está sempre calma.

Era imaginação de Summer ou um tom diferente tomara a voz de Michael?

— E Teddy?

— Para papai, essa festa representa a honra da família. Trezentos anos de De Veres em Kingsmere. Ele só se importa com isso. Não acho que ele compreendeu o quanto isso cresceu, o quanto significa para a carreira de mamãe. Quero dizer, todos irão para vê-la. Ninguém dá a mínima para a árvore genealógica da família De Vere.

Sem pensar, Summer disparou:

— Achei que você estivesse com outra pessoa esta noite. Outra mulher. Achei que fosse flagrar você.

— Ah. — Michael franziu a testa. — Foi por isso que veio?

Summer assentiu, mordendo o lábio inferior e desejando que as lágrimas não descessem.

— Me desculpe. É que as coisas andam tão... tão distantes entre nós ultimamente. Eu me senti tão distante de você.

Michael levou um dedo aos lábios dela.

— Shhh. Não vamos conversar sobre isso. Também peço desculpas. Eu amo você.

Os dois se beijaram de novo. Summer se sentiu tomada por uma sensação de alívio, como se estivesse prendendo a respiração nos últimos seis meses e finalmente tivesse soltado o fôlego. Quando, por fim, os dois se separaram, ela falou:

— Não quero que tenhamos segredos entre nós. Quero que nos conheçamos totalmente.

— Não tenho certeza se isso é possível.

Summer ergueu uma sobrancelha.

— Você não acha que a honestidade seja possível?

— Até certo ponto, sim — disse Michael. — Mas todos têm segredos, não têm?

— Têm? — Summer estava começando a se sentir desconfortável.

— Acho que sim. Mas isso não precisa ser uma coisa ruim. Segredos podem ser um fardo. Quero dizer, depois que se sabe de uma coisa, é o fim. Jamais poderá não saber. Jamais poderá devolver esse conhecimento. A inocência que tinha antes desaparece. Não se deve causar isso a alguém, a não ser que seja mesmo preciso. Principalmente a alguém que se ama.

Summer se sentou.

— Tudo bem, agora você está me assustando. Quer me contar alguma coisa, Michael?

— Não! Essa é a questão. Não quero.

— Certo, você *não* quer me contar alguma coisa? Alguma coisa específica?

— Eu jamais deveria ter começado esse assunto, não é? — Michael tentou afastar a conversa com uma gargalhada, mas a leveza de momentos de antes tinha sumido. — Olhe, de verdade, você está se preocupando à toa. Isso não diz respeito a nós. Tudo bem?

— Tudo bem — respondeu Summer, cautelosa.

— Estou falando de maneira puramente hipotética. Digamos que tenha um segredo. Algo ruim que alguém fez.

— Tudo bem.

— Estou falando de algo *muito* ruim. E digamos que você ame a pessoa que fez isso.

— Mas não estamos falando de nós, certo?

— Não estamos falando de nós. Você contaria à pessoa que sabe? Você a confrontaria?

Summer pensou a respeito.

— Depende da pessoa. E do segredo.

— Isso não é uma resposta.

— Bem, você não fez uma pergunta! Foi uma charada. Tudo bem, darei uma resposta. A resposta é: você segue a consciência. Faz aquilo que parece certo para você.

Michael se virou e olhou para ela. As sombras sob os olhos de Summer estavam mais escuras e mais densas do que o normal. Ela parecia cansada — *isso é por minha causa?* —, mas ainda tão bonita. Ele havia se esquecido de como Summer era linda.

*Sou um idiota. Um perfeito idiota.*

— Sabe o que parece certo para *mim*? — perguntou ele.

— O quê?

Sorrindo, Michael rolou para cima de Summer.

— Isto.

Ele estava feliz porque ela tinha ido até Oxford. Estava ainda mais feliz porque Summer decidira surpreendê-lo no Bepe, e não no apartamento algumas horas mais cedo. Que filme de terror teria sido. A culpa tomou conta dele por um momento, mas Michael afastou a sensação. O que estava feito, estava feito. Depois que aquela festa doida terminasse, ele se concentraria mais em Summer, a compensaria por todo o mau comportamento.

Quanto aos seus segredos, esses Michael levaria para o túmulo.

# Capítulo 24

Finalmente, chegara o dia da festa de verão em Kingsmere. Alexia De Vere acordou antes do amanhecer depois de mais uma noite de sono interrompido. Depois de seguir de fininho até o banheiro, para não acordar Teddy, ela olhou para o próprio reflexo no espelho. Uma velha a encarou de volta. Fios cinza lutavam para emergir sobre os loiros, a pele parecia seca, flácida e velha, como massa de pão dura, e linhas de exaustão e estresse percorriam seu rosto em fissuras profundas, irradiando dos olhos e dos lábios.

Aquilo não iria dar certo.

Depois de ligar o BlackBerry, Alexia disparou um e-mail para a assistente pessoal, Margaret, para marcar um cabeleireiro, um esteticista e um maquiador para irem até a casa dela no início da tarde a fim de consertar os danos. Sir Edward Manning gerenciava a vida política de Alexia, mas quando se tratava de assuntos pessoais, Margaret French era seu braço direito. Depois de mandar o e-mail, Alexia fechou o robe de caxemira ao redor do corpo e desceu para o escritório.

— Bom dia, madame. Acordou cedo. Posso lhe trazer um café?

Graças a Deus por Bailey. Bons mordomos eram uma raça em extinção, mas o de Kingsmere era o melhor.

— Ah, por favor, Bailey, isso seria ótimo. O mais forte que puder fazer, com leite morno e adoçante à parte. E umas torradas de centeio.

— Levemente tostadas, senhora. Espero saber do que gosta a esta altura.

Que alívio estar em casa, em um lugar no qual os pequenos rituais eram importantes e o fundamental na vida não havia mudado. Desde Paris e da tarde terrível na Dior, quando soubera do assassinato de Jennifer Hamlin, Alexia sentia como se o mundo — o mundo dela — tivesse enlouquecido. Durante o dia, a agenda no Ministério do Interior estava lotada como nunca. Reuniões do Comitê de Educação aqui, inaugurações de hospital ali, artigos sobre todos os temas para serem compreendidos, desde a montagem de tribunais do júri para terroristas até o crescentemente contencioso e impopular tratado de extradição com os Estados Unidos. Mas, o tempo todo, no fundo da mente, o destino de Billy Hamlin e da filha dele a assombravam. Quando Alexia almoçava, quando ia ao banheiro, quando dormia, quando ligava a TV, lá estava o rosto de Billy como o fantasma de Banquo, exigindo a atenção dela, exigindo justiça.

*Vim até você por causa da minha filha.*

*Eu precisava da sua ajuda.*

*Mas você me dispensou.*

Todos os dias, a culpa voltava como um pedinte à porta do coração de Alexia, exigindo entrar. *Você devia tanto a Billy Hamlin. E deu a ele tão pouco*. Mas todos os dias, com uma força de vontade extrema, ela a afastava. Os crimes do passado eram os crimes de Toni Gilletti, e Toni Gilletti estava morta. Ela era Alexia De Vere: esposa dedicada, mãe competente e política comprometida, mudando para sempre o país que adotara. Não havia matado ninguém. Não era culpa dela.

A culpa podia ter sido expulsa, mas a curiosidade foi aceita e logo estava correndo solta. Quem matara Billy e Jennifer Hamlin, e por quê? Será que as mortes estavam conectadas entre si, ou com ela, ou tinham, de fato, sido meros atos aleatórios de violência, dois incidentes de crueldade isolados em um mundo muito, muito cruel? Mais importante, todo o possível tinha sido feito para que o assassino, ou os assassinos, fossem levados à Justiça? Ao longo da carreira política, Alexia De Vere foi uma ardente defensora das vítimas de crimes violentos, pedindo por sentenças mais duras para aqueles que aterrorizavam os mais fracos. Billy e Jennifer Hamlin tinham sido fracos.

Toni Gilletti não ajudara Billy Hamlin quando ele precisara dela. Mas talvez Alexia De Vere pudesse usar sua influência para ajudá-lo agora?

O café e a torrada chegaram. Revitalizada pelos dois, Alexia abriu a pasta e pegou o arquivo que Sir Edward Manning havia compilado sobre o assassinato de Jennifer Hamlin. Edward realmente fizera um grande esforço, pedindo favores ao FBI e à Interpol. Ele conversara com jornalistas em Nova York, navegando por um mar de informações oficiosas como uma enguia diligente e determinada, condensando e refinando a busca de modo a apresentar somente os fatos mais relevantes e comprováveis para a ministra do Interior. Como sempre, Alexia ficou impressionada e agradecida. Edward tinha se tornado seu aliado político mais próximo, mais próximo até do que a família, às vezes. Um dia ela precisaria agradecer de maneira apropriada.

As primeiras seis páginas eram fotos do cadáver grotescamente mutilado de Jennifer Hamlin. Alexia as vira muitas vezes, mas o poder de choque das fotos não havia diminuído. *Que tipo de animal fez isso?* Billy, ao menos, morrera de forma limpa, executado por um único ferimento a faca no coração. Mas sua pobre filha tinha, obviamente, sido torturada. Cada um dos membros de Jennifer estava coberto por marcas de queimadura e ferimentos de ligadura eram visíveis nos punhos dela, nos tornozelos e no pescoço. De acordo com a necropsia, no entanto, Jenny Hamlin estava viva quando atingiu a água. A causa oficial de morte era afogamento.

*Afogamento.*

Alexia balançou a cabeça, forçando as imagens indesejadas a saírem. Seria coincidência? Ou o modo como a filha de Hamlin morreu era tão significativo quanto a morte?

Alexia percebeu que tudo o que sabia de verdade sobre Jennifer Hamlin era que tinha sido assassinada. A vida e a personalidade da jovem permaneciam opacas. A mãe de Jenny, Sally, e os amigos retrataram o mesmo para a polícia: uma garota quieta e introspectiva, feliz no emprego como secretária jurídica e com um relacionamento estável com o namorado, um padeiro local chamado Luca Minotti. Os parceiros eram sempre os primeiros suspeitos em assassinatos envolvendo jovens mulheres, mas não havia dúvida quanto à inocência de Minotti. Ele estava na Itália visitando parentes na semana em que Jenny desapareceu, e mais de trinta clientes confirmaram a presença dele na padaria no dia do assassinato.

O mais triste era que Jenny Hamlin estava grávida quando foi morta. Luca Minotti sabia sobre o bebê e, aparentemente, estava exultante com a perspectiva da paternidade. Ele e Jenny estavam guardando dinheiro para o casamento. Era tudo horrível. Ninguém conseguia pensar em uma pessoa que pudesse querer machucar aquela jovem doce e familiar.

Ninguém, exceto por Billy Hamlin.

Billy estivera convencido durante anos de que Jennifer estava em perigo. Por dois anos, antes de morrer, ele perturbara a polícia de Nova York, o FBI, os jornais locais e qualquer um que ouvisse as reclamações sobre os telefonemas ameaçadores. "A voz" iria machucá-lo. Mataria a filha dele. Infelizmente, Billy também contou à polícia que diversas figuras públicas estavam em perigo. Entre elas estavam dois jogadores de beisebol proeminentes, o governador de Massachusetts e uma modelo de biquíni australiana chamada Danielle Hyams por quem Billy fora rapidamente obcecado durante a última onda de depressão profunda. Não era surpreendente que as alegações dele fossem descartadas como sintomas da doença mental. A polícia não conseguiu encontrar registro de telefonemas suspeitos para o celular de Billy ou para o número fixo, e Billy não conseguiu apresentar uma única evidência gravada. A própria Jennifer Hamlin nunca fora contatada, assim como nenhum dos outros indivíduos que Billy mencionou.

Alexia deu um salto. O BlackBerry estava tocando. Mal passava das seis horas. Quem estaria ligando àquela hora da manhã?

— Alexia? É Henry. Acordei você? — A voz do primeiro-ministro parecia contida.

— Não. Não, estou acordada. Está tudo bem?

— Tudo bem. Nenhuma crise. Eu provavelmente não deveria ter ligado tão cedo. Só queria avisar que acho que Charlotte e eu não poderemos ir hoje à noite.

— Ah. — Alexia engoliu o desapontamento e a irritação. Se não havia crise, era imperdoável desistir tão tarde. — Que pena.

— Sim. Algo... pessoal surgiu — disse Henry, desconfortável. Alexia imaginou se o "algo" seria a mulher de certo benfeitor chamada Laura Llewellyn, mas não disse nada. — Sinto muito.

Alexia desligou. A raiva inicial deu lugar à inquietude. O primeiro-ministro andava se comportando de modo visivelmente esquisito perto dela nos últimos dias. Ela sentia uma hostilidade em Henry Whitman que não havia antes. *Aqueles desgraçados no gabinete fariam qualquer coisa para me ver falhar. Será que o convenceram? Talvez Edward Manning saiba de algo? Talvez tenha sido por isso que Henry me perguntou sobre ele no outro dia, quase me forçando a me livrar de Sir Edward como secretário pessoal parlamentar.*

Ou talvez Charlotte Whitman fosse o problema. As mulheres costumavam ter ciúmes dos relacionamentos profissionais dos maridos com outras mulheres. *Mas sou velha demais para ser considerada uma ameaça.*

*Talvez seja MESMO Laura Llewellyn? Deve ser algo sério para que Henry execute um desvio tão público com relação a um compromisso de longa data.*

Somente depois de cinco minutos de especulação prolongada e infrutífera Alexia se recompôs. *Você está sendo paranoica. Está deixando o estresse tomar conta.* Os assassinatos dos Hamlin estavam causando noites em claro, além da ansiedade da festa daquela noite e das batalhas diárias da vida como mulher em Westminster. Alexia precisava mesmo de uma pausa.

O telefone tocou de novo. Dessa vez, era uma mensagem de texto de Lucy Meyer.

*Mal posso esperar para vê-la!!*, dizia, seguido de uma fileira de emoticons sorridentes, animados e jogando beijinhos. *A festa vai ser sensacional!!!*

Alexia riu alto. Sentira falta de Lucy naquele ano, com a animação incansável e o entusiasmo infinito. A mulher faria com que gravassem pontos de exclamação no próprio túmulo.

Depois de pegar com cuidado o arquivo dos Hamlin, Alexia o colocou dentro da gaveta da escrivaninha, trancando-a.

*Para o inferno com Henry Whitman. Teddy e eu vamos ver nossos amigos esta noite e relaxar.*

*Será divertido.*

MICHAEL DE VERE ACELEROU a nova Ducati Panigale e deixou o roncar do poderoso motor abafar o tumulto de pensamentos em sua cabeça.

Michael conhecia o caminho de Oxford para Kingsmere como a palma da mão, mas, naquele dia, pegara deliberadamente as obscuras estradas secundárias, por dentro de Witham Woods, a antiga floresta que ladeava North Oxford, e em direção a Evenlode Valley. Era um dia perfeito — como poderia ser qualquer coisa diferente disto para a festa perfeita da mãe? — com céu azul, ensolarado e limpo. Dos dois lados da pista, arbustos altos exibiam vida, madressilvas, abelhas e borboletas de todos os tamanhos, e cores se espalhavam como uma fonte de energia ruidosa e de um cheiro doce.

Assustados com o barulho da moto de Michael, estorninhos, chapins-azuis e abibes voavam conforme ele passava, em uma saudação aérea espantosa. Em outras circunstâncias, Michael teria se sentido exultante, acelerando pela paisagem que amava, com o vento no rosto e sol nas costas. Naquele momento, ele se sentia agitado e sobressaltado, com raiva das emoções que o torturavam a cada curva.

Algumas eram fáceis de identificar. Culpa, por exemplo, pesada, como um sapo gordo agachado em seu coração, sufocando a felicidade. Tinha sido por pouco com Summer na noite anterior. Por muito pouco. Michael se odiava por mentir para ela, por se tornar o clichê do namorado infiel, uma paródia do pior lado de si mesmo. Quando estavam separados, Michael dizia a si mesmo que as coisas estavam sob controle. Que ele conseguia separar o relacionamento com Summer da vida na Inglaterra. Que tudo ficaria bem. A noite anterior havia lhe mostrado que estava se enganando inutilmente.

*Eu a amo.*

*Eu a amo e sou um idiota e isso precisa parar.*

A vida amorosa confusa de Michael estava longe de ser a última coisa em sua mente. Durante semanas vinha agindo como se tudo estivesse normal. Como se não *soubesse*. Tinha ido e voltado de Kingsmere, instalara iluminação e trabalhara no pagode fadado ao fracasso como se nada tivesse acontecido.

Mas algo *havia* acontecido. Algo terrível.

E Michael De Vere não tinha a menor ideia do que fazer a respeito disso.

Precisava conversar com alguém. Mas quem? Conversar com a mãe seria impossível. Mesmo que ele soubesse o que dizer, a agenda de Alexia era tão cheia que simplesmente não haveria oportunidade de encontrá-la sozinha e concentrada. Quanto ao pai, Teddy De Vere sempre vivera no próprio mundo, uma fantasia de antigas glórias familiares presas a algum conceito arcaico de cavalheirismo que Michael jamais compreendera totalmente. Teddy conseguiria suportar a verdade tanto quanto uma criança de 4 anos conseguiria suportar a nova e reluzente Ducati vermelha de Michael. A verdade o arrasaria, partiria Teddy em mil pedacinhos como um enfeite de Natal atirado ao chão. Michael não podia contar ao pai.

Com isso, sobrava Roxie.

Com raiva, Michael girou as manoplas da motocicleta, mandando mais gasolina para um motor que já gritava. Pobre Roxie, sua irmã que um dia fora vivaz e alegre, reduzida a uma aleijada solitária e amarga por causa de um antigo amante inútil. Se Roxie tivesse de sofrer mais, não seria por causa de Michael. Ela também era uma porta fechada.

Na noite anterior, ele quase confidenciara a Summer. Mas se impedira a tempo de ir mais longe. Dizer aquilo em voz alta, conversar com outra pessoa sobre o assunto, tornaria a coisa real. Michael De Vere tinha percebido com repentina clareza na noite anterior que não queria que aquilo fosse real. Queria que aquilo fosse embora, se escondesse, fosse enterrado, como estava havia tanto tempo. Ele queria sua inocência de volta, mas não poderia tê-la, e aquilo o deixava tão irritado que sua vontade era de gritar e gritar e não parar nunca mais.

*Preciso superar a festa. Torná-la um sucesso, sorrir apesar de tudo, para o bem de todos nós. Depois lidarei com isso. Decidirei o que fazer.*

Michael se aproximava do topo de Coombe Hill. Do alto, ele podia ver as espirais de Oxford de um lado e a sonolenta Cotswolds do outro, quilômetro após quilômetro de cidades harmoniosas e vales verdes luxuriantes, ainda pontuados por ovelhas brancas que um dia foram o sustento e a principal fonte de renda da cidade. Ao olhar para o velocímetro — ele já estava a 100 quilômetros por hora, mas parecia muito mais rápido naquelas estradas estreitas e desertas —, Michael girou a manopla do acelerador de novo, aumentando a velocidade na subida de modo que as rodas se levantaram levemente do chão no momento em que ele deixou o topo da colina. Michael se lembrou da adrenalina na infância, de fazer acrobacias em pontes convexas com Tommy nas bicicletas de marcha BMX. Mas a Ducati era uma fera totalmente diferente, selvagem e perigosa, como montar um leopardo sem sela.

Felizmente, Michael era um motociclista habilidoso. Depois de descer a moto com facilidade, ele se inclinou graciosamente na curva quando o chão se afastou sob o veículo. Conforme a ladeira ficou mais inclinada, ele soltou um pouco a manopla do acelerador, mas o velocímetro continuava subindo, impulsionado pela energia da própria Panigale. Michael apertou de leve o freio dianteiro. Nada aconteceu. Surpreso, mas não muito alarmado, ele apertou com mais força, instintivamente inclinando-se para exercer força com o peso do corpo na roda dianteira, para diminuir o progresso da motocicleta.

*Nada. Que diabos?*

A base da colina se aproximava rapidamente. Adrenalina começou a correr, desagradavelmente, pelas veias de Michael. Piedosamente, não havia mais carros na estrada, mas a inclinação na base do vale era de quase 45 graus, depois dos quais a pista quase que imediatamente se transformava em uma junção em T com a movimentada rodovia A40. Obrigando-se a permanecer calmo, Michael olhou para o velocímetro de novo.

*Cento e dez quilômetros por hora.*

*Cento e quinze quilômetros por hora.*

Àquela velocidade, usar somente os freios traseiros poderia ser altamente perigoso, pois as motocicletas tendiam a derrapar, descontroladas, mas não havia outra opção. *O que se deve fazer para manter o controle em uma derrapagem provocada pelo freio traseiro?* Michael se esforçava para se lembrar. *É isso. Manter os olhos no horizonte.*

Ele olhou para cima, mas quando o fez, lágrimas de pânico lhe queimaram os olhos. O horizonte não era mais uma linha reta e plácida. Era uma onda revolta de campos e de céu, precipitando-se na direção de Michael à velocidade de quebrar o pescoço.

*Cento e vinte e cinco quilômetros por hora.*

*Cento e trinta quilômetros por hora.*

Os braços e as pernas de Michael se agitavam enquanto ele apertava o freio da roda traseira, abandonando a cautela e puxando a alavanca para si com toda força. O corpo inteiro de Michael ficou tenso, esperando pela derrapada, pela parada repentina, mas não houve nenhuma. O freio estava solto e inerte na mão dele.

Foi quando Michael soube.

*Minha nossa. Vou morrer.*

Uma paz estranha tomou conta dele, reduzindo as batidas do coração e as reações de Michael, e imergindo todos os seus sentidos em um tipo de câmera lenta abafada. Ele sabia que era o fim. Mas era como se estivesse acontecendo com outra pessoa. Como se outra pessoa estivesse observando os caminhões na estrada principal se aproximarem cada vez mais, incapaz de parar ou de se mover, ou sequer desviar para o lado, sucumbindo passivamente ao inevitável, como um espectador paralisado.

A última coisa que Michael De Vere pensou foi: *Deixei Summer esta manhã sem me despedir. Eu deveria ter me despedido.*

Então veio o impacto e a escuridão, não houve mais pensamentos e nada mais importava.

Roxie De Vere olhou para o próprio reflexo no espelho do closet.

Ela dizia não se importar com a aparência. Jamais haveria outro homem para ela depois de Andrew. Mesmo que o corpo de Roxie não estivesse quebrado e inútil, ela não tinha mais um coração para dar, nenhum desejo sexual, nenhum gosto pela vida ou pelo amor e a dor inevitável que vinha com os dois. No entanto, em uma noite como aquela, com o mundo inteiro assistindo, Roxie sentia certo prazer perverso em se fazer ficar bonita. Se havia algo mais triste do que uma jovem confinada a uma cadeira de rodas, com certeza era uma jovem linda confinada a uma cadeira de rodas. Mais importante, Roxie sabia que quando estava mais bonita, mesmo agora, isso irritava sua mãe.

Ela havia se esforçado ao máximo naquela noite. Os cabelos naturalmente loiros e espessos estavam presos em um coque baixo fixado por antigos grampos de cabelo vitorianos que um dia tinham sido da avó de Teddy, Lady Maud De Vere. A luz que refletiam contrastava perfeitamente com a pele macia e levemente bronzeada de Roxie. O vestido dela era simples, nada como o Dior chique que Alexia planejara comprar para a filha em Paris. Por conta própria, Roxie optara por um vestido estilo coluna liso, de cor creme, que discretamente cobria as pernas destruídas e suportava os seios da jovem em um corselete sutilmente armado. O resultado era ao mesmo tempo inocente e sensual, um efeito que Roxie havia destacado com maquiagem sutil — lábios de um rosa claríssimo e bochechas coradas com uma pincelada de blush cor de pêssego com brilho. Um pingente dourado simples, em formato de coração, pendia docemente do pescoço de Roxie e completava o quadro.

Depois de empurrar a cadeira de rodas até a janela, Roxie olhou para baixo, para as legiões de funcionários uniformizados que corriam de um lado para outro como formigas. Tommy Lyon percorria a propriedade como um general preocupado horas antes da batalha, gritando e gesticulando e, no todo, comandando as tropas na ausência de Michael. Muito estranhamente, Michael não aparecera em Kingsmere naquela que era a mais crucial das tardes. Tommy não fazia ideia de onde ele estava e o celular de Michael, em geral colado ao ouvido, estava desligado. Como os primeiros convidados deveriam chegar em uma hora, a tensão estava, compreensivelmente, alta. Roxie esperava que o surgimento inesperado da amiga, Summer Meyer, em Oxford, na noite anterior, não estivesse por trás do sumiço do irmão. Se Summer tivesse flagrado Michael com uma das vagabundas dele, qualquer coisa poderia ter acontecido. Não que Michael não merecesse tudo o que sofreria. Mas Roxie gostava de Summer e gostava deles juntos. Ficaria triste ao ver o irmão ferrar esse relacionamento.

De volta ao closet, o celular de Roxie tocou. O nome de Michael piscou na tela. *E por falar do diabo.*

— É melhor que tenha uma boa desculpa, Houdini. O pobre Tommy está prestes a ter uma crise nervosa lá fora.

— Srta. De Vere?

A voz na linha não era de Michael.

— Sim. Quem está falando?

— É a polícia de Oxfordshire. Sinto muito, mas houve um acidente.

— Como estou?

Alexia rodopiou na frente de Teddy como uma veterana do ensino médio na noite do baile.

Teddy inflou o peito com felicidade.

— Está perfeita, minha querida. Eu poderia morrer de orgulho.

*Que bom*, pensou Alexia. Perfeita era o que ela queria.

A velha decrépita daquela manhã havia sumido. Sumira também a mulher assustada, assombrada pelas fotos do cadáver mutilado de Jenny Hamlin. E a política paranoica que olhava por cima dos ombros em busca de inimigos imaginados. Não haveria inimigos naquela noite. Nenhuma morte. Nada de medo. Nenhuma surpresa. O primeiro-ministro e a mulher podiam ter decepcionado Alexia e Teddy, mas Alexia pretendia se certificar de que seriam os Whitman que se arrependeriam da própria ausência na festa daquela noite, não os De Vere. A festa seria, como Lucy Meyer previra, "sensacional".

Em termos de vestido, Alexia mudara de ideia no último minuto e optara por um longo verde-escuro dramático feito de seda com estampa *jacquard* e de gola alta, estilo oriental. Tinha um toque de Cruella De Vil, mas não de um jeito ruim, e era extremamente elegante e discreto. A gargantilha de pérolas com diamantes era menos discreta, mas na idade dela uma gargantilha cobria uma variedade de pecados, e era herança da família De Vere, o que, naturalmente, agradou Teddy. Com o cabelo pintado, penteado e fixado no lugar com spray, a pele rejuvenescida e a maquiagem impecavelmente aplicada pela incomparável Marguerite, Alexia parecia e se sentia como um milhão de dólares. *Pronta para a batalha*, como Teddy diria.

— Pro inferno com essa porcaria irritante. Onde está Bailey?

Teddy lutava com a gravata-borboleta na frente do espelho. Mesmo sendo frequentador regular de eventos black tie há mais de quarenta anos, ele lidava com cada gravata-borboleta de forma tão incompetente como se fosse a primeira.

— Não precisa de Bailey. — Alexia fez um ruído de reprovação, afastou as mãos de Teddy e tomou a frente. — Por cima, pelo lado, por baixo e por dentro. Pronto. Não é robótica, querido.

Teddy passou os dois braços pela cintura da mulher e a puxou para si. Ao fechar os olhos, Alexia inspirou o cheiro familiar dele, uma combinação de pós-barba Floris, sabonete da Pears, pasta de dente e couro de sapato engraxado. Segurança. Casa. Ela jamais se sentira sexualmente atraída por Teddy, nem mesmo quando eram jovens, mas achava a presença física dele reconfortante, prazerosa, em vez de excitante, como se abraçasse um urso de pelúcia levemente puído, porém muito amado. E se sentia da mesma forma agora. Alexia desejava poder colocar aquela sensação em uma garrafa, guardá-la para saborear quando estivesse sozinha, quando o estresse do presente e os horrores do passado se tornassem demais para ela.

— Eu amo você.

Teddy De Vere estava casado com Alexia há mais de três décadas. Ele entendia a mulher bem o bastante para saber que expressões verbais de afeição não eram seu estilo habitual.

Teddy esticou o braço e apoiou a mão, preocupado, na testa de Alexia.

— Está se sentindo bem, velha menina?

Alexia bateu na mão do marido para afastá-la, envergonhada.

— Pare de fazer graça. Não posso dizer ao meu próprio marido o quanto o amo de vez em quando?

— Não estou fazendo graça. — E, de súbito, ela viu que ele não estava. — Querida, querida Alexia — sussurrou Teddy, ansioso. —

Se tivesse alguma ideia do quanto eu amo você, até onde eu iria para protegê-la...

— O quê?

— Você ficaria aterrorizada.

Teddy a beijou nesse momento, com paixão, enfiando a língua na boca da esposa como um adolescente na última fileira de uma sala de cinema. Alexia ficou tão chocada que respondeu da mesma forma. Era excitante, como beijar um estranho, mas depois de alguns instantes, ela teve a sensação de estar sendo observada. Afastando-se, viu Roxie, a cadeira de rodas parada à porta da suíte máster. A garota estava deslumbrante em um vestido de seda creme. Pelo menos estaria deslumbrante, não fosse pelo olhar de horror enojado no rosto.

Alexia perdeu a calma.

— Qual *é* o problema, Roxanne? Nunca viu um marido beijar a esposa antes?

— Acalme-se, querida — murmurou Teddy, mas Alexia estava fora de controle.

— Não, sinto muito, Teddy, mas não vou me "acalmar". Como ela ousa olhar para nós dessa forma! Estou cansada de me esgueirar pela minha própria casa, com meu próprio marido, como se estivesse pisando em ovos. Seu pai e eu nos amamos, Roxanne. Somos felizes juntos, incrivelmente felizes, e se você não gosta disso... bem, creio que seja problema seu.

Roxie abriu a boca para dizer algo, então a fechou de novo. Pelo que pareceu uma eternidade, ela ficou sentada, congelada, à porta. Quando finalmente falou, a voz estava rouca.

— É Michael.

Um medo gélido preencheu o coração de Alexia.

— Michael? O que há com Michael? Aconteceu alguma coisa?

— Foi o que vim dizer. — Lágrimas desceram pelo rosto de Roxie. — Houve um acidente terrível.

# Capítulo 25

Summer Meyer saltou do táxi e correu pelas portas duplas automáticas para dentro do hospital John Radcliffe. O Radcliffe ficava em Headington, alguns quilômetros ao norte do centro da cidade de Oxford, e abrigava um dos departamentos de acidentes e emergência mais cheios do país. Ainda era fim de tarde, mas o sol tinha se posto, era sábado e os pubs estavam abertos. Como era Oxford, Summer se viu abrindo caminho até a recepção por um mar de estudantes bêbados que gemiam alto devido aos ferimentos, na maior parte autoinfligidos.

— Michael De Vere — disse ela, sem fôlego. — Acidente de moto. Ele veio para cá faz algumas horas.

*Por favor, por favor, aguente firme, Michael. Por favor, não morra. Não até eu ver você.*

Uma série de coincidências terríveis impedira que Summer chegasse mais cedo. Roxanne estava listada na carteira de Michael como parente mais próxima. Quando Roxie soube da notícia, ligou para Summer imediatamente. Infelizmente, o celular dos Estados Unidos estava sem bateria, e a garota tinha saído do apartamento de Michael para comprar maquiagem minutos antes de Roxie ligar e deixar a mensagem na caixa postal. Summer finalmente ouviu a mensagem de Roxie, quase duas horas depois. Ela não se esqueceria daquele momento enquanto vivesse. Voltou para o apartamento e apertou play, e, embora esperasse ouvir a voz de Michael, viu-se ouvindo a de Roxie. Engasgando com soluços, Roxie disse a Summer que Michael tinha sido "esmagado" por um caminhão em um acidente horrível e estava a caminho do hospital. As últimas quatro palavras da mensagem de Roxie tinham ficado marcadas para sempre na memória de Summer:

— Talvez ele não sobreviva.

Summer correu para a rua, ainda descalça e com os longos cabelos pingando depois do banho, mas levou 15 minutos para conseguir um táxi livre e mais cinco para convencer o motorista a levá-la semivestida e histérica. Depois que prosseguiram, o trânsito na rodovia periférica estava terrível.

A recepcionista da emergência digitou o nome de Michael no computador.

— De Vere. Sim, aqui está.

— Como ele está? Está em cirurgia?

A recepcionista ergueu o olhar da tela.

— E você é?

— Summer. Summer Meyer.

— É da família?

— Sou namorada dele.

— Sinto muito. Apenas familiares.

— Mas acabei de lhe dizer. Sou namorada dele.

— Você pode ser minha namorada, com essa porra... porra de bunda maravilhosa. — Um homem nojento, caindo de bêbado e vestindo um terno surgiu atrás de Summer, apalpando-a conforme tentava se equilibrar.

Ao se virar, Summer empurrou o homem com força e o mandou voando de volta para um grupo de pacientes próximos.

— Vai se foder! Olhe — implorou ela à recepcionista —, a irmã de Michael me ligou e me pediu para vir. Ela é a parente mais próxima dele. Por favor. Eu *sou* da família. Preciso vê-lo.

— Espere um momento.

Ao se levantar, a mulher conversou com uma colega aos sussurros. Summer viu os olhares sérios e piedosos nos rostos delas e chegou à conclusão óbvia. *Tarde demais. Ele está morto*. Ela queria fazer a pergunta diretamente, mas viu que as palavras se recusavam a sair. Em vez disso, Summer ficou de pé, muda e indefesa, enquanto a recepcionista voltava. A mulher entregou a Summer um pedaço de papel com um número.

— Se alguém perguntar, diga que é parente. Tratamento intensivo, quarto andar, elevador C. Aqui está sua permissão.

— Ele está morto? — Summer finalmente disparou.

A recepcionista olhou para baixo, incapaz de encarar a jovem.

— Irão explicar tudo no quarto andar, meu amor.

— Por favor! Só me diga. Ele está morto?

A recepcionista trocou um olhar ansioso com a colega.

— Olhe, não devemos dizer nada — sussurrou ela para Summer. — Mas de acordo com minhas anotações, Michael De Vere *foi* declarado morto cerca de uma hora atrás. Sinto muito. Terá mais detalhes na unidade de tratamento intensivo.

Summer, atordoada, empurrou as portas vaivém.

*Michael está morto.*

*Morto.*

*Cheguei tarde demais.*

Um funcionário interceptou-a.

— Você está bem, senhorita? Posso ajudar?

Summer ergueu o pedaço de papel como um zumbi. O funcionário gesticulou para que ela prosseguisse. O elevador C ficava adiante. À direita, trauma, à esquerda, tratamento intensivo. Subir as escadas para a recepção. Summer estava ciente de pessoas se movendo ao seu redor, enfermeiras, pacientes, visitantes e médicos. Havia música ambiente e um cafeteria que vendia sanduíches embrulhados em filme plástico e um enorme aquário com um bando de crianças entediadas ao redor, além de enormes janelas de vidro que deixavam passar luz. Mas para Summer, tudo tinha parado. Ela se moveu pelos corredores como um fantasma, entorpecida e em silêncio.

*Ele está morto. Michael está morto.*

Bizarramente, ela se viu pensando na festa. O que estaria acontecendo em Kingsmere enquanto a tragédia pessoal de Michael se desdobrava? Será que o evento aconteceria como planejado? Ou os chefes de estado chegariam e seriam mandados embora? Ela tentou imaginar a cena.

— *Sinto muito, Vossa Alteza. Houve uma tragédia. O filho da anfitriã foi morto.*

— Vai subir, querida?

*Michael morreu, como fico eu?*

*Rimou.*

— Quarto andar.

Portas se abrindo.

*Michael morreu, a moto bateu, como fico eu?*

— Aqui é o tratamento intensivo. Posso ajudá-la?

— Summer. — A voz de Teddy De Vere foi a primeira coisa que chegou à jovem. Ela se virou e ali estava ele. Levou alguns segundos para a confusão passar, para que o choque se dissipasse o suficiente e ela reconhecesse as feições gentis e familiares do pai de Michael.

— Teddy. — Summer caiu em lágrimas.

— Calma, calma. — Teddy passou os braços reconfortantes e paternais ao redor dela. — Não chore. Está tudo bem.

— Tudo bem? Não está tudo bem — choramingou Summer. — Ele está morto!

Teddy pareceu perplexo.

— Não, não está.

A esperança subiu à garganta de Summer como se fosse vômito.

— Michael não está morto?

— Não, querida. Quem lhe disse isso?

— A recepcionista. Lá embaixo.

A jovem sentiu os joelhos começarem a ceder. Teddy ajudou Summer a se sentar.

— Deve ter se confundido. Ele foi *declarado* morto pela equipe da ambulância inicialmente. Mas quando o trouxeram para cá, os médicos conseguiram reanimar o coração dele.

— Então ele está bem?

Era muito para absorver. A montanha-russa de esperança e desespero deixara a cabeça de Summer girando.

— Eu não diria isso. Ele está em coma. É tudo o que sabemos. Ele passou por uma cirurgia de três horas e o que pôde ser feito foi feito.

— Mas ele vai ficar bem.

Teddy esfregou os olhos com exaustão.

— Eu sinceramente não sei, Summer. Alexia está falando com os médicos. É melhor você falar com ela. Está com Michael agora.

Uma enfermeira levou Summer para dentro. O quarto parecia mais o convés da *Enterprise* do que um quarto de hospital. Máquinas e fios e luzes por toda parte — contra a parede, em mesas ao lado da cama de Michael, até mesmo suspensos no teto.

Então ali estava o próprio Michael.

Assim que ela o viu, a mão de Summer foi até a boca em sinal de choque. Não havia sangue. Mas ele tinha sido tão limpo e estava deitado tão imóvel que mal parecia real. Seu corpo estava coberto com um lençol branco e a parte superior do rosto dele estava repleta de curativos. Somente o queixo e a boca de Michael eram visíveis, e estavam parcialmente escondidos por tubos grossos e um aparato que se ligava a um respirador atrás da cabeceira. O ruidoso *ish-ush* da máquina, conforme bombeava ar para dentro e para fora dos pulmões de Michael, dava ao quarto high-tech uma sensação particularmente ultrapassada de engenhoca. Summer meio que esperava que um anão saltasse de detrás da cama com algum instrumento musical. Em vez disso, Alexia se levantou para cumprimentar a jovem.

— Summer. Como você está? — Alexia estendeu a mão com unhas perfeitamente pintadas para que Summer apertasse. Os dedos dela estavam gélidos. — Que gentileza você aparecer.

Summer olhou inexpressiva para a mulher. *Gentileza?* Alexia a estava cumprimentando como se aquela fosse uma festa à qual Summer tinha sido educada o bastante para ir. Será que não percebia como a situação era séria?

— O que está acontecendo, Alexia? O que são todas essas máquinas? Teddy disse que você falou com o médico.

— O cirurgião, sim, Dr. Crickdale. Um homem extremamente gentil.

Summer esperou. *E...?*

— Nós nos conhecíamos, ao que parece — tagarelou Alexia. — Eu o conheço do distrito eleitoral local. A esposa dele fez um trabalho muito bom de angariação de fundos.

Summer queria sacudir Alexia. *Não me importo com o distrito eleitoral e você também não deveria se importar, porra. Seu filho pode estar morrendo!* Em vez disso, esforçando-se para manter a voz equilibrada, a garota falou:

— O que o Dr. Crickdale falou sobre Michael?

— Ah, sim. Michael está em coma induzido.

Summer pareceu horrorizada.

— Quer dizer que os médicos fizeram isso com ele?

— Tiveram de fazer. Eles não conseguiriam operar o cérebro dele sem ele estar em coma.

— Operaram o cérebro dele? — As entranhas de Summer começaram a se liquefazer de medo. Pela segunda vez em minutos ela viu que precisava se sentar.

— Sim. Acham que ele estava a mais de 130 quilômetros por hora quando atingiu o caminhão. Foi um impacto lateral, mas àquela velocidade, é um milagre que tenha sobrevivido. As pernas e os braços dele estão quebrados e há hemorragia interna, mas a preocupação principal é o trauma craniano. O Dr. Crickdale removeu 16 estilhaços diferentes de osso do ventrículo direito dele.

Era como ouvir a previsão do tempo. Alexia parecia tão calma, tão assustadoramente controlada.

— Houve um inchaço considerável e hemorragia cerebral. Infelizmente, as primeiras ressonâncias mostraram um nível de atividade deficiente. Estamos esperando por mais, mas o Dr. Crickdale não tem muita esperança.

— Ele vai viver? — sussurrou Summer.

— Eles não podem dizer neste estágio. Há a possibilidade. Mas talvez não seja o melhor.

Summer olhou para Alexia com incredulidade. A mãe de Michael sempre a intimidara. Summer pensava em Alexia, há muito tempo, como um peixe frígido, mas jamais havia imaginado que a mulher fosse capaz de tanto rigor com relação ao próprio filho. Com Roxie, talvez, mas Michael sempre fora a menina dos olhos dela.

— O que quer dizer com "talvez não seja o melhor"? Não quer que ele viva?

— Como um vegetal, não. Ficarei com ele esta noite. — Alexia virou o rosto de modo altivo e apoiou a mão, coberta de diamantes, na mão inerte de Michael. — Você pode voltar de manhã.

Era uma dispensa, uma imperatriz enxotando a criada. O choque de Summer com o desapego de Alexia se transformou em ódio.

— Quero ficar. Michael iria querer que eu ficasse.

— Não. — A frieza no tom de Alexia não deixava espaço para negociação.

Summer abriu a boca para protestar, mas Teddy, sabiamente, colocou a mão sobre o braço da jovem.

— Agora não — sussurrou ele. Do lado de fora, no corredor, Teddy falou mais abertamente. — Você não deve julgá-la tão duramente, minha querida. Alexia está em choque. Todos estamos.

— Mas ela é tão *fria*, Teddy!

Summer não quisera falar de modo tão direto, mas as palavras simplesmente saíram.

*Ele significa tudo para mim*, pensou Summer, desesperada.

— Não consegue convencê-la a me deixar ficar? E se... — A garota começou a chorar. — E se ele morrer durante a noite?

Teddy lançou a Summer um olhar de bondade infinita.

— Se ele morrer durante a noite, não precisará de nenhuma das duas. Precisará?

Na manhã seguinte, os jornais de domingo estavam cheios de fotografias da festa que não aconteceu em Kingsmere, além de descrições macabras do acidente quase fatal de motocicleta do filho de Alexia De Vere. O *Sun on Sunday* foi o primeiro a cunhar a expressão que assombraria Alexia nos meses seguintes, com a manchete inquisidora: A MALDIÇÃO DOS DE VERE? Da noite para o dia, parecia, toda a publicidade positiva e a boa vontade que Alexia acumulara no último ano com o público britânico, senão com os colegas políticos, começaram a se desfazer. Com essa última tragédia picante com que se deleitar, os tabloides se regozijaram desenterrando todos os antigos rumores sobre Roxie e a "verdadeira história" por trás da filha da ministra do Interior e a misteriosa queda de três andares. Fotos de uma Roxie presa à cadeira de rodas foram publicadas junto com imagens do hospital John Radcliffe, no qual Michael permanecia "em estado crítico, porém estável". Até fotografias antigas e famosas de Sanjay Patel, tiradas antes da prisão e do subsequente suicídio, foram reavivadas.

Em casa, no leste de Londres, Gilbert Drake devorava a cobertura de imprensa com uma satisfação prazerosa.

Exatamente como no Êxodo, quando o faraó se recusou a libertar o povo de Deus e o Senhor matou todos os primogênitos, tanto homens quanto animais, em retribuição, Alexia De Vere tinha sido punida por manter o pobre Sanjay atrás das grades.

*"Ela sacrificará o primeiro rebento do sexo masculino ao Senhor."*

*Devo me resguardar contra o pecado do orgulho*, alertou Gil a si mesmo. *A vingança é do Senhor, não minha. Sou apenas Seu instrumento.*

Gilbert Drake rezou por orientação. *Mostre-me Vossa vontade, Senhor. Mostre-me o caminho a partir de agora.*

*Retribuição havia começado enfim. Mas estava longe de terminar.*

Duas semanas depois do acidente de Michael, Alexia se encontrou com o primeiro-ministro.

— Você tem direito a uma licença por problemas de saúde na família, sabe — disse Henry Whitman a ela. — Ninguém a culparia se sentisse necessidade de se afastar por um tempo, de estar com sua família.

Os olhos de Alexia se semicerraram com desconfiança. Os ministros chefes de gabinetes não se afastavam "por um tempo". Agarravam-se aos empregos ou os perdiam. Henry Whitman sabia disso tão bem quanto ela.

— Está tentando se livrar de mim, Henry?

— É claro que não — disparou Whitman. — Eu não ousaria!

— Que bom — respondeu Alexia, sem devolver o sorriso do primeiro-ministro. — Michael não recobrou a consciência desde que aconteceu. De acordo com os médicos, ele muito provavelmente não recobrará.

— Sinto muito.

— Por favor, poupe-me da compaixão. — Alexia pareceu quase irritada. Henry Whitman esperava que fosse o luto falando, mas era difícil dizer. — Se coubesse a mim, desligaríamos as porcarias das máquinas amanhã. Teddy insiste em mantê-las ligadas. Mas não tenho intenção de desperdiçar minha vida em um quarto de hospital segurando a mão extremamente inerte do meu filho quando posso estar aqui, sendo útil, simplesmente porque isso faz alguma crítica bruxa do *Daily Mail* se sentir melhor.

— Ninguém está sugerindo isso, Alexia.

— Não estão? Aposto que Kevin e Charles têm apontado prontamente como minha publicidade está negativa desde que isso aconteceu.

— De modo algum — mentiu Henry Whitman. Os inimigos de Alexia no gabinete não tinham, de fato, perdido tempo em renovar os ataques. Mas Henry mal precisava que o gabinete lhe dissesse o que ele mesmo poderia ler. Quaisquer que fossem os verdadeiros sentimentos de Alexia De Vere, ela passara a imagem de uma pessoa extremamente fria e insensível logo após o acidente do filho, insistindo nos "negócios como sempre". O efeito para a imagem de Alexia tinha sido catastrófico, e a publicidade ruim estava se espalhando para todo o Partido Conservador.

Charlotte Whitman, a mulher do primeiro-ministro, dissera isso a ele na noite anterior.

— Ela está fazendo você parecer ruim, Henry. Você precisa se livrar dela.

— Eu sei, mas o que posso fazer? Não posso dizer à mulher como sofrer pelo próprio filho.

— Sofrer? — Charlotte soltou uma gargalhada irônica. — Se isso é luto, sou a tia de um macaco. Você é o primeiro-ministro, querido. Reorganize.

Se ao menos fosse assim tão fácil! Se pelo menos Alexia De Vere não tivesse controle sobre ele! Embora nenhum dos dois jamais tivesse discutido sobre o assunto, o elefante branco estava vivo e próspero, e protegia Alexia mesmo naquele momento.

Alexia olhou para Henry Whitman e pensou: *Ele está escondendo alguma coisa.* A vaga sensação de desconforto que ela teve antes do acidente de Michael agora tinha crescido e se tornado algo mais próximo da paranoia completa. Onde Henry Whitman se encaixava em tudo aquilo? Ele havia desistido da festa em Kingsmere no último minuto, misteriosamente; horas depois, Michael estava em coma. Não havia motivo concreto para conectar esses dois eventos, no entanto Alexia se viu procurando por significado, um significado sombrio, em tudo. Para todo lugar que olhava, sentia os inimigos espreitando. Inimigos do passado e do presente. Inimigos em casa e no trabalho. A carreira de Alexia estava entrando em colapso diante dos seus olhos. Michael estava lutando pela vida. Billy Hamlin e a filha estavam mortos. A própria filha de Alexia a odiava. Parecia que a mão maligna e invisível de alguém estava demolindo a vida dela, tijolo por tijolo, destruindo tudo pelo que ela trabalhara, tudo que tinha se tornado. Não fosse pelo apoio incondicional de Teddy — de Teddy e de Lucy Meyer... Lucy fora uma rocha em meio a todo aquele pesadelo —, Alexia teria temido, sinceramente, pela própria sanidade.

De volta ao escritório parlamentar, Alexia confidenciou a Sir Edward Manning.

— Todos querem me pegar, Edward. Todos eles. Henry está apenas esperando pela chance de atacar, posso sentir.

— Duvido que seja esse o caso, ministra do Interior — falou Sir Edward, com gentileza.

— É, acredite em mim. Você é o único em quem confio, Edward. Preciso de sua ajuda agora mais do que nunca.

— E fico feliz em fornecê-la, ministra. Com muito prazer. Tente não se preocupar. Enfrentaremos a tempestade juntos.

Lucy Meyer estava em Oxford tomando café com Summer. Fazia duas semanas desde o acidente de Michael, e Lucy e Arnie estavam se preparando para voltar para os Estados Unidos. Lucy estava ansiosa para que Summer se juntasse a eles — "*você não pode ficar aqui para sempre, querida*" —, mas até então, pelo menos, Summer insistia que não podia deixar a cabeceira da cama de Michael. Ao contrário de algumas pessoas que ela poderia citar.

— Sabe que Alexia não o visitou uma vez, nenhuma vez, desde o dia seguinte ao acidente? Ela simplesmente desapareceu.

Lucy bebericou o café.

— Tenho certeza de que tem seus motivos.

— Tem. Egoísmo — disse Summer, furiosa. — É como se você fosse cega para aquela mulher. Por que você sempre a inocenta?

— Inocento? — indagou Lucy. Para tristeza de Summer, Lucy almoçara com Alexia em Londres no dia anterior e tentara oferecer um ombro amigo. — Sinceramente, querida, sei que você quer alguém a quem culpar. Mas o que aconteceu com Michael não foi culpa da mãe dele. Foi um acidente.

— Talvez.

— O que quer dizer com talvez? Foi um acidente!

— Michael era um bom motorista — falou Summer. — Um motorista experiente. A estrada estava vazia em plena luz do dia. Por que ele de repente perderia o controle?

— Porque estava indo rápido demais — falou Lucy, de modo sensato.

— Sim, mas por quê?

— Rapazes em motocicletas potentes às vezes *pilotam* rápido demais, querida. Não precisam de um motivo.

— É claro, mas não tão rápido. Ele devia estar distraído. Estava agindo de modo muito esquisito na noite anterior. Ficava falando de um segredo e me fazendo perguntas estranhas. Como, por exemplo, se eu contaria para alguém se por acaso eu soubesse um segredo sobre uma pessoa que amo?

Lucy apoiou a xícara de café.

— Que tipo de segredo?

— Essa é a questão. Não faço ideia. Ele foi muito enigmático a respeito disso. Mas era obviamente algo ruim. Tive a sensação de que era sobre Alexia.

Lucy girou o anel na mão direita, pensativa. Era um anel de família, um presente que seu pai lhe dera quando ela era jovem. Sempre o utilizara como um komboloi grego, para acalmar os nervos e ajudá-la a pensar. Lucy encorajara o romance de Summer com Michael De Vere, mas agora que a tragédia havia acontecido, Lucy só queria a filha em casa, de volta aos Estados Unidos e bem longe de toda aquela confusão. Lucy já sabia mais sobre os segredos da família De Vere do que queria. Summer, pelo menos, deveria ser poupada de tal conhecimento.

Summer terminou de tomar o espresso duplo.

— Preciso descobrir o que Michael quis dizer com aquilo. O que o estava distraindo quando ele...

A jovem percebeu, culpada, que estava prestes a dizer *morreu. Não devo desistir dele. Não quando todo mundo já desistiu. Onde há vida, há esperança.*

— Quando ele sofreu o acidente.

— Já lhe ocorreu — falou Lucy — que talvez ele não quisesse que você soubesse? Esse segredo, seja lá qual for. Ele teve a chance de contar a você, mas não contou. Talvez Michael queira que você deixe para lá. Que siga em frente com a própria vida.

— Estou seguindo em frente com minha vida — disse Summer, em tom desafiador. — Estou aqui por Michael. Apoiando-o na recuperação. Essa é minha vida.

— Summer, querida...

— Não é melhor você ir, mãe? Não vai querer perder o voo.

Lucy Meyer olhou para o relógio. Ela precisava ir. Por mais que quisesse que Summer fosse com ela, sabia que não podia viver a vida da filha no lugar dela.

— Está bem. Vou. Mas precisamos conversar mais sobre isso.

— É claro — respondeu Summer, sem convicção.

— Seu pai já ligou para o escritório do reitor da NYU. Ele os persuadiu a conceder a você uma licença dos estudos por problemas pessoais, mas em algum momento vão querer saber quando você voltará.

— É claro. Eu avisarei. Tchau, mãe.

Summer observou a mãe partir.

*Nunca voltarei. Nova York e a faculdade e meu estágio no* Post. *Tudo isso é parte de outra vida. Insignificante e pueril. Nada disso importa sem Michael.*

SUMMER PEGOU O CAMINHO mais longo de volta para o apartamento de Michael, pelo labirinto de vielas que percorriam os fundos das faculdades de Exeter e Lincoln em direção a Magdalen e o rio. A visita de Lucy a deixara se sentindo ansiosa e infeliz, incapaz de aproveitar o calor do sol do fim do verão nas costas ou a beleza das espirais que se erguiam acima dela. As ruas de Oxford estavam cheias de amantes sorridentes de short e óculos escuros, tirando fotos de si mesmos entre as "espirais oníricas" ou se beijando sobre as pontes antigas. Conforme Summer caminhava, salgueiros banhavam os galhos lânguidos nas águas suavemente fluidas do Cherwell. Crianças tomavam sorvete de casquinha e saltavam e esfriavam os pés na água, enquanto uma família de cisnes deslizava altivamente.

*Todos estão felizes. Todos estão vivendo as vidas como se nada tivesse acontecido. Como se o mundo não tivesse parado.*

Summer olhava para os estranhos maravilhada, depois com raiva, um ressentimento irracional se enraizando em seu coração. *Como a vida ousa continuar? Como ousa? Com Michael lutando para respirar a apenas alguns quilômetros de distância.*

Mas outra voz em sua cabeça, a voz da mãe, era igualmente insistente.

*O que aconteceu com Michael foi um acidente.*

*Não foi culpa de ninguém.*

*Apenas vá para casa.*

Lucy estaria certa? Será que Summer estava buscando significado no que era, de fato, apenas um ato do destino, um acidente de moto, uma crueldade cotidiana que acontecia com milhões de pessoas por todo o mundo? Talvez. Mas, naquele momento, ela precisava acreditar que havia um motivo pelo qual Michael batera naquele dia. Havia algo que ela precisava saber, algo que deveria descobrir. Querendo Michael ou não que ela soubesse. Summer encararia isso como um trabalho, como uma matéria que fora designada para investigar.

Todos os seus instintos investigativos lhe diziam para começar com a mãe de Michael, a fria e implacável Alexia De Vere.

De volta ao apartamento, Summer tirou os sapatos e caminhou até o escritório de Michael. O computador dele ainda estava sobre a mesa, hibernando, como se ele pudesse voltar a qualquer momento e recomeçar de onde havia parado. Ao lado da máquina, pilhas desorganizadas de papel se espalhavam por todo lado — recibos, listas, contas, a maioria relacionada com a festa em Kingsmere. Havia outras enfiadas nas diversas gavetas ou empilhadas sobre a impressora, a cadeira e o sofá que preenchiam o pequeno espaço de trabalho. Obviamente, Michael não acreditava em arquivamento. Summer imaginou, futilmente, como ele conseguia comandar um negócio de sucesso em meio àquele caos, e se a mesa de Tommy Lyon era da mesma forma. Ou talvez Tommy fosse o racional, aquele que mantinha as coisas organizadas enquanto Michael disparava ideias, planos e conceitos como fogos de sua mente brilhante e bagunçada?

*Preciso ligar para Tommy.*

Sentada na cadeira de Michael, Summer ficou surpresa ao sentir o coração acelerar quando ligou o computador dele. Fazia mesmo apenas duas semanas desde que pegara o trem para Oxford, convencida de que surpreenderia Michael traindo-a? Ele havia garantido a ela naquela noite, feito com que Summer acreditasse nele de novo, e acreditasse nos dois como um casal. Mas agora, sozinha no escritório dele, como estava, as dúvidas começaram a voltar. Será que Summer queria mesmo vasculhar a caixa de entrada de Michael, as fotos dele, os contatos do Facebook? E se não conseguisse lidar com o que encontrasse?

*Senha.* A tela piscou, exigente, para Summer.

*Que burra. É claro que o computador está protegido por senha.*

Ela digitou a senha do sistema de Michael: o signo do zodíaco e a data de nascimento dele. *É óbvio, mas nunca se sabe.* Sem sucesso. Em seguida, Summer tentou diversas combinações dos nomes dos familiares de Michael, acrescentando o próprio nome em um impulso, mas, de novo, nada. *Ah, bem. Vou precisar conseguir um profissional para acessá-lo depois. A não ser que talvez Roxie ou Tommy saibam.*

Depois de empurrar o laptop para o lado, Summer começou a folhear a pilha de papéis mais próxima. Sem saber o que estava procurando, e com nada melhor para fazer, ela começou a separá-los, metodicamente, em pilhas. Ordens de pagamento à direita, recibos à esquerda. Summer separou tudo como negócios, pessoal ou lixo, então foi até a cozinha em busca de um saco para colocar envelopes, folhetos e outras porcarias. O trabalho a consumiu. Quando ergueu o rosto, já eram seis da tarde e o sol estava começando a longa e vagarosa descida no horizonte, lançando raios alaranjados pelas persianas e pelo chão do escritório.

Summer se levantou e se espreguiçou como um gato. Estava prestes a preparar uma bebida quando uma caixa no canto do quarto chamou sua atenção. Tudo mais no escritório de Michael estava bagunçado a ponto de ser caótico, mas aquela caixa — um engradado, na verdade — tinha sido cuidadosamente dividida em seções codificadas por cores, com recortes de jornais e revistas, bem como cartas fotocopiadas e empilhadas racionalmente juntas. Também tinha sido alojada entre a estante de livros e um enorme extintor de incêndio, não exatamente escondida, mas definitivamente colocada em um lugar seguro, fora de vista e onde não poderia ser contaminada pelo caos geral.

Cuidadosamente, Summer pegou a caixa e a carregou até a cozinha. Os recortes estavam organizados por data. Quase todos se relacionavam a casos afetados pelas leis de reforma de sentenças de Alexia.

Algumas das histórias eram genuinamente perturbadoras.

Daya Ginescu, uma imigrante romena que originalmente recebera quatro anos de prisão por furto em loja, mas que vira sua sentença ser aumentada para sete anos, não pudera estar ao lado da cama do filho quando ele morreu de leucemia.

Outras eram histórias dramáticas baratas, elevadas a proporções trágicas pela imprensa. Summer achou difícil sentir compaixão por Darren Niles, por exemplo, um invasor de casas conhecido, que fora abandonado pela noiva diante da perspectiva da espera de 18 meses pela data do casamento.

Mas a grande maioria das matérias se referia a um homem, Sanjay Patel. Condenado por tráfico de drogas devido ao que seus seguidores obviamente acreditavam ser evidências fraudulentas, Patel havia se enforcado na prisão em desespero diante do aumento da sentença.

Summer passou os dedos pelas fotos do rosto de Patel. Havia algo doce a respeito dele, doce, gentil e triste. Se Sanjay Patel *tinha* traficado heroína, ela podia entender por que os cartéis o haviam escolhido. Tinha o rosto perfeito para uma mula, extremamente inocente, os olhos castanhos brilhando com inocência e integridade mesmo de além-túmulo.

Os supostos amigos, no entanto, estavam longe de serem inocentes. Junto dos recortes sobre Patel, Michael guardara fotocópias de três cartas ameaçadoras enviadas à sua mãe. Duas delas eram escritas à mão, se é que poderia se chamar aquilo de escrita — a ortografia e a gramática teriam deixado uma criança de 5 anos envergonhada —, e eram, claramente, do mesmo indivíduo. Um homem, a julgar pelo uso liberal da palavra começada com B e de outros insultos explicitamente machistas e quase ginecológicos. Mas não fora o linguajar na carta que chocara Summer, e sim o ódio que ressoava de cada linha. O escritor queria cortar a "garguanta" de Alexia até que ela gritasse como "a porra de um porco histérico". Ele estava ansioso para "cortar" fora os peitos dela, para fazê-la pagar "pelo que você fez, sua p**a fedida". A terceira carta era muito mais erudita, citava literalmente a Bíblia e invocava a ira de um Deus vingativo, em punição aos "pecados" de Alexia. Summer não sabia qual das cartas a assustava mais. Não era fã de Alexia, principalmente não no momento, mas as cartas faziam até mesmo o sangue dela congelar.

Summer imaginou como Michael tinha conseguido as cartas e por que as havia guardado. Será que estavam conectadas ao segredo dele, qualquer que fosse, àquela "coisa ruim" que alguém próximo a Michael tinha feito? Ou ele estava apenas preocupado com a segurança da mãe em geral, ou com a segurança dela na festa de Kingsmere, em particular?

Possivelmente. Mas isso também não fazia sentido. Como ministra do Interior, Alexia tinha muita proteção da polícia e do serviço secreto à disposição, 24 horas por dia, sete dias da semana. Não teria precisado dos esforços amadores de Michael. Alguma coisa não estava certa.

Havia outras coisas na caixa que Summer achou curiosas. No meio do arquivo, sinalizada diligentemente com adesivos amarelos, havia uma pilha e documentos relacionados ao primeiro-ministro. Alguns eram cartas que Henry Whitman escrevera para Alexia na época em que ela foi nomeada ministra do Interior. Outras eram cópias de respostas que Alexia enviara para ele. Outras, ainda, não tinham qualquer relação com Alexia. Havia artigos sobre Whitman inaugurando um hospital, sobre a mulher dele, Charlotte, comparecendo a um evento de caridade. Matérias inócuas sobre o compromisso do primeiro-ministro com projetos de energia renovável, cada uma cuidadosamente recortada, datada e arquivada. Michael — ou alguém — devia tê-las achado importantes.

*Por quê?*

O telefone tocou, fazendo Summer quase morrer de susto. Quem ligaria para lá? Até onde ela sabia, ninguém usava o telefone fixo de Michael como um número de contato para ela. Exceto o hospital. Para emergências. *Ai, Deus, não.*

— Alô? — O pânico na voz de Summer era audível.

— Você parece terrível, minha querida. Está tudo bem?

— Teddy! — Summer emitiu um longo suspiro. *Graças a Deus.* — Estou bem. Achei que pudesse ser o hospital ligando.

— Não, não. Sou eu. Agora, ouça. Sua mãe ligou mais cedo e me pediu para cuidar de você enquanto estiver em Oxford. Devo me certificar de que você não esteja desperdiçando tempo nesse apartamento sombrio ou morrendo de fome com a comida do hospital.

Summer riu.

— Pode dizer a minha mãe que cozinho para mim mesma já faz algum tempo. Faz anos, na verdade.

— Mesmo assim, estava esperando que você quisesse se juntar a nós em Kingsmere para jantar.

*Juntar a "nós"*. Será que isso incluía Alexia também?

Como se lesse a mente da garota, Teddy falou:

— Alexia está em Londres, então Roxanne e eu estamos sozinhos aqui como duas pedrinhas perdidas. Fará um favor a um velho homem.

De repente, Summer queria ver Teddy e Roxie, rostos de pessoas gentis e familiares que amavam Michael tanto quanto ela. Os dois também não visitavam frequentemente o hospital, mas Summer podia ver que a ausência deles ao lado da cama de Michael era fruto da dor, não da insensibilidade, como da mãe de Michael.

— Tudo bem. Isso seria ótimo, obrigada. A que horas quer que eu chegue?

— Agora, minha querida. Meu motorista deve chegar aí a qualquer minuto.

— Agora? Mas não troquei de roupa nem tomei banho ou...

— Não se incomode com isso. Apenas arrume uma bolsa para passar a noite e entre no carro.

*Uma bolsa para passar a noite?* Summer pensou em protestar, mas mudou de ideia. Por que não sair por um tempo? Contanto que voltasse para Oxford até a noite seguinte, a tempo da visita diária a Michael.

Depois de enfiar algumas roupas na mala, ela esperou que a campainha tocasse. *Que gentil de Teddy mandar um motorista.* Ele era mesmo o homem mais gentil do mundo.

# Capítulo 26

O CASCALHO ESTALAVA DE MODO satisfatório sob os pés de Summer enquanto ela empurrava a cadeira de rodas de Roxie De Vere pela longa rua de Kingsmere.

— É tão lindo aqui. Deve acordar toda manhã e se beliscar.

Roxie sorriu.

— Não exatamente. Mas *é* gostoso. Não tenho certeza se conseguiria morar em outro lugar.

Depois de um café da manhã farto de *kedgeree* com café puro forte, as garotas saíram para um passeio matinal. Se tinha sido a cama de penas de ganso macia como uma nuvem do quarto de hóspedes, a comida e o vinho maravilhosos da noite anterior ou o simples prazer de estar na companhia de velhos amigos, Summer não sabia, mas ela se sentia renovada naquela manhã de um jeito que não se sentia havia muito tempo. O céu azul e o leve frio no ar, de alguma forma, davam-lhe uma sensação de esperança, e os corvos grasnando sobre as árvores pareciam anunciar um novo começo.

As duas jovens chegaram ao fim da rua. Uma via sinuosa da área rural serpenteava diante delas, ladeada por sebes altas e encimada por carvalhos antigos, o que dava a sensação de um túnel.

— Esquerda ou direita? — perguntou Roxie.

— Qual é a diferença?

— Para a esquerda, a cidade, para a direita, a fazenda.

— Para a esquerda, então — respondeu Summer. — Seu pai disse que queria um jornal e eu nunca vi as luzes do centro de Kingsmere.

Roxie estava feliz por Summer ter concordado em passar a noite. As duas garotas tinham sido próximas quando crianças, embora, é claro, ambas tivessem mudado muito desde aqueles dias inocentes e sem preocupações. A Summer de que Roxie se lembrava das férias em Martha's Vineyard era gorda e retraída, dolorosa e angustiantemente tímida. Naquela época, ela — Roxie — era a confiante, sem falar da imensa beleza. Mas agora era Summer Meyer que tinha o mundo aos seus pés. Como a vida era estranha.

— Você deve pensar que sou terrivelmente insensível — disparou Roxie. — Por não visitar Michael.

— Não penso nada disso — assegurou-a Summer.

— A verdade é que eu simplesmente não consigo lidar com isso. Hospitais ainda me dão ataques de pânico horríveis. Aquele hospital em particular.

Summer havia se esquecido de que Roxie se recuperara no John Radcliffe após a tentativa de suicídio. Não era de espantar que a garota não conseguisse enfrentar aquele lugar.

— Entendo perfeitamente. E Michael também entenderia.

— Papai foi duas vezes, mas ele também odeia. Diz que se sente como uma peça sobressalente. Não sabe o que dizer ou o que fazer.

— Não tenho certeza de se é importante dizer alguma coisa. E ele está fazendo algo simplesmente estando ali.

— Falando como uma verdadeira mulher. Mas você conhece os homens, principalmente os ingleses. Querem "consertar" as coisas. Acho que papai não suporta o fato de que não pode consertar isso para Michael. Da mesma forma que não pôde consertar as coisas para mim. Ele acha que a história está se repetindo.

— A maldição dos De Vere — balbuciou Summer baixinho.

— A única maldição nesta família é a megera da minha mãe — falou Roxie, com amargura. Empurrando a cadeira de rodas, Summer não conseguia ver a nuvem de ódio que contorcia o rosto de Roxie.

As duas caminharam em silêncio. Finalmente, a cidade apareceu no campo de visão delas, um lindo aglomerado de chalés de pedra cobertos por glicínias se amontoava ao redor de um gramado triangular, à sombra de uma pequena igreja saxônica. Um local mais sonolento e idílico do que Kingsmere seria difícil imaginar. Summer meio que esperava ver a personagem Tiggy-Winkle, dos livros de Beatrix Potter, surgindo de dentro de um dos chalés, ou descobrir que outra personagem, Jemima Puddle-Duck, fosse a proprietária da loja da cidade.

*Este não é um lugar no qual coisas ruins deveriam acontecer.*

Na realidade, a loja da cidade era de uma senhora rabugenta com verrugas faciais protuberantes chamada Rose Hudgens. Rose assentiu bruscamente ao reconhecer Roxie quando as jovens entraram, mas foi completamente inexpressiva com Summer quando a garota comprou o jornal de Teddy, devolvendo o sorriso da jovem com uma careta irritada.

— Ela é sempre assim? — perguntou Summer a Roxie depois que saíram da loja.

— Creio que sim. Rosie não gosta muito de recém-chegados. Principalmente norte-americanos.

Elas estavam caminhando havia uma hora e Summer ainda não tinha abordado o assunto da lista de Michael, ou do segredo misterioso ao qual ele havia se referido na noite anterior ao acidente. Aquela parecia uma boa hora.

— Venho querendo perguntar... Michael disse algo a você, qualquer coisa incomum, durante a correria da festa de verão de seu pai?

Roxie ergueu o rosto com desconfiança.

— Incomum de que forma?

— De qualquer forma.

— Não, acho que não. Por quê?

— Provavelmente não é nada. Mas na noite anterior ao acidente, quando fui para Oxford para vê-lo, ele disse algo para mim sobre um segredo. Disse que estava falando hipoteticamente, mas tive a sensação de que não estava. De que havia descoberto algo que o estava preocupando profundamente. Achei que poderia ter comentado alguma coisa com você.

— Não. Ele nunca disse nada assim. Só falava sobre a festa, para ser sincera. Ele estava consumido por ela nas últimas semanas, principalmente por construir aquele monumento ridículo para papai. Aquilo o estava estressando, porque tudo estava dando errado e Michael não queria que papai se preocupasse. Acha que poderia ter sido isso? Embora eu não veja por que teria sido um segredo.

— Como falei, provavelmente não é nada. — Summer deu um sorriso reconfortante. Não era justo impor a Roxie o fardo de seus medos e de suas suspeitas. A não ser que tivesse provas concretas para sustentá-los. Qualquer que fosse o segredo obscuro de Michael, ele obviamente não tinha confidenciado à irmã.

De volta à casa, Roxie entregou a Teddy o *Times* enquanto Summer subia para arrumar a cama e fazer a mala. Tinha acabado de fechar a mala quando uma voz atrás de si a assustou.

— Vai ficar para o almoço?

Teddy estava de pé à porta. Vestia um suéter amarelo que se esgarçava sobre a pança, o que lhe conferia a aparência de um Ursinho Pooh ancião. Ocorreu a Summer pela primeira vez que ele não se parecia em nada com Michael. Nem um grão de genes dos De Vere parecia ter passado de pai para filho.

— Você me assustou! Achei que estivesse lá embaixo com Roxie.

— Eu estava, mas ela me disse que você estava indo embora, então subi direto. Precisa mesmo sumir tão cedo?

— Creio que sim. Você tem sido incrivelmente gentil e hospitaleiro, mas tenho de ir ver Michael.

— Sim, mas isso não vai levar o dia inteiro.

— Também tenho coisas a fazer no apartamento.

— Que coisas?

— Apenas papelada. Mas há muitos papéis, acredite em mim. — Summer bocejou alto. Teddy a envolveu em um abraço forte e paternal como o de um urso.

— Se me permite dizer, minha querida, acho que está exagerando. Seus pais estão certos, sabe. Deveria voltar para casa, para os Estados Unidos.

— Eu não poderia deixar Michael. — Summer pareceu chocada.

Lutando contra a emoção, Teddy falou:

— Michael se foi, Summer.

— Ele não se foi.

— Não em corpo, talvez. Mas em todos os modos que importam de verdade. A mãe dele está certa.

— A mãe dele *não* está certa! — Lágrimas quentes desceram pelas bochechas de Summer. — Sinto muito, Teddy. Sei que você ama Alexia. Mas ela *não* está certa quanto a isso. Ela quer desligar aquelas máquinas porque seria mais fácil para ela. Porque iria colocar um fim a uma situação com a qual ela não quer lidar.

— Isso não é verdade, minha querida.

— Isso *é* verdade. Ela está ocupada demais tentando se agarrar à carreira brilhante para se preocupar com algo tão pequeno quanto o filho.

Teddy balançou a cabeça.

— Alexia pode não demonstrar, mas ama muito Michael. Os médicos disseram a todos nós que quase não há chance de Michael recuperar a consciência.

— *Quase. Quase* não há chance. Isso significa que *há* chance, certo? Quem vai lutar por ele, Teddy, senão nós?

Teddy afagou os cabelos de Summer com carinho. Ela era uma garota doce. Confusa, mas terrivelmente doce.

— Quando você chegar à minha idade, Summer, aprenderá que simplesmente não pode vencer algumas batalhas.

— Se você acreditasse mesmo nisso, faria o que Alexia quer e desligaria os aparelhos de Michael. Mas não desligou.

— Acredito — disse Teddy, com sobriedade. — Sou apenas fraco demais, sentimental demais, acho, para agir de acordo com o que sei ser a verdade.

— Acho que ninguém poderia acusar Alexia de ser fraca e sentimental — falou Summer, com amargura.

— Alexia prefere se lembrar de Michael do modo como ele era. Você não deve odiá-la por isso apenas porque quer culpar alguém.

Eram exatamente as mesmas palavras que a mãe de Summer dissera a ela no dia anterior. Summer se espantava por Alexia De Vere parecer inspirar uma lealdade tão profunda naqueles que eram mais próximos a ela. Teddy. Michael. Até mesmo a própria mãe de Summer, Lucy. O que Alexia tinha feito para merecer tal devoção? Do círculo pessoal da ministra, apenas Roxie parecia ser capaz de ver como ela realmente era.

Teddy ainda falava, os olhos dele cheios de amor enquanto falava da esposa.

— Ao longo de todas as tragédias da vida, Alexia descobriu consolo no trabalho. Isso lhe dá uma sensação de significado, um propósito e uma função que transcendem a dor. Você poderia fazer pior do que seguir o exemplo dela.

— Voltar para o trabalho, quer dizer? — falou Summer.

— Sim. Volte para casa, para os Estados Unidos. Volte para a faculdade, para seu trabalho em Nova York. Não se sacrifique por meu filho, minha querida. Não ajudará Michael e quase certamente prejudicará você. Por que acabar com duas vidas em vez de uma?

*Porque não posso. Porque consigo deixar Michael e voltar para Nova York como se nada tivesse acontecido tanto quanto consigo voar até a Lua.*

— Pelo menos diga que pensará a respeito.

— Pensarei a respeito — mentiu Summer.

Teddy carregou a mala dela até o andar de baixo.

— Voltará, não voltará?

— É claro que sim. — Summer o beijou na bochecha. — E mandarei lembranças suas a Michael... Ah. — Um envelope na mesa do saguão chamou a atenção da jovem. Endereçado a Michael, tinha a logomarca em vermelho e preto da Ducati impressa na parte de trás. — Ele ainda está recebendo correspondências aqui?

— De vez em quando — respondeu Teddy. — Acho que sempre fomos o endereço permanente dele para passaportes, licenças e coisas do tipo. Isso acabou de chegar esta manhã. Creio que sejam os papéis de registro daquela porcaria de moto.

— Importa-se se eu levar? Estou arquivando todas as coisas de Michael no momento. Isso me dá algo para fazer entre as visitas. Você não acreditaria na bagunça que está o apartamento dele.

— Ah, acreditaria sim. — Teddy gargalhou e entregou a Summer o envelope da Ducati. — Deveria ver o quarto de infância dele. Parecia o naufrágio do *Hesperus*.

Alguns minutos depois, Teddy observou à porta enquanto o carro de Summer se afastava.

*Pobre criança.*

Amor jovem era tão difícil. E a perda naquela idade era bastante insuportável.

Quanto antes Summer Meyer voltasse para casa e esquecesse completamente de Michael, melhor. Para todos eles.

Michael De Vere estava prostrado e sem vida na cama do hospital. Tubos saíam da boca e das narinas dele para um respirador ao lado. Duas pás elétricas redondas logo acima dos mamilos do jovem enviavam a leitura do ritmo cardíaco para um monitor que apitava ao pé da cama. Em meio ao equipamento high-tech, Michael parecia branco e pacífico como uma estátua de alabastro, quieto e silencioso como um túmulo.

Summer Meyer segurou a mão dele, acariciando cada dedo inerte como uma criança acaricia a boneca preferida.

— Estou aqui, Michael — murmurava ela, diversas vezes. — Estou aqui.

*Estou aqui, mas onde está você, meu querido? Essa é a questão. Todos me dizem que você se foi. Mas sinto que está aqui, comigo. Não me deixe, Michael. Por favor, por favor, não me deixe.*

Summer descobriria o segredo.

Descobriria a verdade.

Então, se fosse preciso, o deixaria partir.

# Capítulo 27

ALEXIA DE VERE FOLHEAVA, sombriamente, a matéria de três páginas do *Telegraph*.

— Já vi piores.

— Eu também. — Sir Edward Manning entregou a ela o restante dos jornais matinais em uma pilha grossa. — O *Sun* está dizendo que sua carreira está no fim. O *Guardian* prevê que você perderá o emprego antes do Natal. E o *Mirror* a compara com uma agente da Gestapo.

— Isso não é passível de uma ação?

— Provavelmente. Mas um processo não a ajudará a manter o emprego, ou reconquistar os eleitores. Se houver muito mais disso, o primeiro-ministro vai anunciar que está dando a você "apoio total". Então sua carreira estará realmente acabada.

Em circunstâncias normais, Alexia teria rido disso. Mas o trabalho árduo do mês anterior estava realmente cobrando seu preço. O período de lua de mel como ministra do Interior estava definitivamente acabado. Críticas do público sobre a perceptível ausência de luto pelo acidente de Michael tinham sido impiedosas e muito prejudiciais. Na noite anterior, contra a própria razão, Alexia aparecera em um *talk show* popular na televisão para discutir o acontecimento, uma ação que o escritório central arquitetou para ajudar a amenizar a imagem dela. Infelizmente, o programa teve o efeito oposto, com espectadores e críticos universalmente tachando Alexia de "fria" e "insensível". *Sem remorsos* foi a expressão que surgiu mais de uma vez, que fazia o sangue de Alexia ferver de verdade.

— Gostaria que alguém me explicasse pelo que, exatamente, eu deveria sentir remorso — reclamava Alexia com Edward. — Por não sentir remorso o suficiente, imagino?

Grande parte das matérias da manhã que destruiu o caráter da ministra enfocava a resposta dela à pergunta feita pelo apresentador: "Qual é o seu maior arrependimento?" A ela, Alexia respondeu, sem sucesso: "Não me arrependo, David. Não tenho tempo", uma alfinetada que afastou os poucos apoiadores que tinha.

— Se eu fosse um homem, as pessoas me aplaudiriam pela força.

— Muito possivelmente, ministra do Interior. Infelizmente, você não é um homem.

— Não, Edward, não sou.

— Eleitores conservadores esperam que as mulheres que trabalham na política exibam certos instintos maternais.

— Ah, pelo amor de Deus. Que besteira!

— Infelizmente, ministra, é o tipo de besteira que ganha votos, sem falar de amigos dentro do partido. Não mataria ter suavizado um pouco o tom das respostas — admitiu Sir Edward Manning. — Principalmente considerando a relevância de hoje.

Alexia esfregou os olhos, cansada.

— Que relevância?

— O aniversário do suicídio de Sanjay Patel, ministra do Interior. Certamente não se esqueceu?

*Ah, merda.* Alexia se esquecera completamente. Distraída pelo furor devido a sua imagem pública e desesperada para pensar em qualquer coisa que não fosse Michael, ela estava passando todos os momentos que não devotava ao Ministério do Interior pesquisando sobre o assassinato de Jennifer Hamlin. A polícia de Nova York desistira do caso. Assim como com o assassinato de Billy em Londres um ano antes, parecia para Alexia que um esforço consideravelmente mínimo tinha sido feito. Ninguém fora preso em nenhum dos casos, nem mesmo acusado. Não era certo que tal brutalidade gratuita ficasse sem punição. Mas enquanto ninguém se importava com os assassinatos dos Hamlin, parecia que a porcaria do caso Patel se recusava a morrer.

O aniversário da morte dele era sempre um dia ruim para Alexia. Haveria multidões de manifestantes do lado de fora do escritório dela em Westminster mais tarde, e provavelmente alguns na casa em Chelsea também. Naquele ano, sem dúvida, seriam ainda mais vociferantes, pois sentiam que a estrela política de Alexia estava se apagando.

*Se acham que vão me pressionar para que eu peça demissão, ou para que admita algum tipo de culpa, vão se enganar feio. Desgraçados.*

Alexia sabia que seu índice de aprovação estava mais baixo do que nunca, e que os colegas do gabinete queriam se livrar dela. Não eram mais apenas o ministro de Comércio e Indústria e seus colegas. Eram todos eles. Henry Whitman a protegera até então, mas o apoio dele não se prolongaria indefinidamente. Alexia se esforçou para afastar os sussurros maliciosos da mente e se concentrar no trabalho. Ao contrário da opinião popular, Alexia tinha sentimentos. As críticas, a pressão e, acima de tudo, o isolamento estavam começando a afetá-la.

Se ao menos Teddy pudesse ficar com ela em Londres, talvez as coisas ficassem mais fáceis. Mas ele insistia em passar pelo menos metade do tempo em Kingsmere ("A propriedade não vai se gerenciar sozinha, sabe, querida?") com Roxie ligada a ele como uma craca. Na semana anterior, Alexia recebera mais um telefonema ameaçador em Cheyne Walk, o mesmo lunático leitor da *Bíblia* que ligara da última vez. Ela contara a Edward Manning, mas recusara-se a alertar a segurança, temendo que a história vazasse e as pessoas achassem que ela estava tentando ganhar simpatia. Se havia uma coisa contra a qual Alexia protestava mais do que ser tratada de modo injusto era que sentissem pena dela.

A voz de Sir Edward Manning abriu caminho em meio à névoa no cérebro de Alexia.

— Talvez devesse tirar férias, ministra. — Sir Edward tinha uma voz tipicamente inglesa, emitia estalos, era ríspida e breve, como a de Teddy. Uma voz que impunha autoridade mesmo sem tentar.

— Férias? — Alexia olhou para ele incrédula.

— Um período sabático, se preferir. Com justificativa de doença na família.

— Andou falando com as pessoas em Downing Street?

Sir Edward Manning pareceu devidamente ofendido.

— É claro que não, ministra.

— Henry Whitman disse exatamente o mesmo para mim na semana passada. Está tentando se livrar de mim, sabe.

— Talvez esteja tentando ajudá-la.

— Ao me demitir?

— Não pode continuar como se nada tivesse acontecido, ministra.

— Não posso, Edward? Por que não?

— Porque — disse Sir Edward, apontando, exasperado, para os jornais — mais matérias como estas acabarão com sua carreira política completamente. Continue como está e Whitman irá demiti-la na próxima reforma ministerial de qualquer maneira. Sinto muito por ser tão bruto, mas é preciso enfrentar os fatos.

Alexia olhou, inexpressiva, pela janela.

— Sim — murmurou ela, para ninguém em especial. — Imagino que seja preciso.

UMA HORA DEPOIS, SOZINHA em um restaurante italiano discreto em Chelsea, Alexia se obrigava a almoçar. Ela havia perdido muito peso desde o acidente de Michael. Desde a viagem para Paris, na verdade, quando soubera do assassinato de Jenny Hamlin, o apetite de Alexia a havia abandonado. Quanto ao sono, tinha sorte se dormia mais de três horas por noite, pois os pensamentos obscuros dançavam livremente em sua cabeça. Enterrada no trabalho no Ministério do Interior, movida a café e adrenalina e a um medo desesperado de parar, Alexia sabia que, no momento em que parasse de fato, os pensamentos obscuros voltariam correndo, como uma enchente, e a afogariam. Quando dormia, os sonhos com afogamento voltavam como vingança: águas subindo, correntezas puxando-a para dentro, para baixo, comprimindo seus pulmões.

— Seu *cioppino*, Sra. De Vere. Aproveite.

Alexia olhou para os pedaços de peixe e lula que boiavam grotescamente na sopa com cheiro de açafrão e se sentiu enjoada. Ela empurrou a tigela e tentou comer pão, mas se sentia fraca e nauseada pelo estresse.

*Talvez Edward tenha razão. Talvez eu precise mesmo de uma folga. Estou desesperadamente preocupada com Michael e paranoica por ser afastada do emprego. Talvez o primeiro-ministro esteja mesmo tentando me ajudar.*

De repente, uma imagem de Martha's Vineyard e da propriedade Gables surgiu na mente de Alexia. Ela imaginou as glicínias debruçadas sobre o caramanchão no jardim, o céu noturno cheio de estrelas reluzentes, o coaxar baixo e sonolento dos sapos acasalando de modo preguiçoso.

*É para onde eu deveria ir. Sinto-me segura na ilha. Segura e sã e descansada.*

Isso significaria deixar Michael. Mas Alexia não era útil para o filho no momento. Se não tirasse uma folga física e mental em breve, não seria bom para ninguém. *Eu mesma acabarei no hospital.*

Lucy Meyer estava em Washington com Arnie no momento, mas Alexia imaginou se conseguiria convencer a amiga a pegar um avião e se juntar a ela. Não era como se Lucy tivesse um emprego ou qualquer compromisso sério em casa, principalmente agora que Summer estava na Inglaterra. Como seria maravilhoso conversar com Lucy, sem maridos ou crianças ao redor para distraí-las!

As duas mulheres haviam conversado por telefone sobre o acidente de Michael. Ao contrário do restante do mundo, Lucy entendia instintivamente por que Alexia precisava trabalhar depois daquilo. Por que precisava seguir em frente. Por que não podia entrar em colapso e ser a mãe fraca, que arranca os cabelos, que o público britânico parecia exigir que ela fosse. Alexia tinha até mesmo confidenciado a Lucy sobre o assassinato de Jenny Hamlin e sobre os medos de ser o alvo de algum tipo de conspiração bizarra, algum mal inominado que não conseguia discernir. Os colegas de trabalho teriam rido, ou achado que ela estava ficando louca. Mas Lucy não a julgava, assim como não julgara quando Alexia contou sobre o passado negro. Ela simplesmente ouviu, silenciosa e pacientemente, e impassível como uma rocha.

Teddy amava Alexia, mas ele não a conhecia do modo como Lucy Meyer conhecia. Com Lucy — *apenas* com Lucy — Alexia poderia se soltar completamente e ser ela mesma. Era disso que precisava naquele momento, mais do que nunca.

A sopa de Alexia tinha esfriado. Ela pediu a conta. Tinha uma reunião do Comitê Seleto às duas e meia e uma votação às quatro da tarde. Depois disso, iria para casa dormir. Então, ligaria para Lucy e providenciaria a tal folga que todos pareciam querer que ela tirasse.

*Ficará tudo bem*, disse Alexia a si mesma. *Tudo ficará bem.*

— Esqueça, amigo. Esse lugar é meu.

O fotógrafo corpulento empurrou o colega de profissão para longe da posição privilegiada em Cheyne Walk, na direção oposta à casa de Alexia De Vere.

— Quem disse?

— Eu disse. Estou aqui desde as dez horas de hoje, só atravessei a rua para comprar um maço de cigarros.

— Isso é problema seu.

Enquanto os dois homens brigavam ruidosamente por território, uma multidão crescente de manifestantes fazia fila ao longo da rua em Chelsea onde a ministra morava, exibindo placas com o rosto de Sanjay Patel impresso. Até então, o aniversário da morte de Patel estava sob controle. Os apoiadores do homem morto respeitavam a linha policial que os mantinha a 3,5 metros da propriedade dos De Vere, ainda que estivesse delimitada apenas por uma fita. Mas conforme a tarde se transformou em noite, os gritos de "Sem Arrependimentos, Sem Reeleição" e "FORA De Vere!" ficavam mais altos e menos bem-intencionados. A ministra do Interior deveria chegar em casa a qualquer minuto. Apesar da presença tanto da polícia quanto das equipes de televisão, o potencial para um confronto violento pairava no ar como um cheiro podre.

No meio da multidão, Gilbert Drake fazia uma oração silenciosa.

*Que seja como disse Isaías: "Punirei os ímpios pela iniquidade. Acabarei com a arrogância dos orgulhosos e humilharei a soberba dos cruéis."*

O filho de Alexia De Vere podia estar respirando por aparelhos, mas isso não era punição o suficiente pelo sofrimento que ela havia causado ao pobre Sanjay, e tantos outros. Tudo com que Alexia De Vere se importava, tudo com que sempre se importara, era si mesma, a própria vida egoísta e sem Deus. Era *isso* que ela precisava perder.

*Olho por olho.*

Sob a parca, Gilbert Drake acariciou com cuidado o metal frio da arma.

HENRY WHITMAN ESTAVA NA linha telefônica particular.

— Quantos deles há?

— Cerca de cinquenta ou sessenta, primeiro-ministro.

— É o bastante? Não parece uma multidão muito grande.

— É o bastante.

— Então estamos prontos?

A voz do outro lado da linha parecia interessada.

— Isso depende de você, Henry. Você é o chefe, lembra-se?

Henry Whitman fechou os olhos e tomou uma decisão.

* * *

— NÃO GOSTO DISSO, Alexia. Não gosto mesmo. — A voz de Teddy De Vere estava cheia de preocupação. — Vi alguns deles na televisão mais cedo e pareciam especialmente agressivos. Não pode voltar para cá esta noite, para Kingsmere?

No banco de trás do carro ministerial, Alexia pressionou o telefone contra o ouvido, tentando conjurar a presença de Teddy, o conforto dos braços dele. *Eu preciso passar mais tempo com ele. Apoiar-me em Teddy de novo, como costumava fazer*. A reunião do comitê tinha se arrastado por mais tempo do que ela esperava — não era sempre assim? — e a votação fora interminável. A rápida paz que sentira no almoço, ao planejar a fuga com Lucy Meyer, tinha ido embora. Ela desejou que Teddy estivesse ao seu lado. Mas ao pensar em se arrastar até Oxfordshire, em não chegar à cama até as dez ou onze da noite, Alexia quis chorar.

— Eu realmente não posso, Teddy. Estou exausta. De toda forma, Edward me informou que há muitos policiais diante da casa. Se as coisas ficarem agitadas, eles simplesmente afastarão as pessoas.

— Mas por que arriscar, minha querida? Pode dormir no carro se estiver cansada. Por favor, venha, Alexia. Sinto sua falta.

— Também sinto sua falta. — Mudando de assunto, Alexia falou: — Estou pensando em tirar umas férias.

— É mesmo? Isso é maravilhoso. — Ela quase podia ouvir o sorriso de Teddy em Oxfordshire. — Quando devo começar a fazer as malas?

— Na verdade, pensei em tirar uma folga breve com Lucy. Ficar entocada em Martha's Vineyard por um tempo. Você se importaria?

Houve um segundo de hesitação. Então Teddy respondeu.

— É claro que não, minha querida. Acho que é uma ideia maravilhosa.

— Ótimo. Perguntarei a Henry amanhã. Preciso desligar agora, querido. Chegamos.

A linha ficou muda antes que Teddy pudesse dizer tchau.

* * *

O Daimler parou do lado de fora da casa, os ocupantes estavam escondidos por trás das janelas de vidro fumê. Gilbert Drake retirou a trava de segurança da pistola e a agarrou com força. Era difícil dizer o que era mais alto, os gritos dos manifestantes ou o *clique, clique* de diversas câmeras conforme Alexia De Vere saía do carro.

*O dia do Senhor está próximo, quando a destruição virá do Todo-Poderoso.*

Eles estavam prestes a conseguir uma foto e tanto.

Henry Whitman ligou a televisão. Ele observou Alexia De Vere sair do carro, terrivelmente magra, como um esqueleto vestindo alta-costura.

— Meu Deus — disse a mulher do primeiro-ministro. — Ela parece doente.

— Sim.

— Por que simplesmente não pede demissão? Por que se agarra a isso dessa maneira? É patético.

— Sim — repetiu Henry. Mas ele não estava ouvindo de verdade. Estava observando os manifestantes na tela, vaiando a ministra do Interior enquanto ela passava. *Eles a odeiam de verdade.*

O próprio Henry estava começando a odiá-la.

No quarto de hospital de Michael De Vere, Summer Meyer também assistia ao noticiário.

A enfermeira que afofava o travesseiro de Michael falou alegremente:

— Essa é a mãe dele, não é? É muito glamorosa, mas um pouco magra.

*Isso é um eufemismo*, pensou Summer. Alexia parecia tão frágil quanto um pássaro ao sair do carro. O terninho Chanel preto com detalhes em arabescos dourados pendia do corpo da ministra como retalhos em um espantalho.

— O povo não gosta muito dela, não é?

— Não. Não gosta.

— Era de pensar que dariam um tempo, com o filho tão doente e tal. Mesmo assim, é um jogo antigo e árduo, não é? A política.

Summer se concentrou na tela, desligando-se do tagarelar da enfermeira. No momento em que Alexia se aproximava da segurança do cordão policial, algo lhe chamou atenção. Um relance prateado brilhando à frente da multidão.

— Ai, meu Deus! — falou Summer, em voz alta. — Ai, meu *Deus*!

ALEXIA OLHOU DIRETAMENTE PARA a frente enquanto caminhava até a porta, ignorando os gritos e protestos e os rostos irritados que a cercavam.

— FORA, FORA, FORA! — gritavam. Mas Alexia não seria coagida a sair, não pelos inimigos no gabinete e certamente não por aquela massa ignorante.

*Apenas continue andando. Terminará em breve. Ah, veja, ali está Jimmy.*

O oficial do serviço secreto sorriu quando a ministra chegou à linha da fita que dividia a calçada da propriedade particular. Alexia sorriu de volta. As câmeras instantaneamente captaram a troca de sorrisos, clicando, freneticamente, como um enxame de cigarras.

Era algo estranho — algo de uma fração de segundo —, mas um dos cliques pareceu diferente dos outros. Em busca do ruído, Alexia se virou. Ela se viu encarando dois olhos reluzindo com ódio puro.

— Tenho algo para você, ministra do Interior.

O tiro soou alto como um trovão. Alexia sentiu uma dor aguda e um momento de intensa surpresa.

Então, tudo ficou preto.

# Capítulo 28

— ALEXIA! ALEXIA, PODE ME ouvir?

A voz de Sir Edward Manning parecia muito distante. Alexia pensou: *Que estranho ele usar meu primeiro nome. Jamais usa meu primeiro nome. Algo sério deve ter acontecido.*

Ao abrir os olhos, Alexia viu que sua visão estava distorcida. Ela conseguia distinguir as feições preocupadas de Edward, além de um mar de outros rostos embaçados atrás dele. Mas tudo estava girando, como se estivessem em um navio em mar aberto. E ela não tinha ideia de onde estava. A luz machucava seus olhos, e uma onda de náusea combinava-se com uma dor lancinante na lateral do corpo.

Então a escuridão retornou e ela não sentiu mais nada.

HENRY WHITMAN FALOU SOMBRIAMENTE ao telefone.

— Ela está viva?

— Sim, primeiro-ministro.

Por um breve e desgraçado momento, Henry Whitman se sentiu desapontado.

— Ele atirou à queima-roupa, mas, de alguma forma, a bala ficou alojada na costela. Estão operando agora, mas pelo que entendi, ela vai sobreviver. Alexia teve uma sorte incrível.

*Sim*, pensou Henry Whitman. *Ela costuma ter.*

— Prenderam o homem?

— Sim, senhor. Gilbert Drake. Um taxista do norte de Londres, sem ficha criminal. Era amigo de Sanjay Patel, aparentemente. Ele se entregou sem problemas.

— Tudo bem. Me mantenha informado.

O primeiro-ministro desligou, serviu-se de um copo de uísque e tomou dois goles longos e profundos. *Gilbert Drake*. Que tipo de idiota devia ser o homem para errar à queima-roupa? Henry Whitman esperava que prendessem Drake e jogassem a chave fora.

O PRETO SE TORNOU branco. Paredes brancas, teto branco, cama branca, luz branca.

*Estou morta?*

Alexia piscou contra a claridade. A realidade, vagarosamente, se reajustou.

*Um hospital*. A dor na lateral do corpo tinha sumido, tendo sido substituída por uma sensação calorosa e confusa que não sentia desde a adolescência. *Morfina*. Alexia olhou para baixo. Certamente, ali estavam os tubos, bombeando algum analgésico inominado no braço dela.

De repente, Alexia se lembrou.

Os manifestantes de Patel. As câmeras clicando. Os olhos cheios de ódio, brilhando para ela.

— O QUE ACONTECEU?

As palavras saíram tão fracas que Alexia mal conseguiu ouvir, mas foram suficientes para fazer com que a equipe de enfermeiras entrasse correndo.

— Você foi baleada, Sra. De Vere, mas vai ficar bem. Tente não entrar em pânico.

Alexia sorriu de modo frívolo.

— Eu nunca entro em pânico. Precisarei passar por alguma cirurgia?

— Já foi operada. Tudo correu perfeitamente. Tente descansar. Avisarei o cirurgião agora e ele virá explicar as coisas.

A enfermeira saiu apressada. Quase imediatamente, ouviu-se uma batida à porta.

— Mamãe?

Roxie estava com uma aparência terrível. Branca como um lençol e com o rímel escorrendo por todo o rosto, obviamente tinha chorado. A garota empurrou a cadeira de rodas até o lado da cama de Alexia.

— Eu vi na TV. Achei que estivesse morta. — Para espanto de Alexia, a filha esticou o braço até a cama e segurou a mão da mãe. Por um momento, Alexia ficou chocada demais para responder. Era o primeiro gesto genuinamente carinhoso que Roxie fazia em relação a ela em tantos longos anos. Mas então a ministra se recompôs e apertou de volta a mão da filha, acariciando os dedos de Roxie como se fossem joias preciosas.

— Você andou chorando — disse ela, com carinho.

Roxie assentiu.

— Já perdi Michael. Eu... não posso perder você também.

Os olhos de Alexia se encheram de lágrimas. Toda a emoção que reprimira desde o acidente de Michael irrompeu de dentro dela, como águas de uma enchente que perfuram um dique.

— Você está *chorando*! — Roxie parecia espantada.

— São os remédios. — Alexia gargalhou, então se encolheu quando a dor na lateral do corpo retornou.

— Que diabos está acontecendo aqui? — Um homem altivo vestindo terno com colete, obviamente um cirurgião, entrou às pressas no quarto. — Dei instruções muito claras. Você precisa descansar. Nada de visitas.

Roxie virou a cadeira de rodas.

— Não enche o saco — disse ela, com firmeza. — Sou filha dela e não vou a lugar nenhum.

— Ah, vai sim, mocinha.

Ao observar os dois discutirem, Alexia se sentiu tomada por felicidade.

A filha tinha voltado para ela.

Nada, absolutamente nada, importava mais.

# Capítulo 29

O MECÂNICO OLHOU PARA A Ducati Panigale destruída e balançou a cabeça com tristeza.

— É uma pena, isso sim. Uma pena mesmo. Moto linda.

Summer discordava. Até onde sabia, a moto de Michael era a coisa mais feia que já tinha visto, uma arma mortífera horrorosa.

Armada com os papéis de posse que Teddy lhe dera, Summer convencera a polícia de Oxfordshire a liberar o que restara da moto aos cuidados da jovem. Nenhum teste tinha sido feito no veículo. Até onde a polícia sabia, o acidente de Michael De Vere fora apenas isso: um acidente, não um crime a ser investigado. Como tal, a moto não era evidência, era apenas propriedade privada. A namorada dele poderia muito bem levá-la.

Ligada em modo jornalístico investigativo total, Summer lapidara cada perspectiva possível, determinada a descobrir o "segredo" de Michael e que relação poderia ter com o acidente. Com isso em mente, a jovem alugou uma van, jogou a carcaça retorcida da moto na traseira com a ajuda de um vizinho e dirigiu até o leste de Londres assim que amanheceu. De acordo com as críticas na internet, a Garagem e Oficina St. Martin's, em Walthamstow, era a maior especialista em Ducati no país. Certamente o jovem diante de Summer naquele momento parecia saber o que estava falando, informando-a com sinceridade sobre a correia, as cabeças dos cilindros e os câmbios automáticos enquanto passava a mão, com carinho, sobre o chassi vermelho arranhado da Panigale.

— Não pode ser salva, creio. Quero dizer, tecnicamente, poderíamos reconstruí-la. Mas teria mais partes novas do que velhas, e custaria uma fortuna.

— E se eu precisasse que você verificasse partes individuais para mim?

— Quais?

— Não sei. A direção. Os freios. Se houve uma falha técnica de algum tipo, você poderia encontrá-la? Ou está destruída demais para isso?

O mecânico ergue o rosto para a garota linda à sua frente. Não eram muitos os clientes da St. Martin's que se pareciam com Summer Meyer, com aquelas pernas infinitas e aquela cabeleira brilhante, como madeira encerada, descendo pelas costas. Mas havia algo mais a respeito da garota, uma determinação implacável nos olhos e nos movimentos do maxilar que o homem não havia notado quando Summer entrou. Era especialmente sexy.

— Não terei certeza até desmontá-la — respondeu ele. — Mas se houve uma falha com a moto, então, sim, imagino que eu a descubra. — Ele esperava estar impressionando a garota. — Conheço essas motocicletas como a palma da mão.

— E quanto tempo isso pode demorar? Por alto.

— Volte às seis da tarde e devo ter algumas respostas para você. Preciso dizer, no entanto, que essas motos são fabricadas perfeitamente. Ficaria surpreso se encontrasse algo de errado com ela.

Summer deixou o carro na vaga do recuo diante do prédio — era impossível estacionar no centro de Londres, então ela poderia muito bem deixar a van ali — e pegou o metrô para Sloane Square. Se a motocicleta não iria ficar pronta até as seis horas, fazia sentido passar a noite na cidade e voltar para Oxford no dia seguinte.

Em todo lugar que ia, as pessoas estavam falando sobre a tentativa de assassinato de Alexia De Vere. Fotos de Gilbert Drake, o homem que atirara nela, estavam na primeira página de todos os jornais, e boletins sobre o estado de saúde da ministra do Interior ainda eram a notícia principal nos noticiários de todas as estações de rádio. Summer assistira à coisa acontecendo na televisão, ao vivo. Sentada ao lado da cama de Michael, até mesmo vira o brilho da arma de Drake antes de o homem atirar. Ela quis ligar para Teddy imediatamente, então percebeu que aquilo poderia ser visto como uma intrusão. Além do mais, com a mãe ligando a cada cinco minutos para ser atualizada sobre o estado de Alexia, Summer mal tinha tempo.

Agora que estava em Londres, no entanto, e alguns dias tinham se passado, Summer provavelmente deveria ligar para Teddy. Ela se hospedou no Orange, um pub transformado em hotel bonitinho na Pimlico Road, e tomou um longo banho na banheira vitoriana de cobre antes de se deitar na cama com o telefone. A primeira ligação que fez foi para o John Radcliffe, para verificar o estado de Michael. (Nenhuma mudança.) Então, preparando os nervos, Summer discou o número de Teddy De Vere.

Para sua surpresa, ele atendeu imediatamente.

— Summer! Que ótimo você ligar, minha querida.

A voz de Teddy estava cheia de carinho genuíno.

— Soube das notícias, é claro?

— É claro. Como ela está?

— Acredite ou não, está ótima — falou Teddy, animado. — Os médicos disseram que poderá voltar para casa em um dia talvez. Melhor ainda, ela e Roxie parecem ter finalmente resolvido as coisas.

— É mesmo? — Summer não conseguia esconder s surpresa.

— Eu sei. Maravilhoso, não é? Acho que a perspectiva de que Alexia pudesse morrer de verdade fez as coisas mudarem. De toda forma, Roxie apareceu no hospital e as duas andam coladas desde então. Eu mesmo não teria acreditado se não tivesse visto com os próprios olhos. Aquele desgraçado do Drake pode mesmo ter feito um favor a todos nós. Mas chega dos nossos dramas. Como você está?

— Estou bem. Estou em Londres, na verdade, ficarei apenas esta noite.

— Está? Maravilhoso. Precisamos almoçar.

— Ah, não, não, não — disse Summer, apressada. — Eu não iria querer me intrometer em um momento como este. Você deve ficar com sua família.

— Besteira. Você *é* família — falou Teddy, com carinho. — Além disso, Alexia e Roxie só têm olhos uma para a outra no momento. Mal reconhecem que estou ali.

— Sinceramente, Teddy, é uma oferta gentil, mas eu não poderia...

— Besteira. Almoçaremos amanhã, meio-dia e meia em ponto. Insisto. Farei reserva em algum lugar decente e avisarei.

TEDDY LEVOU SUMMER AO Arts Club, em Mayfair. A mansão em Dover Street, depois de completamente reformada alguns anos antes, era agora um dos clubes mais elegantes e exclusivos de Londres. Infelizmente, não fazia mais jus à sua reputação, pois a clientela era composta, quase exclusivamente, por banqueiros investidores e gerentes de fundos de hedge. Summer sentia o olhar lascivo deles em suas costas enquanto se dirigia à mesa de Teddy.

— Que prazer! — Teddy se levantou para cumprimentar a jovem, parecendo um Rupert Bear despenteado com um terno com colete de tweed de cor vibrante e uma gravata vermelha alegre no pescoço. — Você está encantadora, como sempre.

— Se eu soubesse que era tão formal, teria me arrumado — falou Summer, sentindo-se estranhamente malvestida com as calças jeans cotelê Hudson e a camiseta verde-escura da Gap. No entanto, depois da notícia chocante que recebera na noite anterior, o código de vestimenta do Arts Club era a última coisa em sua mente naquela manhã.

— Eu ficaria igualmente feliz no McDonald's, sabe — disse Summer a Teddy.

— McDonald's? — Ele estremeceu. — Acho que sei tratar uma jovem dama melhor do que isso.

Os dois pediram comida — perca com crosta de sal grosso para Summer e um bife com torta de fígado para Teddy —, e a conversa se voltou para Alexia e o tiroteio.

— Não é engraçado como coisas boas parecem advir de coisas ruins? — observou Teddy filosoficamente. — Como fênix que se erguem das cinzas. Eu tinha quase perdido as esperanças na reconciliação de Alexia com Roxie. É uma pena que foi preciso uma bala na costela para isso, mas aí está. E não é a única mudança positiva. Sob ordens médicas, Alexia finalmente concordou em tirar folga do trabalho. Ela está falando em ir aos Estados Unidos e passar mais tempo com a sua mãe, na verdade.

— Isso é ótimo — falou Summer, mais porque era esperado do que porque era o que realmente achava. A amizade íntima da mãe com Alexia ainda a deixava desconfortável, mas Summer não podia dizer isso a Teddy.

— *É* ótimo — concordou Teddy, sorrindo. — Alexia passou por tanta coisa no último ano. Primeiro Michael, e agora isso.

— Hmm. — Summer buscava o peixe no prato com um garfo. Obviamente, não desejaria uma tentativa de assassinato para ninguém. Mas não achava tão fácil perdoar e esquecer a negligência de Alexia por Michael, ou o modo frio como ela se comportava desde o acidente.

— O problema é que ela é tão ruim em dizer não, principalmente quando se trata do trabalho — continuou Teddy. — Minha esposa tem um senso muito forte de dever, entende? De serviço público. Não está muito em voga ultimamente, mas é verdade. Alexia jamais pensa em si mesma.

Summer quase engasgou.

— Ã-hã. — *Ele está mesmo tão iludido assim? Será que a bala ricocheteou da caixa torácica de Alexia e se alojou no cérebro de Teddy?*

— De toda forma, chega de falar sobre minha família. E quanto a você? — continuou Teddy. — O que a traz a Londres? Cultura ou compras?

— Nenhum dos dois, na verdade. Estou investigando uma coisa.

Summer contou a Teddy sobre a motocicleta de Michael e sobre a excursão dela à oficina em Walthamstow. Uma nuvem desceu sobre as feições gentis de Teddy.

— Acha que isso é inteligente, minha querida? Remexer nessa coisa terrível?

— Por que não?

— Bem, certamente, se a polícia achasse que havia algo suspeito acontecendo, teria examinado a motocicleta ela mesma, não?

— Isso pode parecer um choque para você, Teddy, mas a polícia não é infalível. E pelo visto, *houve* uma falha na moto.

Teddy apoiou a taça de vinho com cuidado sobre a mesa.

— Houve?

— Bem — hesitou Summer —, eles não puderam dizer com total certeza. Mas o mecânico na St. Martin's disse que as marcas nos cabos dos freios e o modo como eles se partiram sugerem que podem ter sido adulterados antes da batida.

— Adulterados? — A mente de Teddy estava acelerada.

— Sim. Talvez alguém quisesse que Michael batesse naquele dia.

Teddy balançou a cabeça.

— Não. Não acredito nisso. Não pode ser verdade.

— Michael tem algum inimigo, até onde você sabe?

— Inimigos? O garoto era um organizador de eventos, não um espião.

*Ele ainda é um organizador de eventos*, pensou Summer, mas segurou a língua.

— Ouso dizer que pode ter se engraçado com namoradas de outros caras ao longo dos anos. — Então Teddy acrescentou, de modo atencioso: — Antes de conhecer você, obviamente, minha querida. Mas não consigo imaginar ninguém que quisesse machucá-lo. Não seriamente.

— Talvez não fosse Michael quem quisessem machucar — sugeriu Summer. — Talvez fosse você. Ou Alexia. Talvez Michael fosse apenas o meio para um fim.

Teddy empurrou o prato.

— Você disse que o cara para quem mostrou a moto não tinha certeza.

— Não absoluta, não. A evidência pode ou não se sustentar em tribunal. Não sozinha, de toda forma. Mas é um começo.

— Um começo para quê? — Teddy esticou o braço até o outro lado da mesa em busca da mão de Summer. — Não entenda mal, Summer, mas não acha que, talvez, esteja ouvindo aquilo que quer ouvir?

Summer se controlou.

— Não estou inventando isso, sabe.

— Não estou sugerindo que esteja, mas você mesma admitiu que a evidência é inconclusiva. Os cabos dos freios poderiam ter se partido quando Michael viu o caminhão crescendo na direção dele a Deus sabe quantos quilômetros por hora. Não poderiam?

— Tecnicamente, sim, poderiam — falou Summer, contrariada.

— Você quer que haja um significado para tudo isso. Um motivo para sua dor e para o sofrimento de Michael. Mas a verdade é que não *há* motivo. Não mais do que há motivo pelo qual aquele lunático do Drake atirou em Alexia. Coisas ruins simplesmente acontecem.

— Você não sabe se não há alguma explicação para o que aconteceu com Michael. — Summer ficou surpresa ao se ver quase em lágrimas. Teddy sabia mesmo como provocá-la. — Alguém pode ter adulterado aqueles freios.

— Você pode se torturar com "pode ter" Summer, mas isso não trará Michael de volta para nós.

— Não. Mas pode nos trazer a verdade.

— Mas *por que*, minha querida? — Teddy parecia exasperado. — Por que alguém iria querer matar meu filho?

— É exatamente isso que estou tentando entender.

— Ao ignorar a resposta que está diante de você? A resposta é: não iriam querer! Michael não *tinha* inimigos. Isso não foi nenhum complô maligno. Foi um acidente. Cabos de freios se partem em acidentes.

Summer tentou uma perspectiva diferente. Esperava que as notícias de Walthamstow aguçassem a curiosidade de Teddy, no mínimo, mas ele parecia determinado a ignorá-las. Em vez disso, ela fez a mesma pergunta que tinha feito a Roxie em Kingsmere, semanas antes.

— Michael falou com você sobre algum segredo nas semanas anteriores à festa de verão? Algo perturbador que ele havia descoberto?

— Não. Não falou.

— Tem certeza?

— Sim, tenho. Roxie já me perguntou sobre isso, então pensei a respeito. Ela disse que você mencionou esse "segredo" para ela também. Mas creio que nenhum de nós tenha a mínima ideia do que isso quer dizer. Michael estava bem antes da festa. Nada o estava incomodando.

— Mas ele me contou...

— Summer. — Teddy a interrompeu. — Você está montando uma teoria da conspiração das boas aqui. Segredos misteriosos, cabos de freios partidos. Não consegue ver que é tudo ilusão?

Um silêncio pesado recaiu sobre a mesa.

— Se eu realmente acreditasse que alguém deliberadamente fez mal ao meu filho, não acha que eu ligaria para a polícia agora mesmo? Não acha que eu iria querer a verdade tanto quanto você?

Summer assentiu.

Ao colocar a mão em concha sob o queixo da jovem, Teddy ergueu o rosto de Summer de modo que os olhos dela encontrassem os dele, então falou, gentil, porém firmemente:

— Foi. Um. Acidente. Agora... — Teddy abriu um largo sorriso e quebrou a tensão como um galho se partindo. — Vamos pedir um pudim, sim? É preciso provar para crer no *Eton mess* que fazem aqui.

No quarto, no Orange, algumas horas depois, Summer jogou as poucas e minguadas roupas para passar a noite dentro de uma bolsa.

*Por que ninguém acredita em mim?*

*Por que ninguém me leva a sério?*

Lágrimas de frustração preencheram seus olhos. Ela se lembrou do que o chefe no *New York Post* dissera ao recusar uma matéria sobre intimidação de gangues na qual Summer trabalhara durante meses.

— Não me traga conjecturas, Srta. Meyer. Me traga os fatos. Isto é um jornal. Não publicamos contos de fadas.

Será que a teoria dela sobre Michael era um conto de fadas? Será que a batida tinha mesmo sido um acidente, como Teddy De Vere e o resto do mundo pareciam pensar?

Ao esfregar os olhos, ela se sentiu tonta de cansaço.

*Preciso de um ano de sono.*

De volta ao escritório do fundo de hedge Kingsmere Capital, em Mayfair, Teddy De Vere fechou a porta, tirou o paletó e afundou na poltrona de couro macio da Herman Miller. Ao fechar os olhos, ele inspirou forte para se acalmar.

*Não devo entrar em pânico.*

*Não adianta entrar em pânico. É terrivelmente não inglês.*

Ele pegou o telefone.

— Sim, sou eu. Olhe, sinto muito por ligar enquanto está descansando, mas acho que precisamos conversar.

* * *

Sergei Milescu estava assustado.

Ele tinha certeza de que Sir Edward Manning conseguiria aquilo de que precisava — sujeira o suficiente sobre Alexia De Vere para forçá-la a sair do gabinete, de modo que o homem que o havia contratado pudesse substituí-la por um candidato mais adequado e mais consensual como ministro do Interior. Mas depois de apertar a bicha velha como um limão durante mais de um ano, as gotas de informação de Edward estavam acabando. Assim como a paciência de quem contratara Sergei.

— Paguei adiantado de boa-fé.

Ele vestia um terno Savile Row e falava com o tom de voz contido e educado de um homem de negócios. Mas ele não era um homem de negócios. Era um assassino impiedoso. Criado nas ruas de Tbilisi com nada além da inteligência como orientação, o homem mentira e ameaçara, roubara e enganara e coagira até chegar ao topo da pilha na nova Rússia. Agora, era dono de dois poços de petróleo e de minas de diamantes e de usinas químicas e nucleares. Os JPMorgans e Goldman Sachs do mundo o reverenciavam. Em Londres, o homem andava entre a mais alta sociedade, namorava garotas aristocráticas e dava muito dinheiro para caridade e para partidos políticos "úteis". O Tory tinha sido muito útil, até aquela vaca arrogante Alexia De Vere ousar questionar os acordos de negócios dele, fechando brechas de impostos e outras brechas legais das quais ele e seus colegas oligarcas baseados em Londres dependiam. A ministra do Interior o havia irritado, um grande erro. Sob a máscara de sofisticação, o homem ainda era um selvagem impiedoso.

Sergei Milescu testemunhara essa selvageria em primeira mão. Uma prostituta ucraniana que enganara o homem teve os olhos arrancados. De acordo com os rumores, ele tinha sido bonzinho com ela porque era mulher.

Sergei sentiu o suor ensopar sua camisa.

— Devolverei o dinheiro.

— Não tenho interesse no dinheiro. Quero aquilo pelo que paguei.

— Você conseguirá.

— Quando?

— Em breve.

O homem que contratou Sergei bateu palmas. Dois seguranças armados irromperam na sala. Sergei miou como um gatinho aterrorizado.

— Por favor! Você terá! Muito em breve — implorou ele.

— Tenho certeza que sim, Sr. Milescu. Meu segurança lhe mostrará a saída.

# Capítulo 30

Marjorie Pilcher tirou o casaco estilo Husky de matelassê enquanto subia a encosta da colina que dava na mansão Kingsmere. Como sempre nas caminhadas à tarde, Marjorie refletia sobre a beleza da paisagem campestre de West Oxfordshire e sobre como era privilegiada por morar ali. Como presidente da Iniciativa de Kingsmere e Cotterill Walkers, Marjorie Pilcher gostava de pensar em si como uma figura crucial da comunidade local. Foi Marjorie quem persuadira Teddy De Vere, o mais proeminente residente local, a permitir que passantes "respeitáveis" atravessassem sua propriedade, ainda que não houvesse um direito oficial sobre o passeio na propriedade da mansão. Observando seu cão da raça springer spaniel, Freckles, saltitar pela encosta da colina, com a casa idílica dos De Vere à direita e os bosques antigos que se estendiam à frente como uma floresta de Nárnia, Marjorie Pilcher aproveitava uma sensação calorosa de triunfo. Até mesmo o vigário, reverendo Gray, ficara impressionado pelo modo como Marjorie convencera Teddy De Vere.

— Não consigo imaginar como você conseguiu encantá-lo, Sra. Pilcher — dissera o reverendo Gray a Marjorie enquanto comia um enorme prato de bolinhos amanteigados na paróquia. — Mas graças aos Céus que conseguiu. Gerações de aldeões ficarão em dívida com você, minha cara senhora.

Marjorie Pilcher gostava da ideia de que gerações de aldeões estariam em dívida com ela. E pensar que seu falecido marido, Frank (o desgraçado), achava que ela jamais realizaria nada.

*Ah, Senhor. O que aquele cachorro ridículo está fazendo agora?*

— Freckles! Aqui, garoto. Saia daí.

A única condição de Teddy De Vere fora que os transeuntes e seus animais ficassem no caminho do parque e dos bosques, e que não entrassem nos jardins particulares de Kingsmere. E agora, ali estava o animal desgarrado da própria Marjorie Pilcher rolando por debaixo da cerca em uma violação clara daquela regra sagrada, ocupado com o chão que fora cimentado para o suposto novo pagode.

— Freckles!

Ignorando solenemente a dona, o springer spaniel continuou a cavar, o rabo malhado de marrom e branco se agitando, animado, enquanto ele trabalhava.

— Freckles! Venha aqui agora!

Cuidadosamente, Marjorie Pilcher abriu caminho entre as urtigas e os arbustos que compunham uma fronteira natural entre a área do parque e a propriedade formalmente jardinada da mansão. Como a maioria dos residentes locais, Marjorie detestara a ideia de um pagode na propriedade Kingsmere, considerando-o "espalhafatoso" e vulgar. Mas não fizera uma objeção formal por medo de irritar Teddy De Vere e perder os direitos de transeuntes conquistados com tanta dificuldade. E, no fim das contas, fora a decisão correta. A coisa horrorosa ainda não havia sido construída, e provavelmente jamais seria, agora que o filho dos De Vere sofrera aquele terrível acidente de motocicleta e que a Sra. De Vere fora baleada por um taxista degenerado. Um negócio horrível. Tudo o que restara dos planos grandiosos de Teddy fora um buraco feio preenchido com concreto, mas isso em breve seria coberto pela vegetação. Embora não rápido o bastante para o errante Freckles. Marjorie Pilcher observou desesperada enquanto o cachorro cavava ao redor da placa de cimento, com uma ansiedade que ela jamais vira no animal.

— O que você *está* fazendo, seu cachorro burro? — Marjorie rasgou uma das saias de tweed preferidas ao enfiar uma perna, depois a outra, pela cerca de arame farpado, então ela entrou nos jardins da propriedade. Ouviria reclamações incessantemente na reunião da Iniciativa se um dos zeladores de Kingsmere a surpreendesse invadindo o espaço, apesar de ser por uma boa causa.

*Ah, Deus.* A mulher suspirou. *Ele tem algo na boca.*

Era tudo de que Marjorie precisava, alguma doninha agonizante que teria de terminar de matar com uma pá ou com o salto da bota. Para dizer a verdade, não havia muito do que sentir falta no caro falecido Frank Pilcher, marido de Marjorie por quase cinquenta anos. Ela se lembrava mais dele pela tosse catarrenta que costumava enervá-la e pelo hábito irritante de fazer perguntas no meio do programa de TV preferido: *Gardener's Question Time.* Sob o disfarce tímido das roupas de luto, Marjorie Pilcher abraçara a viuvez com todo o entusiasmo de uma jovem com a adrenalina do primeiro caso romântico. Mas Frank *tinha* sido útil quando se tratava de matar animais. Podia ser uma gentileza, mas Marjorie jamais conseguiria se acostumar com a ideia de acertar uma criatura viva na cabeça. Simplesmente não parecia certo, principalmente quando os ossos do animal faziam aquele ruído terrível de algo se quebrando e sendo esmagado...

O cão voltou saltitando na direção da dona, o "presente" preso na mandíbula.

— Argh, Freckles. — Os lábios de Marjorie se contraíram. — Que oferenda nojenta você me trouxe desta vez?

Com o rabo ainda balançando, o springer saltou na dona.

O grito de Marjorie Pilcher pôde ser ouvido na cidade.

Pendendo grotescamente da boca do cachorro que babava estava uma mão humana em decomposição.

REPÓRTERES SE AMONTOAVAM AO redor da propriedade dos De Vere como vermes. A polícia, também em peso em Kingsmere, parecia inutilmente tentar controlá-los.

— Isso é ridículo — murmurou Teddy quando o Bentley passou pelos portões e pelos flashes das câmeras e microfones estendidos. — Não têm nada melhor para fazer?

Alexia, com as costas esticadas e a mandíbula contraída, no banco do carona, não disse nada. Sob a camisa branca impecável, o lado esquerdo de seu corpo estava coberto por ataduras. Os médicos tinham prescrito Percocet para a dor, mas as pílulas faziam com que ela se sentisse grogue, então havia parado de tomá-las. Como resultado, Alexia se encolhia de dor toda vez que o carro virava uma esquina. Os quebra-molas eram pura agonia.

Pior do que a dor física era a ansiedade que sentia voltando ao peito como água em um navio perfurado.

*É isso que sou — um navio perfurado.*

*Um navio naufragando.*

Depois de ser baleada e da reconciliação com Roxanne, Alexia tinha finalmente capitulado e concordara em tirar uma licença estendida. O primeiro-ministro ficara satisfeito, assim como Kevin Lomax, o arquirrival de Alexia do Ministério de Comércio e Indústria, que Henry Whitman nomeara ministro do Interior em exercício durante a ausência dela.

A declaração de Henry fizera parecer um arranjo temporário, uma folga durante a qual a ministra do Interior se recuperaria física e mentalmente do atentado contra sua vida. Mas Alexia sabia que o partido jamais a aceitaria de volta agora, não com um cadáver sob sua propriedade particular. A descoberta grotesca da Sra. Marjorie Pilcher era um escândalo excessivo, mesmo para uma batalhadora como Alexia De Vere. Politicamente, ela estava acabada. E sabia disso.

— Mãe, Pai. Graças a Deus.

O alívio de Roxie era palpável. A jovem voltara sozinha para Oxfordshire alguns dias mais tarde, depois que Alexia recebeu alta do hospital, e era o único membro da família em Kingsmere quando a mão cortada foi encontrada.

— A polícia não para de me fazer perguntas, mas não sei de nada. Tenho certeza de que acham que estou escondendo alguma coisa.

— Se alguém a está pressionando ou coagindo, quero os nomes — falou Alexia, imperativa. Na última semana, todos os instintos maternais protetores em relação a Roxie tinham retornado. Agora ela estava em modo leoa completo, defendendo o filhote.

Um policial baixinho, gordo, de roupas simples e com cabelos grisalhos curtos caminhou confiantemente até Alexia e Teddy e estendeu a mão.

— Inspetor-chefe Gary Wilmott, Departamento de Investigação Criminal de Oxford. Estamos fazendo algumas perguntas rotineiras à Srta. De Vere, apenas isso. Ninguém está coagindo ninguém.

— Você obviamente a assustou. — Teddy olhou com desgosto para as equipes forenses e para os cães farejadores que invadiam sua casa. — Esse circo é realmente necessário?

O inspetor-chefe Gary Wilmott se enrijeceu.

— Um homem foi encontrado morto em seu jardim, Sr. De Vere. Costumamos levar assassinatos bastante a sério.

— Isso é exagerar um pouco, não? Como sabe que ele foi assassinado?

— Bem, ele era um suicida muito inteligente se conseguiu dar um tiro no próprio peito e depois se enterrar.

Uma das pessoas da equipe forense riu, o que lhe garantiu um olhar gélido do chefe.

O detetive gordo olhou de Teddy para Alexia.

— Onde podemos conversar em particular?

— Em meu escritório. Por aqui. — Ao virar-se para Roxie, Alexia acrescentou: — Vá descansar, minha querida. Papai e eu vamos ajudar o inspetor-chefe com as perguntas.

— Obrigada, mamãe.

— Na verdade, creio que eu preciso de vocês três.

— Por que diabos? —Teddy se irritou. — Roxie contou o que sabe.

O inspetor-chefe Gary Wilmott estava começando a perder a calma. *Porcaria de aristocratas. Acham que as regras não se aplicam a eles. Esse homem não se importa que um rapaz tenha sido morto e abandonado para apodrecer no jardim dele?*

— Porque todos vocês moram aqui, Sr. De Vere. Não é tão complicado.

No escritório, Alexia tomou as rédeas.

— Naturalmente, ajudaremos de qualquer forma possível, inspetor-chefe — disse ela, encolhendo-se e agarrando a lateral do corpo ao se sentar. — Mas imagino se também posso fazer algumas perguntas ao senhor. Disse que foi o corpo de um homem que encontraram?

— Isso mesmo. Não sabemos muito neste estágio. Como podem ver, meus homens ainda estão escavando o local. Não é fácil, com todo esse cimento recém-colocado.

— Já disse a você, inspetor-chefe — falou Roxie, defensiva. — Papai ia fazer uma festa. Meu irmão, Michael, estava encarregado de construir um pagode, mas ele... ele não teve a chance de terminar.

— Tenho certeza de que está ciente do que aconteceu, inspetor-chefe — falou Alexia. — Meu filho sofreu um acidente de moto.

— Sim, senhora. Entendo que é um momento difícil para sua família. Posso servir algo à senhora? Um copo d'água, talvez?

Alexia balançou a cabeça.

— Estou bem. O que minha filha disse está correto. O concreto deveria ser a base de um pagode que estávamos construindo como parte da comemoração do tricentenário. Michael estava coordenando o projeto. Depois do acidente, foi esquecido. Nenhum de nós estava com humor para construir monumentos.

— Então *foi* o seu filho que cavou o buraco lá fora?

— Meu filho e os funcionários dele, sim.

— E seu filho que o preencheu com concreto?

— Sim.

Teddy perdeu a calma.

— Espero que não esteja sugerindo que Michael teve algo a ver com esse negócio do corpo?

— Não estou sugerindo nada, Sr. De Vere.

— Que bom. Porque o garoto está respirando por aparelhos. Não pode se defender das suas insinuações, mas eu com certeza o farei.

Alexia pôs uma das mãos sobre o braço de Teddy, mas ele a afastou. A mulher jamais o tinha visto daquela forma. Teddy era sempre o calmo. Ela era a de sangue quente naquele casamento.

— Inspetor-chefe — perguntou Alexia —, sabe há quanto tempo esse homem foi morto? Ou por quanto tempo pôde ter ficado enterrado em nossa propriedade?

— Não, ainda não sei. Embora, a julgar pelo grau de decomposição e pelos danos aos restos ósseos que desenterramos até agora, mordidas de animais e coisas assim, eu diria que são muitos anos.

— Aí está, então. — Teddy olhou para o homem, triunfante. — Não poderia ter nada a ver com Michael, ou com o pagode idiota. Só pensei nessa coisa há seis ou sete meses e não começamos a trabalhar até junho, muito depois que seu camarada foi descartado.

Teddy pronunciou "descartado" de modo pedante. *Porcaria de esnobe pretensioso.* Por um momento, a máscara profissional do inspetor-chefe Gary Wilmott caiu e ele encarou Teddy com puro desdém. Felizmente, foi interrompido por um membro de sua equipe antes que dissesse algo de que poderia se arrepender.

— Senhor? Melhor vir aqui um minuto.

O inspetor-chefe Wilmott saiu do escritório. Alexia, Teddy e Roxie se entreolharam, chocados. Roxie quebrou o silêncio.

— Acham que Michael sabia?

— Sabia o quê? — perguntou Teddy.

— Sobre o corpo.

Os pais olharam para a jovem como se ela fosse louca.

— É claro que não — disse Alexia. — Por que diabos você pensaria numa coisa dessas?

— Pelo mesmo motivo que a polícia — respondeu Roxie. — O cachorro daquela Pilcher encontrou a mão bem na borda do pagode. Michael poderia ter visto algo quando estavam escavando.

— Ele *poderia*. Mas obviamente não viu.

— Por que isso é óbvio?

— Porque se tivesse visto algo, teria contado à polícia, não? Ou a nós. Se tivesse desenterrado um cadáver, dificilmente o colocaria no lugar e não diria nada a respeito.

— A não ser que tivesse um motivo para mantê-lo escondido — ponderou Roxie. — Summer Meyer estava me perguntando há umas duas semanas sobre um segredo. E se era isso?

O tom de voz de Alexia ficou mais rígido. Ela não queria perturbar o mar de rosas com Roxie, mas não poderia deixar que aquelas suspeitas infundadas sobre o pobre Michael não fossem refutadas.

— Summer é uma garota muito doce, e ouso dizer que tem boas intenções. Mas ela deveria realmente cuidar da própria vida e parar de buscar segredos e conspirações. É tudo besteira.

— Concordo — disse Teddy. Ele contara a Alexia no dia anterior sobre as investigações mais recentes de Summer com a Ducati de Michael e os freios partidos. Alexia não ficou interessada. — Se seu irmão tivesse encontrado um corpo, teria contado a alguém.

Mas Roxie não se deixava convencer.

— A não ser que tivesse sido ele quem enterrou — disse a jovem, em tom desafiador.

Os olhos de Teddy se arregalaram.

— Você não está falando sério? Acha que Michael matou um homem?

— Não estou dizendo que *matou*. Só estou dizendo que é possível. Todos nós às vezes fazemos coisas em momentos de raiva, ou de legítima defesa, ou acidentalmente, no calor do momento. Eu amo Michael, mas, quero dizer, somos todos capazes de assassinato, não somos? Sob as circunstâncias certas.

— Somos? — perguntou Teddy.

— É claro que somos, querido. — Alexia estivera observando Roxie enquanto a garota falava, imaginando se haveria uma mensagem mais profunda sob as palavras, algo além do que tentava dizer a eles. — Se não fosse pela graça de Deus...

— Bem, sinto muito — falou Teddy —, mas ainda não acredito que Michael...

O inspetor-chefe Gary Wilmott voltou sem bater. Ele tinha o rosto sombrio.

— Os cães encontraram roupas enterradas separadamente, cerca de 50 metros de onde os ossos estavam espalhados. Isto estava com elas. — Ele jogou um relógio esportivo velho sobre a mesa de Teddy. — Acho que é demais esperar que algum de vocês reconheça isto?

Teddy perdeu o controle.

— É claro que não reconhecemos. Por que reconheceríamos? A não ser pela infelicidade de alguém ter decidido enterrar um corpo em nossa propriedade, minha família e eu não temos absolutamente nada a ver com isso.

Teddy continuou, mas o inspetor-chefe Wilmott não estava mais ouvindo. Roxie De Vere começara a emitir um ruído esquisito, um tipo de rugido agudo, como um animal preso em uma armadilha. Estava ficando mais alto.

— Srta. De Vere? — O inspetor-chefe Wilmott olhou para ela, confuso.

— Roxie, querida. — Teddy estava cheio de preocupação. — Você está bem?

— Srta. De Vere, reconhece esse relógio? Sabe a quem pertence?

Com um ganido selvagem, Roxie virou a cadeira de rodas. Teddy assistiu horrorizado enquanto a menina usava os antebraços para se impulsionar para fora da cadeira e para cima de Alexia, jogando a mãe no chão.

Agora, era Alexia quem gritava conforme a dor irradiava por seu peito como um raio. Com Roxanne debruçada sobre si, ela não conseguia se mover. Em vez disso, gritava inutilmente em agonia enquanto a jovem agarrava seu pescoço como um torno, enforcando-a e esmagando sua traqueia. Instintivamente, Alexia chutou em pânico. Ela sentiu o ar sair de seu corpo e estava certa de que desmaiaria. Por que ninguém a ajudava?

— Roxanne! — gritou Teddy. — Pelo amor de Deus.

— Você o matou! — gritava Roxie, sacudindo Alexia como um cão terrier com um rato entre os dentes. — Todo esse tempo me fez acreditar que ele havia me deixado. Mas você o matou! Atirou nele a sangue-frio como um animal e o enterrou aqui. *Assassina!*

Tardiamente, o inspetor-chefe Wilmott puxou a garota, recolhendo-a em seus braços. Ela não pesava quase nada. Depois do esforço do ataque à mãe, Roxanne soluçava, fraca, contra o peito dele, inerte e frágil como uma boneca de pano.

Enquanto isso, Alexia De Vere estava deitada no chão, agarrando a garganta e puxando ar como um peixe que acaba de sair da água.

Depois de colocar Roxie gentilmente na cadeira de rodas, o inspetor-chefe Wilmott se ajoelhou de modo a nivelar os olhos com os da jovem.

— Você reconhece o relógio?

A voz de Roxie era como um sussurro.

— Pertencia ao meu noivo. Andrew.

Com isso, os olhos de Roxie De Vere se reviraram e um forte espasmo tomou o corpo destruído da garota. Logo, ela estava espumando pela boca, em uma convulsão descontrolada.

— Faça alguma coisa! Ajude-a! — Teddy parecia em pânico. Alexia apenas encarava, chocada demais e com dor demais para fazer alguma coisa pela filha. Roxie parecia estar sendo eletrocutada, dançando em agonia diante dos olhos dos pais.

— Chame uma ambulância — disse o inspetor-chefe Wilmott para o sargento. — AGORA!

# Capítulo 31

— Interrogatório com Sra. Alexia De Vere, domingo, 26 de novembro, duas e quarenta e quatro da tarde. Inspetor-chefe Gary Wilmott presente. Sra. De Vere, pode, por favor, descrever seu relacionamento com Andrew Beesley, o noivo de sua filha?

Alexia girou a aliança de casamento dourada no dedo.

— Não até ver minha filha.

— Sua filha foi levada para o hospital. Você saberá sobre o estado dela na hora certa.

— Isso não basta. Quero saber o que está acontecendo agora.

— Andrew Beesley, Sra. De Vere.

— Acha que me importo com a porcaria de Andrew Beesley? — disparou Alexia. — Só me importo com Roxanne no momento.

O inspetor-chefe Wilmott falou.

— A maioria das pessoas provavelmente se importaria com o fato de que um jovem que conheciam bem foi assassinado e que o cadáver dele foi encontrado enterrado no jardim.

— É mesmo? Duvido. Não se conhecessem Andrew — disse Alexia, com amargura. *Eu deveria parar de falar. Deveria pedir a presença do meu advogado*. Mas era tão bom falar a verdade, finalmente liberar o ódio, que achava que não conseguiria se impedir.

— Andrew Beesley manipulou minha filha do modo mais cínico e cruel imaginável. Eu não o conhecia bem. Mas o conhecia o suficiente para perceber isso. Tudo o que ele queria era o dinheiro de Roxie.

— E foi por isso que você o matou?

Alexia gargalhou com deboche, então desejou não ter feito isso, pois a dor, mais uma vez, irradiou por suas costelas no lugar onde a bala de Gilbert Drake a havia atingido.

— Não seja ridículo — disse ela, com os dentes trincados. — Não matei ninguém.

— Sua filha não parece achar essa ideia ridícula.

— Minha filha está em choque. Onde está meu marido? Quero falar com meu marido.

— Sabe que não está se ajudando, nem a sua mulher, ao se recusar a responder nossas perguntas.

Algumas portas adiante no corredor, Teddy De Vere também era interrogado. O inspetor Henry Frobisher, um dos oficiais mais talentosos da polícia de Oxford, tinha sido chamado pelo inspetor-chefe Wilmott sob a alegação de que Teddy poderia se abrir mais com "outro riquinho".

Nenhuma sorte. Com os braços cruzados contra o peito e a cabeça resolutamente voltada para trás, Teddy repetia o mantra que entoava desde que saíra de Kingsmere:

— Quero meu advogado.

— Quando viu Andrew Beesley pela última vez?

— Quero meu advogado.

— Existe embasamento para a crença de sua filha de que sua mulher pode ter sido a responsável pela morte do Sr. Beesley?

— Me recuso a responder qualquer pergunta sem o meu advogado.

— Sr. De Vere, estava ciente de que o Sr. Beesley estava, de fato, morto, e não havia retornado à Austrália como contou à sua filha?

— Advogado.

O inspetor Henry Frobisher desligou o gravador.

— Chame o advogado dele aqui — grunhiu o homem para o sargento. — Agora. E certifique-se de que alguém esteja com a filha. Precisamos de um depoimento assim que ela acordar.

Alexia De Vere estava ficando mais estridente.

— Exijo ver minha filha.

— Não tenho certeza de que está em posição de exigir qualquer coisa agora, Sra. De Vere.

— Desligue esse gravador.

O inspetor-chefe Wilmott considerou o pedido por um momento, então o atendeu . Brechas em um caso costumavam acontecer quando as testemunhas, ou os suspeitos, concordavam em falar extraoficialmente.

— Quer me dizer algo, Sra. De Vere?

— Sim, quero.

O inspetor-chefe Wilmott sentiu a animação crescer. *É agora. Ela vai confessar.*

— Quero lembrá-lo de que ainda sou ministra do Interior deste país. E como tal, seu chefe e o chefe do seu chefe se reportam a mim. Eu poderia suspendê-lo. *Assim.* — Alexia estalou os dedos de modo altivo.

Se não tivesse se sentido tão desapontado, o inspetor-chefe Wilmott teria rido. Alexia De Vere podia ser a Dama de Ferro, mas não o assustava, assim como seus amigos poderosos.

— Sob que desculpa? — O homem esticou os ombros. — Um jovem foi baleado em sua propriedade, Sra. De Vere. A senhora pode não se importar com esse fato. Mas eu me importo. E mais — ele pausou para causar efeito —, acho que a senhora o matou.

O lábio superior de Alexia se contraiu.

— Com base em quê? Na paranoia de Roxie? Em um relógio velho?

— Na verdade, acho que sua filha é uma testemunha muito convincente. Tenho a sensação de que um júri pode achar o mesmo. Quero dizer, vamos encarar, eleitores comuns não têm sido exatamente calorosos com a senhora ultimamente, têm? E é isso que os júris são, Sra. De Vere. Apenas 12 eleitores comuns.

Alexia olhou para o policial gordo de modo contemplativo.

— Ligue o gravador.

O inspetor-chefe Wilmott apertou um botão.

— Interrogatório retomado, três e quinze da tarde.

ROXIE DE VERE ABRIU os olhos.

Tudo estava branco, claro e lindo. Por um momento, sentiu uma descarga e felicidade intensa. *Estou no paraíso. Estou no paraíso com Andrew. Ele nunca me deixou. Ele me amava, ele me amava mesmo.*

Então ela viu os policiais uniformizados de pé ao lado da porta e o sonho se tornou poeira.

Aquilo não era o paraíso. E Andrew não era um anjo branco iluminado.

Ele era um cadáver podre, com cães mastigando a carne pútrida que ainda pendia de seus ossos.

Os gritos dela ecoaram pelos corredores do hospital.

O CHEFE DE POLÍCIA Redmayne, da polícia do Vale do Tâmisa, leu o depoimento pela segunda vez, avaliando com cuidado cada palavra antes de entregá-lo novamente ao inspetor-chefe Wilmott.

O chefe de polícia era um homem bem gordo, com bochechas rosadas e um emaranhado de cabelos brancos que lhe davam um ar alegre, como o de um Papai Noel. Na verdade, Cyril Redmayne tinha a mente aguçada e era motivado pelo tipo de ambição indelével que normalmente se associa a políticos ou astros do rock. Ele não ficou nada feliz ao saber que a ministra do Interior tinha sido arrastada para a delegacia de Oxford como uma criminosa comum. Um erro em um caso como aquele e a brilhante carreira de Cyril Redmayne poderia acabar em um piscar de olhos.

Por outro lado, um homem tinha sido morto. E ninguém, nem mesmo tipos como Alexia De Vere, deveria poder se considerar acima da lei.

O inspetor-chefe Gary Wilmott perguntou:

— O que acha, senhor?

— O que *você* acha, Gary?

— Acho que ela está mentindo. Entre os dentes perfeitamente brancos.

O chefe de polícia considerou isso.

— Hmm. Recebi uma ligação de Downing Street, sabe. O primeiro-ministro quer saber se vamos acusá-la.

— Não posso. Ainda não. Gostaria de mantê-la aqui para interrogatório.

— De modo algum.

— Por mais um dia, pelo menos. O marido também.

— Fora de questão.

— Mas, senhor...

— Gary, é a ministra do Interior.

— E daí? Está envolvida nisso, senhor, sei que está.

— Então prove. Encontre essa psicóloga. Veja se ela corrobora a história da Sra. De Vere.

O inspetor-chefe Wilmott pareceu desconfortável.

— Encontramos.

— E?

— E ela corrobora a história. Mas isso não quer dizer nada. Poderiam facilmente ter fomentado isso juntas. Feito um plano de contingência, caso o corpo fosse encontrado. Preciso de mais tempo com a Sra. De Vere.

— Bem, não pode tê-lo. Não sem mais provas.

O inspetor-chefe Wilmott se levantou para ir embora. O chefe de polícia o chamou.

— Ela pode estar falando a verdade, sabe. Só porque você não gosta dela. *É* uma possibilidade.

— E porcos podem voar.

Depois que Wilmott se foi, Cyril Redmayne leu o depoimento de Alexia De Vere pela terceira vez. Se fosse verdade, então muita gente tinha julgado mal a ministra do Interior. Principalmente a própria filha dela.

> Depoimento à polícia, DATA ETC.
>
> Andrew Beesley era um instrutor de tênis australiano que foi trabalhar para minha família há oito anos. Logo após isso, ele começou um relacionamento romântico com minha filha, Roxanne, o qual rapidamente se tornou sério. Rápido demais, em minha opinião, embora tenha sido meu marido quem mais veementemente desaprovou a união. Teddy achava que Andrew era simplesmente um golpista, e que era nosso dever proteger Roxie e impedir que ela se casasse com ele.
>
> Discutimos a ideia de oferecer dinheiro a Andrew para que ele fosse embora. Eu era contra, principalmente porque achava improvável que o rapaz aceitasse, e achava que ele poderia contar a Roxie que o havíamos abordado, o que só pioraria as coisas entre nós e nossa filha. Concordamos que nosso filho, Michael, conversaria com Andrew em particular em vez disso, e tentaria afastá-lo. De toda forma, pouco depois, Andrew desapareceu. Ele não apareceu para trabalhar um dia, e foi isso. Inicialmente, não questionei. Estava feliz porque o rapaz tinha se afastado; todos estávamos. Mas as semanas se passaram e Roxie estava ficando cada vez mais transtornada e se mostrava incapaz de lidar com aquilo. Ela não conseguia aceitar que

Andrew a havia deixado tão repentinamente. Foi quando Teddy me contou que tinha oferecido dinheiro a Andrew, embora eu achasse que tivéssemos concordado em não fazer isso. O garoto quase mordeu a mão de Teddy, e ficou ansioso demais para fugir de volta para a Austrália com o cheque no bolso.

O problema era Roxie. Ela sofreu de depressão na adolescência, muito forte, e a saúde mental de minha filha era frágil na melhor das épocas. Teddy e eu fizemos uma reunião particular com a Dra. Lizzie Hunt, psiquiatra de Roxie, para discutir como deveríamos lidar com a partida de Andrew. Lizzie achou que, por ter sido abandonada por um homem que amava, Roxie não conseguiria lidar com uma segunda traição de Teddy, pois veria a intervenção do pai como traição. Então concordamos, nós três, que eu permitiria que Roxanne acreditasse que *eu* tinha subornado Andrew para que ele fosse embora. Dessa forma, o relacionamento de Roxie com Teddy permaneceria intacto e, nós esperávamos, ela algum dia recobraria confiança o suficiente nos homens para começar um novo e ter um relacionamento romântico mais apropriado.

É claro que as coisas não saíram como esperávamos. Em vez de encarar os demônios de frente, minha filha tentou se matar. Ela teve sorte por sobreviver. Não teria se recuperado não fosse pelo relacionamento próximo e profundo com o pai. Então, nesse sentido, não me arrependo de tê-la enganado. Mas Roxanne passou os oito anos seguintes da vida, até algumas semanas atrás, me odiando pelo que acreditava que eu tinha feito. Isso tem sido difícil.

Sei que Teddy contou a verdade sobre ter pagado Andrew. Em parte porque ele é um homem muito honrado, mas também porque Andrew descontou o cheque que Teddy lhe deu. Vi o dinheiro sair de nossa conta. Até onde

Teddy e eu sabíamos, Andrew Beesley ainda estava morando em algum lugar na Austrália. Não tenho ideia de como ou quando ele morreu, e nenhuma explicação para oferecer sobre como ele acabou enterrado em Kingsmere. No entanto, posso afirmar categoricamente que não tive nada a ver com a morte dele ou com o descarte de seus restos mortais.

Assinado: Alexia De Vere.

O chefe de polícia Redmayne havia lido milhares de depoimentos. Tinha orgulho dos instintos, da habilidade de ler nas entrelinhas das meias-verdades que a maioria das pessoas escolhia contar. Mas aquilo era complicado.

No todo, Cyril Redmayne discordava do inspetor-chefe Gary Wilmott. Ele estava inclinado a acreditar na versão dos eventos da ministra do Interior. Mas havia anomalias. Obviamente, seria necessário uma esposa e mãe extremamente amorosa para fazer os sacrifícios que a Sra. De Vere alegava ter feito e levar a culpa pelas ações do marido. No entanto, ao longo da vida pública, e, mais recentemente, desde o acidente de Michael, a mulher tinha ficado famosa por ser fria e distante como mãe.

Mesmo assim, não se podia manter uma pessoa sob custódia policial porque era considerada fria e distante. A psiquiatra apoiara a história de Alexia. Não havia dúvida de que o marido, depois que começasse a falar, faria o mesmo. As duas únicas pessoas que poderiam contradizer aquela versão dos eventos eram o filho dos De Vere, Michael, que estivera envolvido nas discussões familiares sobre Andrew Beesley e a irmã tantos anos antes... e o próprio Beesley.

Uma dessas pessoas estava em estado vegetativo permanente.

A outra estava morta.

Algo na mente do chefe de polícia Cyril Redmayne se agitava, inquieto, diante da organização daquilo tudo. Mas ele afastou as impressões erradas. Tudo o que importava no final do dia eram os fatos.

Os fatos eram que Gary Wilmott não tinha nada contra Alexia De Vere. Quanto antes a soltassem, melhor.

Por volta das seis da tarde, repórteres estavam acampados, agitados, do lado de fora da delegacia de Oxford, ocupando as ruas como fãs de tênis fanáticos antes de uma final de Wimbledon. A fila de equipes de filmagens de televisão, tanto inglesas quanto internacionais, se estendia até quase Christchurch Meadows.

Para o desapontamento deles, e para o alívio do chefe de polícia Redmayne, a ousada ministra do Interior deixou o prédio por uma porta dos fundos. No banco de trás de um Range Rover com vidros escurecidos, Sir Edward Manning esperava, inabalado e profissional como sempre.

— Para Londres, presumo, ministra? Avisei a Downing Street que ligaríamos do carro. Compreensivelmente, o primeiro-ministro está ansioso para falar pessoalmente com você. Enquanto isso, tomei a liberdade de preparar uma declaração preliminar.

— Obrigada, Edward. Mas creio que tudo isso terá que esperar. Preciso ir ao hospital ver Roxie. Depois quero descobrir o que está acontecendo com Teddy. Ainda o estão interrogando. Acredita nisso?

— Bem, ministra, eu...

— Ouvi perfeitamente a voz de Angus Grey no corredor, então, pelo menos, ele teve o bom senso de pedir um advogado. Mas quero que ele saia de lá o mais rápido possível. Aquele homenzinho vil, Wilmott, está obviamente comprometido com algum tipo de guerra de classes cansativa. Está atacando Teddy desde o momento que chegamos em casa.

— Mesmo assim, ministra...

— Quando tudo isso acabar, quero a cabeça dele em uma bandeja.

Sir Edward Manning desistiu de tentar argumentar com ela. Alexia estava tremendo; se era de raiva ou de choque, devido aos eventos das últimas 12 horas, ele não sabia dizer. Logo, Sir Edward esperava, ele estaria trabalhando para um novo ministro do Interior, e sua inaptidão para interpretar os humores de Alexia não importaria mais. Sir Edward Manning não tinha notícias de Sergei Milescu há semanas. Ele ousava desejar que o pesadelo tivesse acabado — que agora que Alexia estava imersa em tantos escândalos públicos, os patrões misteriosos de Sergei não precisariam mais de informações adicionais e particulares vindas de Sir Edward. Mas a dúvida pendente ainda lançava sombra em cada momento da vida de Manning, como um tumor canceroso que poderia voltar a qualquer hora.

O carro de vidro escurecido encostou na rua, deslizando pela mídia reunida como uma sombra.

— Muito bem, ministra do Interior. Para o hospital. Mas devemos ligar para Henry Whitman no caminho. O governo precisará fazer algum tipo de pronunciamento oficial para a mídia antes de amanhã de manhã.

Alexia olhou pela janela conforme deixavam a cidade.

— Não se preocupe, Edward. Amanhã de manhã, tudo terá terminado.

— Ministra?

— Minha família precisa de mim. Vou pedir demissão.

Sir Edward Manning precisou se conter para não chorar de alívio.

O MÉDICO FOI GENTIL e cuidadosamente educado. Mas também foi firme.

— De modo algum posso deixar que a veja, Sra. De Vere.

— Mas sou mãe dela.

— Sei disso.

— Ela acha que fiz algo terrível. Foi o que causou tudo isso. Mas ela está errada. Precisa saber a verdade.

— Roxanne está extremamente mal, Sra. De Vere. Ela vivenciou o que chamamos de surto psicótico. Mais do que tudo, ela precisa de descanso e paz, e evitar todos os gatilhos para o estresse.

— E é isso o que sou? É a isso que fui reduzida. Um "gatilho para o estresse"?

— Temo que sim.

— E a verdade que se dane, é isso?

Ela estava irritada, mas não com o médico. Tinham sido as próprias mentiras de Alexia que levaram ela e família até ali, bem-intencionadas ou não.

De volta ao carro, Alexia direcionou suas frustrações para Edward.

— Alguma notícia de Teddy?

— Não, ministra, ainda não.

— Então me leve de volta para Londres.

— É claro, ministra.

— E pare de me chamar disso! Já disse que vou pedir demissão. Na verdade, me dê o telefone. Vou fazer isso agora mesmo.

Sir Edward Manning pareceu alarmado.

— Tem certeza de que isso é inteligente?

— Só faça o que estou mandando!

— Não quero desrespeitá-la, ministra do In... Alexia. Mas você está muito emotiva. Não seria melhor se falasse com o primeiro-ministro com um estado mental mais calmo?

— *Não* estou emotiva — gritou Alexia. E, sem aviso, ela caiu em lágrimas.

DURANTE AS 24 HORAS seguintes, Sir Edward Manning assumiu tudo. Em vez de levar Alexia para casa em Cheyne Walk, onde bandos de repórteres certamente estariam esperando, ele registrou a chefe no Blakes Hotel, em South Kensington, e colocou-a para dormir com um remédio forte. Quando Alexia acordou, desorientada, mas profundamente descansada, era quase meio-dia.

— O primeiro-ministro foi muito compreensivo — disse Sir Edward a ela durante um café da manhã tardio com croissants e café puro e forte. — Ele está esperando sua ligação esta tarde. Rascunhei uma carta de demissão formal, para quando você estiver pronta para vê-la.

— Obrigada. — Alexia pegou o referido papel, agradecida. — Me desculpe se fui grosseira com você ontem, Edward.

— Não pense nisso, ministra. Entendo perfeitamente.

— E Teddy? Ele voltou para Kingsmere? Sabe onde estou?

— Ah, sim. Infelizmente, ainda está detido pela polícia do Vale do Tâmisa.

Os olhos de Alexia se arregalaram.

— Eles o mantiveram lá a noite toda?

— Parece que sim.

— Sob quais alegações?

— Mais interrogatórios, presumo. Providenciei uma reunião para você com Angus Grey às duas e meia. No escritório dele, em Gray's Inn Road. Tentei fazer aqui, mas o Sr. Grey precisa ir ao tribunal às quatro da tarde, então seguirá direto para Oxford, para ver Teddy, então não foi possível.

— Isso é maravilhoso, Edward, muito obrigada. — Alexia absorveu aquilo tudo. Sentia-se imensamente aliviada porque veria Angus. Ele saberia o que fazer. — E o hospital? — perguntou ela a Sir Edward Manning. — Acho que não teve chance de...

— Liguei para os dois hospitais e perguntei por Roxanne e por Michael.

Alexia olhou para ele esperançosa.

— Nenhuma mudança, creio.

A expressão dela se anuviou.

Sir Edward Manning pensou: *Ela parece vulnerável esta manhã. Frágil. Se ao menos os eleitores e os colegas de trabalho pudessem ver esse lado dela. O lado que se importa mais com os filhos e com o marido do que com o fato de que está prestes a terminar a carreira política.*

Mesmo assim, era tarde demais. Alexia perdera a carreira política. E Sir Edward Manning estava prestes a ter sua vida de volta.

O ESCRITÓRIO DE ANGUS Grey, advogado com título de Queen's Counsel, cheirava a poder e privilégio do modo como um cavalo de corrida cheira a suor. Desde as paredes de painéis de carvalho até as fotografias do clube de náutica da Universidade de Oxford na parede, e as fotos autografadas de Angus com diversos figurões do Partido Tory que preenchiam a mesa, aquela era uma sala que refletia a posição social de elite de seu dono até o último objeto.

O próprio Angus Grey era um homem em boa forma física e ainda atraente, com 60 e poucos anos e cabelos grisalhos escuros, um leve bronzeado, fruto de uma folga recente em um fim de semana na Riviera italiana e olhos azuis intensos, os quais ele concentrava, completamente, em Alexia.

— Minha querida garota. Você parece cansada. Como estão as costelas?

— Bem — respondeu Alexia, com sinceridade. Com tantas outras coisas acontecendo, o cérebro dela parecia ter desligado a dor do ferimento à bala.

— Que bom. Bem, você deve permanecer forte. Joan, traga chá para a Sra. De Vere, sim? E uma fatia de bolo xadrez.

Alexia afundou em um sofá Chesterfield de couro e fechou os olhos por um momento.

— Sir Edward Manning me contou que você pediu demissão. — Angus conhecia Alexia havia muito tempo. Podia ser direto.

Ela assentiu.

— Anunciarão amanhã de manhã. Mas se você ouvir com atenção, provavelmente escutará o ministro de Comércio e Indústria esfregando as mãos com felicidade enquanto nos falamos.

Angus sorriu.

— Não posso continuar. Estou acabada politicamente. E mesmo que não estivesse, há muita coisa acontecendo em casa.

— Entendo.

— Primeiro Michael, agora isso. Andrew Beesley, morto. Logo quando achei que ele não poderia causar mais dor à minha família! Roxanne está um caco e acredita que a culpa é minha. O que diabos está acontecendo, Angus? O mundo enlouqueceu. O meu mundo, pelo menos.

— Melhor lidar com uma coisa por vez — respondeu Angus Grey, de modo racional. — Vamos falar sobre Teddy.

— Sim. Por que ainda não o soltaram? Ninguém me diz nada.

— Acho que não há nada fundamental com que se preocupar. Eu estive com ele até as onze da noite ontem e de novo esta manhã por duas horas de interrogatório. Ele admitiu que ofereceu dinheiro ao menino para que ele voltasse para a Austrália muitos anos antes, então suas histórias batem totalmente.

— É porque não são histórias — falou Alexia. — Ele é um suspeito?

— Sim — respondeu diretamente o advogado. — Soube de Roxanne?

Alexia afundou no sofá em derrota.

— Não. Não me deixam vê-la. O que vou fazer, Angus? Me sinto completamente perdida.

Angus Grey se inclinou sobre a mesa.

— Tente não entrar em pânico. Veja isso de modo racional. Roxanne está em um lugar seguro, recebendo os cuidados necessários. Quanto a Teddy, isso não é agradável, mas é de praxe. O garoto foi assassinado, está bem? E foi enterrado em sua propriedade. Como vocês admitiram, você e Teddy queriam se livrar dele. É natural que a polícia concentre as suspeitas em sua família primeiro.

— Pode ser natural, Angus. Mas acontece que é errado.

— E quanto a Michael?

Alexia enrijeceu.

— O que tem ele?

— Ele também não aprovava esse rapaz, Andrew, não é? É possível que os dois tenham se encontrado para discutir o assunto e tenham brigado? Poderiam estar bebendo. As coisas poderiam ter saído do controle.

— Andrew foi morto com uma arma, Angus. Pelo menos foi o que a polícia nos contou. Duas balas na nuca. Não é "uma briga que sai do controle". É uma execução.

— É possível que Michael...?

— Não. — Alexia balançou a cabeça veementemente. — Meu filho não é capaz disso.

Angus Grey ergueu uma sobrancelha, mas Alexia foi inequívoca.

— Não.

— Pense a respeito, Alexia. Michael está inconsciente e provavelmente continuará assim. Se ele fosse condenado por isso, não teria noção. Nada mudaria.

— Exceto que o tachariam de assassino! Falsamente.

— Tudo bem. Mas se acusarem Teddy, ele vai ficar preso pelo resto da vida.

Alexia gargalhou descontroladamente.

— Isso é loucura! Nenhum deles matou Andrew Beesley.

— Como você sabe?

— Porque eu os conheço, Angus. Eu os conheço! — Com esforço, Alexia se acalmou. — Olhe, não sei quem matou Beesley e, quem quer que tenha sido, não sei por que o enterrou em Kingsmere. Talvez esperassem me culpar pelo assassinato? Tem um monte de doidos por aí.

— Sim, mas descartar o corpo na *sua* propriedade? Deve haver um elo, uma conexão com sua família.

— Não necessariamente. Talvez o assassino simplesmente fosse um residente local que achou que o cadáver talvez não fosse encontrado em uma parte obscura da propriedade. Estavam certos, de algum modo. Foi o pagode que levou os restos mortais à superfície. Se aquilo tivesse sido construído... *ou* se tivesse sido terminado, e as fundações de concreto tivessem sido despejadas do modo como deveriam... ninguém jamais o teria encontrado. Ele teria o próprio mausoléu pessoal. O que é mais do que Beesley merecia, aliás. Era um rapaz totalmente desagradável.

Alexia observou a mente brilhante de Angus Grey funcionando.

— Você mencionou a possibilidade de alguém tentar culpar você. Estava pensando em uma pessoa em particular? Alguém com algum problema com você ou um motivo para fazer algo tão drástico?

— Não. O pessoal do Patel, imagino. Mas não acho que matariam um homem apenas para se vingar de mim. — Alexia pensou a respeito. — Houve *alguns* incidentes na época que assumi o gabinete. O cachorro de Teddy foi envenenado.

— Onde? Em Kingsmere?

Alexia confirmou.

— Foi horrível, na verdade. O pobre Teddy ficou terrivelmente arrasado na época.

— Aposto que ficou.

— Sim, mas por favor, Angus. Era um cachorro. Não é exatamente a mesma coisa que matar um homem a sangue-frio, não é?

Sir Edward Manning olhou para o relógio enquanto percorria a Strand Avenue.

Duas e quarenta e cinco. Não poderia demorar muito. Precisava estar disponível quando a ministra do Interior saísse da reunião com o advogado. Mas precisava dar a boa notícia a Sergei.

Alexia De Vere estava prestes a pedir demissão.

Os chefes de Sergei, quem quer que fossem, conseguiriam o que queriam.

No fundo, Sir Edward Manning temia que essa pudesse não ser a última vez que ouvia falar de Sergei Milescu. O desgraçado tinha aquelas fotos, afinal de contas. Ainda podia chantageá-lo, ainda podia usá-lo para os próprios fins no futuro, se quisesse. Mas, por enquanto, pelo menos, o perigo imediato tinha passado. Sir Edward sentia que Sergei tinha ficado tão assustado quanto ele. Iria querer saber disso. Ficaria grato que Edward tivesse lhe contado pessoalmente, assim que conseguisse.

O novo apartamento de Sergei ficava em um prédio moderno na Embankment. Embora não fosse luxuoso, era certamente muito mais do que o rapaz podia pagar com o salário como zelador da Câmara dos Lordes. Enquanto corria escada acima até o segundo andar, Sir Edward Manning imaginava quem estaria pagando o aluguel de Sergei. Depois, ele afastou o pensamento. Na manhã do dia seguinte, não importaria.

Não havia campainha, então ele bateu com força na porta. Para surpresa de Sir Edward, ela se abriu.

— Sergei?

Não era típico do rapaz ser tão relapso com segurança. Por outro lado, ele bebia muito, principalmente quando estava agitado, como andava recentemente. *Provavelmente está desmaiado na cama com uma garrafa de Stoli.*

Mas não. O quarto estava vazio, uma pilha de roupas cuidadosamente dobradas era o único sinal de que Sergei estivera em casa. *Será que saiu às pressas e se esqueceu de fechar a porta?* Talvez. Mas, novamente, não havia nada espalhado que sugerisse tal pressa. Tudo estava como deveria, em ordem, organizado, limpo.

Sir Edward Manning abriu a porta do banheiro. Se Sergei tivesse saído da cidade, teria levado os itens de higiene, as coisas pessoais. A mente do rapaz podia ser como um esgoto depravado, mas os hábitos de higiene dele eram incontestáveis.

A banheira ficava sobre uma elevação, um tipo de pedestal de mármore. A primeira coisa que Sir Edward Manning notou era que estava transbordando.

A segunda coisa que notou era que não estava transbordando água.

Estava transbordando sangue.

O cadáver de Sergei Milescu flutuava grotescamente na água, cortado ao meio como um porco no açougue. Ele tinha sido estripado.

Sir Edward Manning se virou e correu.

Ao sair do escritório do advogado para a luz forte da tarde, Alexia caminhou pela Gray's Inn Road sem ter noção de para onde ia e por quê. Com Teddy ao seu lado, ela se sentia forte, capaz, resistente. Sem ele, e sem a carreira política para ancorá-la e lhe dar foco, Alexia se sentia perdida, à deriva, tão fraca e indefesa como uma pena ao vento.

*Estou assustada.*

A percepção veio como um choque. Ela parou. Parte de Alexia queria correr de volta para o escritório de Angus Grey, fazer com que ele lhe assegurasse que Teddy seria liberado naquela noite, que tudo ficaria bem. A polícia só poderia mantê-lo durante 48 horas, a não ser que o acusassem. Mas Angus estaria a caminho do tribunal naquele momento.

Alexia poderia ir para Oxford e esperar por notícias, mas onde ficaria? A ideia de mais uma noite em um hotel a deprimia profundamente. *Não posso viver a vida fugindo.* Mas ela mal conseguiria ir para casa também, não com a demissão prestes a ser anunciada no dia seguinte. Kingsmere ainda era uma cena de crime, e estaria abarrotada de policiais e repórteres durante, pelo menos, as próximas semanas. Cheyne Walk era a melhor aposta de Alexia, mas também estaria cercada de jornalistas esperando notícias da demissão como lobos à espreita diante da perspectiva de carne fresca. *Ainda não posso encará-los. Não sozinha. Não sem Teddy.*

— Com licença.

A mão de alguém a cutucou o ombro. Alexia deu um salto.

— O quê? O que você quer?

A mão pertencia a uma mulher. Ela olhava para Alexia de modo curioso.

— Seu telefone está tocando.

Confusa, Alexia tirou o celular da bolsa.

— Alô?

A voz de Lucy Meyer era como uma mensagem de outro planeta.

— Alexia. Graças a Deeeus você atendeu. O que diabos está acontecendo por aí? Vimos algo no noticiário sobre um assassinato em Kingsmere, mas Summer não nos contou nada. É verdade?

— É verdade — disse Alexia, inexpressiva. — Encontraram um corpo. Era de Andrew, o ex de Roxie.

Lucy engasgou.

— Mentira.

— Eu sei. É loucura, Luce. A polícia ainda está interrogando Teddy.

— Mas certamente eles não acham que Teddy...

— Não sei o que acham. Pedi demissão do gabinete.

— Ai, meu Deus, Alexia. Não! Não pode.

— Precisei pedir. Roxanne teve um colapso. Eu realmente... não consigo nem começar a descrever como as coisas estão ruins. — A voz dela estava falhando. Ciente de que as pessoas na rua a encaravam, Alexia se esgueirou para um beco. — Eu não sei o que fazer. Não sei para onde ir.

— Eu sei — disse Lucy imediatamente. — Venha para cá.

Alexia imaginou Lucy na cozinha, em Martha's Vineyard, de avental e com as mãos cobertas de farinha. Como ela desejava aquela completude, aquela normalidade, aquele casulo seguro, estável e previsível no qual Lucy Meyer vivia. Ela tinha uma vida sem ambição, sem risco, sem tragédia.

— Você é tão gentil.

— Não sou gentil — disse Lucy. — Estou falando sério. Venha para cá. Você precisa se recuperar, de qualquer forma. Faz apenas algumas semanas desde que levou um tiro, pelo amor de Deus. Você não é a supermulher.

— Eu sei — disse Alexia, triste.

— Então faça. Entre no avião. Espere a tempestade passar em algum lugar privado e longínquo. Summer disse que você estava mesmo pensando em vir.

— Eu estava. Mas isso foi antes.

*Por que estou dizendo não? O que há de errado comigo? Isso é exatamente o que quero. O que preciso. Preciso ficar longe. Preciso estar segura.*

— Não posso. Obrigada pela oferta, mas Teddy ainda está em Oxford sendo interrogado, e Roxie encontra-se em um estado terrível. — Um bipe insistente na linha avisou a Alexia que outra pessoa estava tentando falar com ela. — Pode ser o hospital — disse Alexia a Lucy. — Ou Teddy. Preciso desligar.

Com uma relutância interminável, ela desligou e atendeu a outra chamada.

— Alô?

— Ainda está por perto? — Angus Grey parecia abalado.

— Sim. Achei que estivesse no tribunal.

— Eu deveria estar. *Estarei* em cinco minutos. Mas acabo de receber uma ligação da polícia do Vale do Tâmisa.

— Ah, graças a Deus. Eles o soltaram. Está a caminho de Kingsmere?

— Creio que não, Alexia.

— Então o quê?

— Teddy foi acusado de assassinato.

Por um momento, Alexia se recostou na parede do beco, ofegante devido ao choque. Mas ela logo se recompôs.

— Isso é impossível. É ridículo. Você mesmo disse, não têm provas.

— Infelizmente, não precisam de provas. Não mais. Teddy fez uma confissão — disse Angus Grey.

# Capítulo 32

O CÔMODO PARECIA MAIS UM escritório do que uma cela de prisão. Teddy estava sentado a uma mesa, as pernas esticadas diante do corpo como se estivesse em casa, diante da lareira, enquanto Alexia caminhava, nervosa, de um lado para outro.

As coisas tinham evoluído rapidamente. Quando Alexia e Angus Grey chegaram em Oxford, Teddy já tinha estado diante de um juiz da corte e fora posto em custódia para aguardar julgamento. Em menos de uma hora ele seria transferido para uma ala de segurança da prisão de Oxford.

— É verdade? — perguntou Alexia.

— O que é verdade, minha querida?

— Você matou mesmo Andrew?

Ela sentia como se estivesse conversando com um estranho. Como se tudo aquilo fosse algum sonho bizarro do qual acordaria a qualquer momento.

— Matei — disse Teddy, calmamente. — Alguém tinha que fazer. Não planejava confessar, mas não tinha outro jeito. Não com aquele homem terrível, Wilmott, na trilha, como um cão com um osso. Se eu ficasse mais tempo calado, só teria arrastado as coisas. Eu não queria o nome da família manchado ainda mais. Melhor acabar logo com isso.

Alexia levou as mãos à cabeça. *Isso não pode estar acontecendo.*

— Pode nos contar exatamente o que aconteceu, Teddy? — perguntou Angus Grey.

— É claro. — Teddy sorriu, como se recontasse uma anedota divertida. — Fui me encontrar com Beesley no Garrik, como Alexia sabe. Ofereci dinheiro para que ele voltasse para a Austrália.

Alexia assentiu.

— Ele aceitou o dinheiro. Eu mesma verifiquei nossas contas. O cheque foi compensado.

— Foi sim, minha querida.

— E ele se mudou para a Austrália.

— Ele se mudou. Mas algum vestígio de consciência deve tê-lo vencido, pois cerca de um mês depois, que um raio caia na minha cabeça, o merdinha voltou. Me lembro perfeitamente. Eu estava na estação de Paddington prestes a pegar o trem quando senti um tapinha no ombro. Quando me virei, lá estava ele, todo imponente. Beesley. Me disse que tinha mudado de ideia, que estava apaixonado por Roxie e que queria devolver os 300 mil.

— O que aconteceu então? — perguntou Angus Grey.

— Bem, eu fiquei chocado, é óbvio. Precisei pensar rápido. Ele estava falando em se casar com Roxie. Obviamente, eu não podia deixar isso acontecer.

— Mas por que não? Ele voltou por ela, Teddy! — Alexia estava com lágrimas nos olhos.

A expressão de Teddy ficou sombria.

— Voltou pelo dinheiro, é o que quer dizer. Sabia que nós jamais a deserdaríamos. Que se ele casasse com ela, estaria feito pelo resto da vida. Além disso, querida, seja racional. O homem era professor de tênis! Dificilmente alguém apropriado para um De Vere.

Alexia não podia acreditar no que estava ouvindo. O homem diante de si se parecia com Teddy. Soava como Teddy. Mas as coisas que ele falava — que tinha assassinado um homem por nada mais do que soberba — não condiziam com o Teddy De Vere que ela conhecia. Que achava que conhecia.

Teddy continuou.

— Eu pedi que ele fosse me ver no dia seguinte, em Kingsmere. Sairíamos para caçar e conversar sobre as coisas.

— Você pretendia matá-lo? — sussurrou Alexia.

— Sim. Mas foi mais fácil do que pensei. Ele era tão babaca, tentava ser homem, dizia que se casaria com Roxie com ou sem minha permissão, que não havia nada que eu pudesse fazer para evitar isso. Você deveria tê-lo ouvido, Alexia. Se algum dia um homem recebeu o que merecia, esse homem é a porcaria do Andrew Beesley.

Angus e Alexia se olharam horrorizados. Nenhum dos dois jamais tinha visto aquele lado de Teddy antes. Ele contou a história sem um pingo de remorso.

— O que aconteceu depois que atirou nele? — perguntou Angus calmamente. Como advogado principal de Teddy, precisaria saber de todos os fatos, ainda que terríveis.

— Nada aconteceu — respondeu Teddy. — Essa é a beleza da coisa. Cavei um buraco, enterrei-o e foi isso. Continuei esperando que alguma coisa acontecesse, que a polícia ou a família dele batesse à nossa porta. Mas não houve nada.

Alexia virou o rosto. Ela se lembrava de uma época, há muito tempo, quando ela, também, havia esperado por uma punição, pela justiça que jamais chegou. Ao pensar nisso, conseguiu sentir o formigamento de ansiedade na pele, o medo crescente revirando seu estômago e apertando-se como um nó em seu peito. *Como não vi isso em Teddy? Eu estava lá. Como deixei de ver os sinais?*

— Então, a pobre Rox sofreu o acidente — disse Teddy. — Para ser completamente sincero, me esqueci completamente de Beesley depois disso. Roxanne era tudo o que importava.

— Você se esqueceu? — perguntou Angus.

— Creio que sim. Os anos se passaram. Não tive motivos para me lembrar. Beesley estava morto e enterrado, e o segredo estava seguro. Não achei que o tivesse deixado tão perto do local do pagode, mas acho que devo tê-lo enterrado ali mesmo. De toda forma, quando o enterrei, foi fundo demais para algum animal desenterrar. Michael deve ter encontrado o corpo e o movido.

Alexia balançou a cabeça. Ela precisava acreditar na inocência de Michael, pelo menos.

— Não. Ele teria dito alguma coisa.

Teddy falou carinhosamente:

— Suspeito que ele tenha reconhecido o relógio, assim como a irmã o reconheceu, e juntou as peças. Lembre-se de que, até onde Michael sabia, foi *você* quem espantou Beesley, não eu. Foi essa a história que combinamos, entende — explicou Teddy a Angus. — Pelo bem de Roxie. Michael provavelmente achou que *você* tivesse dado fim a Andrew. Imagino que estivesse tentando proteger você, Alexia.

Alexia começou a andar de um lado para outro novamente, cada vez mais rápido até estar quase correndo. A teoria de Teddy tinha um toque horroroso de verdade.

*Michael bateu com a moto acreditando que eu tinha feito isso. Que eu tinha executado aquele rapaz a sangue-frio. Por isso estava tão distraído. Ele acha que sou uma assassina, e agora eu talvez nunca tenha a chance de contar a ele que não sou.*

Angus Grey tentou ser prático.

— Tudo bem, Teddy. Bem, você foi muito honesto. Até onde a sentença vai, acho que a chave é reconhecer essa honestidade e deixar claro que você se arrepende sinceramente do que fez.

Teddy pareceu confuso.

— Me arrependo? Por que eu deveria me arrepender, Angus? Meu dever, meu propósito na vida é proteger minha família e preservar o bom nome dos De Vere. Andrew Beesley teve o que merecia. Ele ameaçou a família e eu neutralizei essa ameaça.

Alexia começou a chorar. *O que aconteceu com o meu Teddy, meu gigante bonzinho?*

— Angus, poderia nos deixar a sós por um momento? — pediu Teddy. Assim que ele e Alexia ficaram sozinhos, Teddy abraçou a mulher bem forte. — Por que está chorando?

— Por que não conheço você! — disse Alexia aos soluços, desesperada.

— Conhece sim — falou Teddy. — Tudo que o fiz foi para proteger nossa família. Matei Andrew para proteger Roxanne. Matei por você também, sabe.

A princípio, Alexia achou que tinha ouvido mal.

— O quê?

— Ah, por favor — disse Teddy. — Não vai dizer que nunca suspeitou.

A cabeça de Alexia estava girando. Ela se sentia como se estivesse bêbada, ou chapada, duas sensações que não experimentava há quarenta anos.

— Suspeitei de quê?

Teddy encarou a esposa e disse:

— Que fui eu quem matou Billy Hamlin.

# Capítulo 33

O SANGUE SE ESVAIU DO rosto de Alexia.

— *Você* matou Billy?

— Eu precisava. Fiz por você, querida, não vê? Ele ia derrubá-la, revirar seu passado e todo o escândalo que você passou a vida tentando esconder. Não podia deixar isso acontecer.

Alexia afundou em uma cadeira dura de metal. Os joelhos dela não a suportavam mais.

— Você sabe sobre meu passado?

— É claro. — Teddy sorriu. — Sempre soube.

— O que sabe, exatamente?

— Tudo. Sei de tudo. Você não acha que eu me casaria com uma mulher sem saber quem ela era? Que eu colocaria o nome da família De Vere em risco, sem saber no que estava me metendo? Sei que você nasceu Antonia Gilletti.

Alexia engasgou.

— Sei que é norte-americana de nascimento. Que se entupiu de drogas na juventude. Que esteve envolvida em um julgamento por assassinato depois da morte de um menininho chamado Handemeyer. Que Billy Hamlin foi seu amante.

— Pare. Por favor, pare.

Alexia estava tremendo. Parecia tão errado ouvir Teddy dizer aquelas coisas. Todos aqueles anos, ela se sentia aterrorizada pela possibilidade de Teddy descobrir sobre seu passado. Aterrorizada por perder a única coisa boa e decente em sua vida. Mas ele sabia! Ele sempre soube. O medo, a enganação, a solidão. Tudo fora por nada.

*Todos esses anos, senti culpa por tê-lo enganado. Mas, na verdade, foi Teddy quem me enganou. Ele me conhece por completo. E eu não o conheço nem um pouco.*

— Não fique tão triste — falou Teddy, lendo os pensamentos dela. — Eu a amei desde o primeiro momento em que a vi, sabe, atrás do balcão no Coach and Horses. Ouvi rumores sobre a linda jovem que trabalhava temporariamente para Clive Leinster e quis ver o porquê do rebuliço. É claro que assim que a vi, ficou claro. Você era, absolutamente, demais para mim.

— Isso não é verdade — disse Alexia, no piloto automático.

— É claro que é verdade. Eu soube desde o início que você não estava apaixonada por mim — continuou Teddy, com um sorriso doce e autodepreciativo. — Por que estaria apaixonada por um velho inútil e entediante como eu? Ou jovem inútil, como acho que era, então. Mas eu também sabia que precisava tê-la. Naturalmente, minha família reprovava. Não tinham visualizado uma atendente de bar se tornando a próxima Lady De Vere. Mas eu não me importava. Nada teria me impedido de me casar com você, Alexia. Quero deixar isso claro.

Teddy segurou a mão dela e a beijou. Alexia tentou não pensar naquela mesma mão esfaqueando o pobre Billy Hamlin no coração, ou puxando o gatilho que acabou com a vida do jovem Andrew Beesley.

— Mas sou um De Vere — continuou Teddy. — E levo isso a sério. Precisava saber em que estava me metendo, e a família também. Precisava saber mais sobre você. Então fiz umas pesquisas.

— Como? — perguntou Alexia. Todos esses anos em que ela tivera uma vida pública, nem uma vez um jornalista tinha se aproximado de desvendar a verdade sobre o passado dela. Como diabos Teddy conseguira descobrir a verdade, e sem que ela soubesse nada sobre isso? Com quem ele havia falado?

— As pessoas têm seus meios — respondeu ele, de modo misterioso. — É difícil trocar de identidade por completo sem deixar um rastro de papéis. Você me disse que estudou na UCLA, então comecei por ali. Não levei muito tempo para descobrir que nem sempre tinha sido Alexia Parker. Depois que revelei Toni Gilletti, o resto emergiu aos poucos. Encontrei os avisos formais que recebeu por crimes envolvendo drogas e furto de lojas na adolescência. Nada muito terrível aí. Então tropecei no Acampamento Williams, e o julgamento do assassinato de Handemeyer. Houve boatos de que Billy Hamlin estava acobertando algo a respeito da morte do garotinho, e que você estava envolvida nela de alguma forma.

— Por que não me perguntou? Não me confrontou?

Teddy deu de ombros.

— Porque você obviamente não queria que eu soubesse. Além do mais, não me importava com nada disso. Tudo aconteceu muito antes de eu conhecer você. O que importava para mim era que Hamlin deveria tê-la amado demais. Se os boatos fossem verdade, ele levou a culpa. Isso é um sacrifício e tanto.

— Sim — disse Alexia. — É. Foi.

— Presumi que quando Billy saísse da prisão, ele poderia vir procurar você. Então decidi vigiá-lo. Nada sinistro. Simplesmente me certifiquei de que soubesse quando ele precisaria comparecer ao agente da condicional, esse tipo de coisa. Não queria que ele estragasse as coisas entre nós. Não sabia como você se sentia em relação a ele.

— Ah, Teddy! Por que não falou comigo?

— Pelo mesmo motivo pelo qual você não falou comigo, imagino — disse Teddy. — Medo. Eu estava morrendo de medo de perder você, Alexia. — Ao estender a mão, ele acariciou o rosto de Alexia com carinho. — De toda forma, pelo visto, eu não deveria ter me preocupado. Não na época, pelo menos. Depois que foi solto, ele vasculhou os lugares que você costumava frequentar por um tempo, tentando encontrá-la. Mas depois de encontrar alguns becos sem saída, desistiu. Casou-se, abriu um negócio, teve um filho. Ele parecia feliz e eu acreditei, esperei, que seria o fim disso. Infelizmente, não foi. Você foi nomeada ministra do Interior e tudo mudou. Quase uma semana depois, Hamlin aparece em Kingsmere como um mendigo.

Aos poucos, Alexia percebeu.

— Você achou que ele tinha voltado para me chantagear.

— Por que mais teria vindo, depois de tanto tempo?

— Não sei — disse Alexia, triste. — Eu nunca dei uma chance a ele de me contar. Mas não o queria ferido. Não o queria morto, pelo amor de Deus.

— Mantenha a voz baixa, querida — falou Teddy. — Lembre-se de onde estamos.

Alexia olhou ao redor da cela com as paredes severas e a mobília funcional de escritório. Em alguns minutos, alguém viria para levar Teddy embora, trancafiá-lo por outro assassinato. Aquilo tudo era demais para absorver.

— Se Hamlin tivesse ficado longe, permanecido com a própria vida em Nova York, tudo poderia ter continuado como tinha sido. Mas como Andrew Beesley, seu amigo, o Sr. Hamlin, tinha um faro para a grande oportunidade. Estava óbvio o que ele queria, querida: extorquir dinheiro e arrastar o nome da família De Vere para a lama. Eu não deixaria isso acontecer. Não depois de todo o nosso trabalho árduo.

— Mas *Teddy*! — Alexia puxou os cabelos, desesperada. — Você não *sabe* nada disso. E se Andrew realmente amava Roxanne? E se Billy Hamlin estivesse longe de querer me machucar? Talvez houvesse algo que ele precisava me contar. Talvez ele quisesse ajudar, já pensou nisso? Ele nunca me pediu dinheiro.

— Só porque nunca teve a chance.

— Ele era um homem tão gentil — disse Alexia, triste. — Não precisava tê-lo matado.

Agora foi Teddy quem ficou exasperado.

— Não o defenda! Não ouse! Ele jamais amou você como eu amo, Alexia. Jamais! Eu fiz isso para protegê-la. Fiz por amor. Acha que você teria a carreira que teve, a vida que teve, se não fosse pela minha proteção? Se eu não estivesse aqui guardando seus segredos, apagando suas pistas? Eu *fiz* de você quem você é, Alexia. Eu lhe *dei* sua vida.

Era verdade. Alexia frequentemente pensava o mesmo. Ela devia tanto a Teddy. Simplesmente não tinha percebido que o preço pelo amor dele tinha sido tão alto. Dois homens inocentes pagaram por isso com suas vidas.

— E quanto à filha de Billy, Jenny?

Os olhos de Teddy se semicerraram.

— O que tem ela?

— Presumo que saiba que está morta. Assassinada, como o pai. Afogada, na verdade. Você parece saber tudo.

Teddy balançou a cabeça.

— Não, eu não sabia disso.

— Então está me dizendo que não teve nada a ver com o que aconteceu com aquela garota?

— É claro que não. Acabei de lhe contar, é a primeira vez que ouço isso.

Ele poderia facilmente estar mentindo. Mas algo bem no fundo dizia a Alexia que a ignorância de Teddy era genuína. Ela não sabia se se sentia aliviada ou desapontada. Àquela altura, seria quase mais fácil acreditar que Teddy tinha assassinado Jenny Hamlin. Que o senso de justiça distorcido e o orgulho familiar dele estavam por trás de todas as coisas ruins que haviam acontecido.

— Me desculpe Alexia.

Ela abaixou o rosto e viu que sua mão ainda estava na de Teddy. Sem saber mais o que fazer, Alexia a deixou ali. Porém o conforto que aquela mão um dia lhe oferecera tinha desaparecido, para sempre.

*Como todo o resto. Como meus filhos, minha carreira, meu casamento, meu futuro.*

Peça por peça, tijolo por tijolo, a fortaleza que Alexia De Vere tinha construído ao redor da vida estava sendo desmontada por aquela mão invisível, por algum destino cruel e implacável.

— Você não contou à polícia, contou? Sobre Billy.

Teddy afastou a mão.

— Não. E você também não deve fazer isso. Eles não têm motivos para conectar qualquer um de nós com aquele caso, e nós não temos motivos para lhes dar um.

— Temos sim, Teddy. Deveríamos dizer a verdade.

— Besteira, Alexia. O que é a verdade em comparação com a honra da família? Em comparação com a reputação? Se a polícia soubesse sobre Billy, precisaria saber sobre sua vida anterior. É isso que você quer? É?

Antes que Alexia pudesse responder, a porta se abriu. Dois oficiais de Justiça entraram, seguidos por Angus Grey.

— Hora de ir.

Angus passou um braço reconfortante sobre os ombros de Alexia conforme deixavam o prédio.

— Há alguém para quem eu possa telefonar? Você não deveria ficar sozinha esta noite.

— Obrigada — falou Alexia —, mas não há.

Era verdade. Teddy sempre fora sua rocha, seu protetor. Mas à dura luz da verdade, ele havia derretido, como manteiga ao sol. E agora, ele estava atrás das grades, inalcançável. Tanto Michael quanto Roxanne estavam perdidos para ela. Havia pessoas que lhe forneceriam uma cama, é claro, por pena ou por necessidade, ou por alguma outra noção britânica de fazer "a coisa certa". Sir Edward Manning, outros colegas políticos com os quais Alexia fizera alianças durante os longos anos nas trincheiras. Mas ninguém que ela considerava um verdadeiro amigo. Não ali, de toda forma.

— Eu posso levá-la para casa? — perguntou Angus.

*Casa*, pensou Alexia. *Onde é isso?*

Naquele momento, ela soube para onde deveria ir.

* * *

— Posso trazer alguma coisa para você, amor? Chá? Torrada?

Summer Meyer sorriu para a enfermeira da UTI, mas fez que não com a cabeça. Ela se divertia com o modo como os ingleses consideravam o "chá" como a panaceia contra todas as doenças da vida. Câncer terminal? Vou colocar a chaleira no fogo. Namorado em coma? Tome uma xícara. Era uma atitude que lhe lembrava a mãe, em casa, embora com Lucy a comida fosse a grande cura para tudo: muffins, biscoitos, cupcakes. Lucy Meyer acreditava fortemente no poder de cura dos assados.

Nem mesmo o fermento mágico de Lucy poderia ter lidado com a última reviravolta na felicidade descendente da família De Vere. A descoberta do corpo de Andrew Beesley em uma cova rasa na propriedade da ministra do Interior era *a* história em todos os canais de notícias britânicos. Alexia pedira demissão e agora Teddy — *Teddy!* — tinha sido acusado do assassinato de Andrew. Um assassino menos provável do que o doce e carinhoso Teddy De Vere era difícil imaginar. Embora, de alguma forma, imaginar Teddy como assassino era mais fácil do que reinterpretar Alexia como a mãe altruísta e amorosa. Aparentemente, ela inventara a história sobre ter afastado Andrew, levando a culpa durante anos apenas para proteger o elo de Roxie com o pai.

Summer acariciou a mão inerte de Michael.

— Eu amo você — sussurrou ela. — Mas sua família é louca. Sabe disso, não?

— Nem todos nós, certamente?

Alexia estava de pé à porta. Magra e abatida, vestia um cardigã branco e calças que pendiam de sua silhueta esquelética como penas em um pássaro moribundo. O cabelo, em geral perfeito, estava caído e embaraçado, e os olhos e as bochechas exibiam o olhar vazio de sofrimento agudo. Se Summer tivesse de escolher uma palavra para descrevê-la, teria sido uma palavra que jamais associara com a mãe de Michael: frágil.

— Você parece terrível.

— Obrigada, Summer.

— Não! Quero dizer... Sinto muito. Isso saiu errado. — Summer corou. — Por favor, sente-se.

— Não a estou incomodando?

— De modo algum. — Summer soltou a mão de Michael e Alexia a segurou, desenhando espirais vagarosas com o dedão na palma da mão do filho.

— Alguma mudança?

Summer fez que não com a cabeça.

As duas mulheres se sentaram em silêncio durante um tempo. Então, Summer falou.

— Mamãe disse que você talvez fosse para Vineyard. Para se esconder por um tempo.

Alexia assentiu.

— Não posso ficar aqui. A imprensa não me dá um minuto de descanso. — Ela olhou para o corpo inerte do filho. — Acha que ele consegue nos ouvir?

— Não sei. Dizem que não. Às vezes sinto que pode, mas... Não sei. — Summer respirou fundo. — Soube que acusaram Teddy.

— Ã-hã. Parece uma novela, não é? — Alexia deu um risinho inapropriado, desnorteada pelo cansaço. — Mas os personagens e o enredo são reais. Andrew Beesley está realmente morto. Michael está mesmo deitado aqui, assim. Teddy está na cadeia. Ele confessou, sabe.

— Eu soube.

— Nunca gostei do Andrew. Mas não percebi o quanto Teddy o odiava. Atirar em um homem a sangue-frio daquela forma. — Alexia balançou a cabeça, incrédula. — Esse não é o homem com quem me casei. Não faz sentido para mim.

— Acho que faz sentido — disse Summer, pensativa. — Só não o tipo de sentido que queremos reconhecer. Não estou defendendo, é óbvio. Mas entendo. As pessoas fazem coisas loucas quando amam alguém.

Alexia deu um sorriso triste.

— Você é uma menina inteligente. Dá para ver por que Michael se apaixonou por você.

— Eu julguei você mal, Alexia — disparou Summer. — Não sabia sobre Teddy e Andrew e sobre como você levou a culpa para que Roxie não odiasse o pai.

— É claro que não sabia — disse Alexia, gentilmente. — Ninguém sabia. Era esse o objetivo.

— Acho que eu não conseguiria fazer algo tão altruísta.

— Você está aqui todos os dias, não está? Eu diria que é bastante altruísta. É mais do que eu consegui fazer. E sou mãe dele.

— Você tinha um emprego importante. Não poderia simplesmente deixá-lo.

— Eu poderia, e deveria. Mas o que está feito, está feito. A ironia é que agora que de fato pedi demissão, não me importo nem um pouco. Não é bizarro como é preciso que coisas terríveis e horrorosas como essa aconteçam para fazer alguém ver o que é importante na vida?

Summer assentiu. Alexia não tirava os olhos de Michael.

— Teddy acha que Michael deve ter encontrado o corpo de Andrew e o enterrado novamente, quando estava escavando para o pagode. Ficou em silêncio para me proteger. — Ela segurou um soluço. — Era esse o "segredo" que estava indicando a você. Meu filho bateu com aquela moto acreditando que *eu* havia assassinado Andrew Beesley.

— Não sabemos disso, Alexia.

— Já foi ruim o bastante Roxie pensar o pior de mim durante todos aqueles anos. Mas pelo menos vou ter a chance de consertar as coisas com ela, em algum momento. Michael talvez nunca acorde. Talvez eu nunca consiga dizer a verdade a ele.

Summer abraçou Alexia. Ela conseguia sentir todas as costelas da mãe de Michael, como as placas de um xilofone.

— Ele *vai* acordar. Tenho certeza. Deixarei você sozinha por um tempo.

Sozinha com o filho, Alexia começou a falar. Ela achou que se sentiria desconfortável e tola, mas agora que estava ali, percebeu que o silêncio era reconfortante. A presença de Michael bastava.

— Tantos segredos, meu querido. Tantas mentiras. E eu comecei tudo! Achei que poderia fugir do passado, dos meus erros. Mas não há saída.

A máquina ao lado de Michael inflava os pulmões dele com ar, então os esvaziava de novo, o ruído tranquilo e rítmico preenchia o silêncio, como ondas batendo na praia.

— Estou tão desesperadamente, desesperadamente arrependida, Michael. Por favor, me perdoe.

Michael De Vere não tinha resposta para dar à mãe.

Ele simplesmente ficou deitado ali, imóvel como um cadáver.

# PARTE QUATRO

# Capítulo 34

A PRIMAVERA CHEGOU AOS POUCOS em Cape Cod. Enquanto o restante de Massachusetts irrompia em uma profusão de cores, calor e vida no momento em que fevereiro se tornava março, o inverno se agarrava a Cape Cod e às ilhas como um velho recurvado se agarra à vida. Muito depois de a última neve ter derretido, Martha's Vineyard ainda era fustigada pelos ventos amargos do Canadá. Qualquer prímula ou narciso tolo o bastante para permitir que a ponta se esgueirasse acima do solo era empurrado para o esquecimento por sua presunção, e os ilhéus continuavam a vestir luvas, usar cachecóis e abafadores de ouvidos conforme executavam suas tarefas na cidade. Quando os muito esperados dias quentes finalmente chegaram no início de maio, o humor entre os habitantes locais era de euforia.

Alexia De Vere sentia-se particularmente privilegiada por testemunhar a mudança tardia da estação. Ao contrário da amiga Lucy Meyer, ela não se importara com o inverno prolongado. De alguma forma, o clima amargo e o cobertor pesado de neve pareceram uma camada sobressalente de proteção do mundo cruel que estava além dos litorais das ilhas, o mundo do qual Alexia escapava, escondendo-se como uma prisioneira em fuga. Ao mesmo tempo, o recomeço da primavera parecia ecoar a sensação de renovação que surgia dentro de Alexia.

Fisicamente, ela tivera uma recuperação incrível do atentado de Gilbert Drake contra sua vida. As costelas de Alexia tinham curado por completo. Uma cicatriz pequena, de um centímetro, no lugar onde a bala perfurara a lateral do corpo era o único lembrete de que o incidente acontecera. Para uma mulher da idade de Alexia, ela era muito, muito sortuda. Mas eram as mudanças emocionais que a afetavam mais profundamente. Capítulos grandes e importantes da vida de Alexia tinham terminado. A carreira política dela estava acabada. Assim como seu casamento, pelo menos da forma que o conhecia. Teddy ainda estava sob custódia em Oxford, esperando a sentença — cortes nos tribunais britânicos significavam um acúmulo imenso de casos, e a audiência *Coroa versus De Vere* provavelmente não aconteceria antes do fim do verão.

O relacionamento entre Alexia e Teddy estava cordial, até mesmo caloroso. Escreviam cartas um para o outro sobre o clima ou sobre o jardim e a rotina de Teddy na prisão, sem jamais mencionar Andrew Beesley ou Billy Hamlin ou qualquer outro assunto "difícil". Não havia nada a dizer, de toda forma — nada que ajudaria. Voltar ao antigo modo de ser parecia o curso mais fácil e mais seguro. Alexia tinha decidido há muito tempo que apoiaria Teddy. Ele mantivera os segredos dela lealmente durante mais de quarenta anos. Agora, era a vez dela de retornar o favor. Estar longe tinha ajudado Alexia a se afastar emocionalmente, a empurrar os pensamentos de Billy Hamlin e de Andrew Beesley e de tudo o que havia acontecido para longe e a se concentrar no presente. Ela tentava não pensar no passado ou no futuro, embora soubesse que Teddy iria para a cadeia por muito, muito tempo e essa ideia a assustasse.

*De agora em diante, tenho de ser minha própria rocha. Reconstruir minha própria vida. Começar do zero. Já fiz isso antes e farei de novo.*

A parte mais difícil eram os filhos. Michael fora transferido para uma unidade de tratamento intensivo especializada em Londres. Os médicos tinham sido muito gentis com Alexia, mas ela sabia o que a transferência significava: Michael jamais melhoraria. Não havia mais esperança. Em algum momento, ela sabia que teria de enfrentar a realidade e desligar as máquinas. Mas não agora. Ainda não. Alexia não estava pronta. E também havia os sentimentos de Summer Meyer para considerar.

Enquanto isso, uma multidão de profissionais de saúde mental tinha cercado a vida de Roxie, bloqueando Alexia completamente. Ao que parecia, Roxie estava em uma instituição de "vida assistida" em algum lugar no oeste da Inglaterra. Mas Alexia estava expressamente proibida de visitar ou sequer saber do paradeiro exato da filha, mediante ordens de psiquiatras.

*Dei à luz Roxie!* Alexia queria gritar. *Eu a amo. Quem são vocês para dizer que não posso ver minha própria menininha?* Mas ela sabia que Roxie não era uma menininha, e que a própria filha tinha insistido para que a mãe fosse banida. Talvez um período de separação fosse melhor para a recuperação de Roxie. Mas ainda doía, uma ferida aberta que sangrava e sangrava e que nenhuma distância ou tempo conseguiria curar por completo.

Enquanto isso, o silêncio das pessoas da antiga vida política de Alexia era ensurdecedor. Ela não tinha falado com Henry Whitman desde o dia que pedira demissão, e nenhum de seus colegas de gabinete ou antigos membros da equipe do distrito eleitoral tinha ligado para ver como ela estava. Edward, o querido Edward, tinha enviado alguns e-mails com fofocas, mas era só isso. Depois de vinte anos de devoção ao Partido Tory, esse abandono completo deveria doer desesperadoramente. Mas não doía. Pelo contrário, parecia libertador. Quando caminhava pelas praias desertas sob ventanias ou pelos charcos de groselha de Martha's Vineyard, às vezes sozinha, às vezes com Lucy, Alexia conseguia sentir o cheiro do futuro no ar gélido e invernal.

Talvez, apesar do que dissera para Michael, poderia *mesmo* deixar o passado para trás dessa vez. Reinventar-se e começar de novo, bem longe.

Dessa vez, o passado parecia disposto a deixá-la em paz.

* * *

Lucy Meyer observava Alexia enquanto a amiga se debruçava sobre a tela do computador. Fazia apenas poucos meses que Lucy acreditara que a tinha perdido de vez. Que a bala de algum taxista maluco tiraria dela uma das pessoas mais importantes na vida. Mas Alexia sobrevivera. Tinha se recuperado e chegado até ali, onde Lucy podia ficar de olho na amiga.

— Você realmente não vai me contar, não é? — murmurou Lucy com a boca cheia de migalhas de bolo.

— Contar o quê? — Alexia não ergueu o rosto.

Lucy tinha aparecido com a desculpa de pegar emprestada uma mangueira para o jardim e acabara ficando para tomar café e comer bolo. Mas desde o momento em que a amiga chegou, Alexia estivera ansiosa para voltar para o MacBook.

— No que está trabalhando? Entocada aí, como um esquilo misterioso.

Alexia sorriu.

— É isso que sou, um esquilo na toca?

— Você é uma política, querida, evitando a pergunta.

— Não sou mais.

— Então no que está trabalhando? Não é o caso de Teddy, é? Porque eu realmente acho que você precisa tirar isso da cabeça. Não pode fazer nada daqui.

— Eu tirei isso da cabeça. — Alexia fechou o computador e se juntou a Lucy no balcão da cozinha. — E não é o caso de Teddy.

Lucy teve uma sensação desconfortável.

— O que é, então?

— É... outra coisa em que estive trabalhando — disse Alexia, evasiva. — Não é importante.

Lucy ergueu uma sobrancelha e esperou.

— Tudo bem, tudo bem. — Alexia cedeu. — É um caso fechado que estou pesquisando. Você se lembra de que falei sobre Billy Hamlin, o rapaz que...

— Lembro — interrompeu-a Lucy.

— E sabe que ele foi morto?

Lucy assentiu.

— Bem, a filha dele também. Jennifer. Ela foi assassinada no ano passado, em circunstâncias verdadeiramente terríveis, e ninguém parece ter qualquer ideia do porquê, ou de quem fez isso, ou de qualquer coisa.

Lucy franziu a testa.

— Tudo bem. É, isso é triste. Mas o que tem a ver com você?

— Naquelas vezes em que Billy foi à Inglaterra, quando tentou me ver e eu o dispensei, ele estava tentando me dizer algo sobre a filha. Acho que estava com medo de que alguma coisa ruim acontecesse com ela.

— E então alguma coisa ruim aconteceu com ela.

— Sim.

— E você se sente responsável?

— Não responsável, exatamente. Mas sinto que devo ajuda a Billy agora.

— Por quê?

— Porque não ajudei na época — respondeu Alexia, de modo simples. — Eu poderia ter ajudado. Eu deveria ter ajudado. Mas virei as costas para ele. Talvez, se tivesse ouvido, Jenny ainda estivesse viva hoje.

— Isso é loucura — falou Lucy, imponente. — Isso não tem nada a ver com você.

— Comecei a investigar o assassinato de Jenny no ano passado, quando ainda estava no gabinete. Mas havia tanta coisa acontecendo na época, em casa e em Westminster. Não tive tempo de me concentrar nisso. Agora tudo o que tenho é tempo.

Lucy empurrou o bolo meio comido.

— Achei que tivesse vindo para cá para fugir do passado. De todo o estresse em casa.

— E vim — admitiu Alexia. — E fugi. Da maior parte.

— Então por que reabrir uma porta tão terrível?

— Porque ninguém mais vai, Luce. Ninguém se importa com quem matou Jenny Hamlin. A mídia seguiu em frente após algumas semanas. A polícia desistiu completamente. Talvez, se eu puder desvendar a verdade, consiga encontrar alguma justiça para a filha de Billy e possa consertar as coisas.

— Consertar para quem?

— Para Billy. Para os meus próprios filhos. Não sei, Luce, não consigo explicar. Apenas parece certo fazer alguma coisa. Pelo menos investigar.

Lucy balançou a cabeça. Ela conhecia Alexia bem o bastante para perceber que nada que dissesse faria a amiga mudar de ideia àquela altura.

— O que significa "investigar"? — perguntou ela. — Se a polícia não conseguiu encontrar nada, o que a faz pensar que você conseguirá, sentada em um computador em Martha's Vineyard?

Alexia sorriu.

— Não conseguirei. Por isso vou para Nova York.

— Nova York? Quando?

— Em breve. Amanhã, se conseguir um voo.

Lucy limpou a mesa de café.

— Tudo bem, é oficial. Você perdeu a cabeça. Deveria estar relaxando, desligando-se, recobrando as forças, se lembra? Não correndo pela cidade em alguma caçada absurda e desenfreada, tudo por uma garota que você nunca conheceu. Uma garota cujo pai, aliás, provavelmente estava tentando arruinar você.

— Não acredito que Billy quisesse me fazer mal — falou Alexia. — E já recuperei minhas forças. Preciso fazer algo, Lucy. Preciso de um propósito. Você entende, não é?

— Acho que sim. Apenas tome cuidado, Alexia. Há portas que, uma vez abertas, não podem ser facilmente fechadas de novo. Comece escavar sobre a vida dessa garota e quem sabe o que pode encontrar.

* * *

Tommy Lyon estava sentado no *american bar* no Savoy Hotel de Londres verificando as empresárias e as mamães gostosas e chiques conforme elas passavam. A maioria usava aliança, embora a morena curvilínea na mesa do canto exibisse promissoramente o dedo anelar nu, apesar de sustentar uma profusão de diamantes em todo o resto do corpo.

*Fim dos 30 anos? Não, início dos 40, com Botox bem-feito e sutil. Divorciada. Rica. Provavelmente uma tigresa na cama.*

Tommy se orgulhava de ser bom em julgar mulheres, do mesmo modo que um apostador se orgulhava de ter um bom conhecimento sobre cavalos. Michael fora o mestre, é claro. Michael De Vere podia farejar os gostos e desgostos de uma mulher, os desejos e as fraquezas dela de mil passos de distância. Tommy Lyon jamais se igualara ao amigo como mulherengo. Apesar de ser alto, loiro, atlético, com o maxilar delineado e os olhos castanhos intensos, tão bonito quanto Michael, de alguma forma, Tommy sempre acabava no banco de reservas. Ele não possuía o fascínio dos De Vere, aquele carisma indescritível que costumava atrair mulheres para Michael como poeira para um aspirador de pó.

Tommy Lyon sentia saudades imensas de Michael De Vere. Mas era legal, ocasionalmente, ser o cara que conseguia a garota. A morena percebeu o olhar de Tommy e sorriu. Ele sorriu de volta, e estava prestes a enviar uma taça de champanhe para a mesa dela quando uma garota de parar o trânsito entrou no bar. Ela vestia jeans, tênis e uma camiseta verde-clara da Gap, e não tinha maquiagem sobre o rosto levemente sardento. Em um bar cheio de mulheres de meia-idade exageradas e de saltos altos, ela se destacava como uma orquídea fresca entre um mar de flores de plástico baratas. Miraculosamente, a deusa parecia se dirigir a ele.

— Tommy?

— Summer?

Tommy não tinha conhecido a namorada de Michael. Ela estivera nos Estados Unidos na maior parte do relacionamento dos dois, e quando estava por perto, Michael a mantinha escondida. Agora Tommy entendia por quê. Michael sempre conseguira garotas deslumbrantes, mas aquela era excepcionalmente atraente. Todos os homens no salão a olhavam e encaravam Tommy. De repente, sentiu uma descarga de orgulho por ter sido ele quem a jovem tinha ido ver.

— Obrigada por se encontrar comigo. — Ela o beijou nas duas bochechas, estilo europeu. — Sei que deve estar superocupado.

— De modo algum. É um prazer. — Tommy gesticulou para o banquinho de bar ao lado do dele. — O que posso pedir para você? Vinho? Champanhe?

— Obrigada, mas estou bem. É um pouco cedo para mim.

— Besteira. Se Michael estivesse aqui, você estaria bebendo. Vamos lá. Que tal uma boa taça de Cristal?

Summer franziu o nariz. *Cristal? Sério. Michael jamais teria lançado uma cantada fraca como essa.* Sem querer ser grosseira, Summer respondeu:

— Aceito uma cerveja. Budweiser, se tiverem. Na garrafa.

Tommy comprou a cerveja e os dois foram até uma mesa mais reservada, passando pela morena desapontada no caminho. Ao observar Summer levar a garrafa de cerveja aos lábios, Tommy sentiu um desconforto familiar de desejo. Ele tentou se lembrar de que aquela era a namorada de Michael. Por outro lado, Michael jamais acordaria, um fato que Tommy Lyon aceitara há muito tempo, ainda que o mesmo não tivesse acontecido com Summer Meyer.

Ele puxou uma conversa educada.

— Então, está na *Vanity Fair* agora?

— Não exatamente. Sou freelance, mas estou trabalhando em um artigo para eles.

— Sobre o que é?

— Jovens russos e ricos em Londres. Os excessos do estilo de vida deles, esse tipo de coisa.

— Cuidado onde pisa — avisou Tommy. — Os oligarcas russos não costumam aceitar exposições de qualquer tipo facilmente. Tenho certeza de que leu as matérias sobre os jornalistas ocidentais em Moscou que foram encontrados com uma bala na nuca.

— Minha matéria dificilmente é do tipo Woodward e Bernstein — respondeu Summer. — É mais do tipo "Que sapatos Dasha Zhukova está usando esta semana?" Entediante e frívola. Não que eu esteja reclamando. É um trabalho e significa que posso ficar em Londres, perto de Michael.

Tommy tentou não se distrair com o movimento dos seios dela sob a camiseta de algodão justa.

— Você ainda vai à unidade de tratamento terminal todos os dias?

— É claro. E não é terminal — falou Summer, defensiva. — É uma unidade de tratamento intensivo a longo prazo. Ele não foi para lá para morrer.

*Ah, foi sim*, pensou Tommy. Mas não disse nada.

— Estou querendo falar com você há meses — disse Summer —, mas com a transferência de Michael para Londres e eu tendo que encontrar um apartamento e um emprego e tudo o mais está uma loucura. Sabe que venho investigando o acidente dele, não é?

— Eu não sabia disso. — Tommy esfregou o queixo de modo pensativo. — Há muito que investigar? Não foi... bem, um acidente?

— Você ficaria surpreso.

Summer contou a ele sobre a viagem ao mecânico de Ducatis no leste de Londres e sobre as suspeitas de que a moto de Michael pudesse ter sido deliberadamente sabotada.

Tommy fez a pergunta óbvia:

— Por que alguém faria isso?

— É o que eu esperava que você pudesse me dizer — respondeu Summer. — Você sabe sobre Teddy, é claro?

— Sobre o corpo no jardim? Claro — falou Tommy. — Ele vai ficar preso pelo resto da vida, imagino. No entanto, ainda acho difícil acreditar. Teddy sempre pareceu tão... gentil.

— Eu sei — concordou Summer. — De toda forma, parece provável que Michael tenha encontrado o corpo quando estava escavando para o pagode e então o enterrou de novo.

— Nossa. — Tommy exalou o ar entre os dentes. — Sério?

— É. E me pergunto: se Michael sabia sobre o assassinato de Andrew Beesley, talvez houvesse alguma conexão entre isso e o que aconteceu com ele.

— Como o quê?

— Não sei. Estava esperando que você soubesse.

Tommy pareceu inexpressivo.

— Havia alguma coisa incomum, qualquer coisa que tenha acontecido nos dias que precederam a festa que lhe pareceu estranha? Michael conheceu alguém novo?

— Ninguém estranho — disse Tommy. — Fornecedores, bufês, equipe do bar. Foi uma época louca... estávamos atolados.

Ignorando os protestos de Summer, Tommy comprou outra rodada de bebidas e pediu alguns petiscos do bar. Particularmente, ele achava que as teorias dela sobre sabotagem eram loucura, uma fantasia que Summer criara para evitar ter de lidar com a perda de Michael. Mas ela era uma garota linda, tão sexy e tão sensual com aquela cabeleira sedosa e aquelas pernas tão, tão longas. Tommy não queria que ela fosse embora.

Summer retomou o interrogatório enquanto Tommy tirava as cascas de pistaches.

— Michael chegou a conversar com você sobre ser ameaçado?

— Não. Jamais.

— E ele nunca confidenciou a você sobre o corpo?

— Não.

— Tem certeza?

— Eu dificilmente esqueceria algo assim.

— Ele tinha algum inimigo do qual você soubesse?

— Você conhece Michael. Todos o amavam.

— Nem todos, ao que parece. Alguém o queria morto. Ou no mínimo silenciado. E conseguiu o que queria.

— Olhe — disse Tommy. — Acho que você está procurando no lugar errado, de verdade. Mas se está procurando inimigos, deveria se concentrar na mãe de Michael. Alexia tinha muitos malucos atrás dela. Como aquele pessoal do Patel. Era a natureza do emprego dela.

— Sim! — Summer se animou. — Michael tinha um arquivo sobre todos eles no apartamento. Eu queria que você desse uma olhada quando tivesse oportunidade. — Depois da segunda bebida, Summer via o salão girando levemente. Ela percebeu que devia ter se esquecido de almoçar. — Mas você está certo, Tommy — continuou a jovem, animada. — Alexia poderia muito bem ser a chave disso. Cortar os fios do freio *dela* seria quase impossível. Como ministra do Interior, teria um agente de segurança, um motorista, pessoas vigiando seus veículos todos os dias, o dia todo. A moto de Michael teria sido um alvo muito mais fácil. E que maneira melhor de magoar um pai do que ferindo o filho, certo?

Summer era tão adoravelmente sincera que Tommy não conseguiu mais aguentar. Inclinando-se para a frente, ele passou a mão pela nuca da garota e tocou os lábios nos dela.

Por um segundo, Summer ficou surpresa demais para fazer qualquer coisa. Mas então, ela se afastou com raiva.

— O que diabos está fazendo? Perdeu a cabeça?

Uma combinação de vergonha e frustração sexual, potencializada por excesso de bebida, fez com que Tommy reagisse com irritação.

— Qual é o seu problema? Foi um beijo. Por que eu não deveria beijá-la?

— Por que você não deveria me beijar? — repetiu Summer, incrédula.

— Não sabia que você tinha feito um voto celibatário.

— Estou com Michael, seu babaca. Seu suposto amigo. — Summer se levantou, trêmula.

— Ei... — Tommy segurou o braço dela. — Michael *foi* meu amigo, está bem? Meu melhor amigo. Não havia nada de "suposto" nisso. Mas Michael está morto, Summer.

— Não está!

— Está sim. Clinicamente e de todas as formas que importam. — Todos os fregueses do bar se viraram para olhar o drama que se desenrolava na mesa do canto. O volume da voz de Tommy subia. — Michael está em coma e jamais vai acordar. Jamais.

— Foda-se! — gritou Summer.

— É isso que você acha que ele iria querer? — disparou Tommy de volta, agarrando o braço da garota com mais força. — Que você sacrificasse sua vida inteira por ele, como alguma noiva hindu atirando o próprio corpo na pira funerária do amado? Porque se é o que acha, então você não o conhecia mesmo.

Girando o corpo, Summer se libertou da mão de Tommy. Depois de pegar a bolsa, ela correu para fora do bar, lágrimas de raiva e humilhação embaçavam-lhe a vista conforme ela tropeçava até a saída.

— Ele não era um santo, sabe — gritou Tommy atrás dela. — Ele nem sequer era fiel a você.

Summer se virou e arregalou os olhos para ele.

— Mentiroso!

— É verdade. Na semana antes de você vir para Oxford, Michael me contou sobre uma mulher mais velha com quem estava saindo. Ele a chamava de "mamãe ricaça". Foi ela quem comprou aquela porcaria de moto, se quer mesmo saber.

O estômago de Summer se revirou.

Ela se virou e saiu correndo.

O TRÂNSITO DE LONDRES estava tão ruim que Summer levou uma hora para chegar à instituição em que Michael estava internado, um prédio vitoriano de tijolos vermelhos próximo a Battersea Park.

— Você parece terrível — observou uma das enfermeiras, não de modo grosseiro, quando Summer entrou. Os cabelos dela estavam desarrumados por ter passado a mão por eles tantas vezes, e as bochechas estavam inchadas por ter chorado. — Está bem?

— Na verdade, não. — Summer ocupou o lugar habitual ao lado da cama de Michael, mas estava chateada demais para segurar a mão dele. Ela sabia que o que Tommy Lyon tinha dito era verdade. A princípio, quando saiu do Savoy, Summer tentou se convencer de que era uma mentira, uma invenção cruel de Tommy, por amargura, porque ela havia recusado a investida dele. *Eu mesma sabia disso, o tempo todo. Foi por isso que vim para Oxford, para confrontá-lo. Eu sabia que havia outra pessoa.*

— Como você ousa ficar deitado aí, em paz, seu filho da puta! — choramingou Summer para o silêncio. — Como pôde fazer isso comigo?

Pilhas de perguntas atormentavam a jovem, como agulhas minúsculas espetando seu cérebro. Será que essa mulher mais velha estivera lá naquela noite, antes de Summer chegar? Até onde Summer sabia, ela poderia ter compartilhado a cama com Michael apenas horas antes. Summer queria saber, precisava saber. Mas Michael tinha negado a ela sequer aquele pedacinho de conforto, o conforto de um ponto final.

— Você me deve uma resposta. Você me *deve*! — gritou ela para Michael enquanto o rapaz dormia, desejando que ele a ouvisse. E Summer chorou porque não havia uma resposta.

Jamais haveria uma resposta.

# Capítulo 35

O CHEFE DE POLÍCIA HARRY Dublowski da Polícia de Nova York sorriu para a mulher atraente sentada à sua frente.

Harry sabia, quando a mulher ligou, que tinha ouvido o nome dela em algum lugar antes. Era um nome exótico, aristocrático. Política internacional não era exatamente uma paixão de Harry, mas quando colocou "Alexia De Vere" no Google, lembrou-se de tudo. A nova Dama de Ferro! A resposta inglesa à Hillary Clinton, até mesmo com um marido degenerado para completar. Exceto pelo fato de que, enquanto o pior crime de Bill fora receber sexo oral de alguma garota gorda no Salão Oval, Teddy De Vere estava preso por assassinato.

O que Harry Dublowski não esperava descobrir era que a Sra. De Vere, na verdade, se tratava de uma senhora de aparência linda. A maioria das mulheres da idade de Harry parecia bruxas. Ou isso ou tinham rostos esquisitos devido a cirurgias, os quais as faziam parecer embalsamadas. Mas Alexia De Vere era genuinamente bonita. As fotos do Google não lhe faziam jus. De acordo com a biografia de Alexia, ela estava na faixa dos 60 anos, mas poderia ter se passado por uma década mais jovem. Com um vestido tubinho simples de cor *nude* e saltos, uma echarpe de cashmere caramelo jogada sobre os ombros, ela podia ter um pouquinho mais de carne sobre os ossos. Mas ainda era elegante e, para os olhos velhos e lacrimejantes de Harry, muito sexy. O chefe de polícia sempre tivera um ponto fraco por mulheres de classe. Deus sabia que ele entrava em contato com pouquíssimas no emprego.

Alexia verificou o policial acima do peso e de meia-idade do outro lado da mesa e chegou a uma conclusão rápida: *o homem quer ser elogiado*. Nesse caso, ela conseguiria pegar mais moscas com mel do que com vinagre.

— Primeiramente, chefe Dublowski, me deixe dizer de novo como estou grata por ter conseguido tempo para me ver.

— De modo algum. — Harry Dublowski sorriu. — Fico feliz em ajudar.

— Conforme mencionei ao telefone estou aqui a respeito da investigação do assassinato de Jennifer Hamlin. É puramente um interesse pessoal.

— Você conhecia a vítima?

Alexia falou cautelosamente.

— Era uma amiga da família.

Harry Dublowski se levantou e caminhou até um arquivo antiquado no canto do escritório.

— Tudo é computadorizado hoje em dia — disse ele, exalando —, mas sou um tolo que gosta de cópias impressas. Algo a respeito da sensação física do papel na nossa mão nos ajuda a pensar, certo? Ou talvez seja apenas eu.

— Não, não — assegurou-lhe Alexia. — Sou igual. Sempre insisti em informações impressas no Ministério do Interior. Tenho certeza de que deixava os membros mais jovens da equipe loucos.

Dublowski entregou o arquivo a ela, permitindo que os dedos gorduchos roçassem os de Alexia no processo.

— Tenho certeza de que não preciso dizer, Sra. De Vere, mas isso é estritamente extraoficial. Não costumamos mostrar informações sobre investigações de assassinato para amigos e parentes da vítima. E nada pode sair desta sala.

— É claro que não. Como falei, fico muito agradecida. — Alexia já estava lendo. Lembrava-se de Sir Edward Manning entregando-lhe o arquivo do FBI sobre Billy Hamlin, depois que Billy reapareceu pela primeira vez em sua vida. Tinha mesmo sido há dois anos? Parecia ter sido ontem. E tanto tinha acontecido desde então. Tantas coisas terríveis.

— Vocês nunca prenderam suspeitos? — Ela ergueu o rosto para o chefe Dublowski com os olhos de um azul gélido penetrante.

— Não. — O rosto dele ficou sombrio. — Foi um caso frustrante, para ser totalmente sincero.

— Como assim?

— Bem, como sabe, a moça foi sequestrada e mantida em cativeiro durante um período de tempo antes da morte. Isso costuma abrir mais caminhos para a investigação. Então, ficamos esperançosos a princípio.

— Que tipo de caminhos?

— Mais tempo durante o qual alguém poderia ter visto alguma coisa, um carro, talvez, ou ouvido alguma coisa. Talvez a garota tenha gritado. Ou talvez alguém tenha notado algo incomum sobre alguma residência ou prédio comercial. Como regra geral, quanto mais complicado um crime, se ocorre em mais de um lugar, por exemplo, ou durante certo período de tempo, é mais provável que os criminosos cometam um erro. Pistas são apenas erros com outro nome.

— Mas isso não aconteceu nesse caso?

— Não. Esse assassino foi cuidadoso. Cuidadoso e esperto. E não se encaixava no perfil normal também.

— Perfil?

— Em um homicídio como esse, no qual uma jovem é perseguida e morta de modo tão sádico, esperamos ver mais crimes com o mesmo modus operandi. Mais jovens surgindo com ferimentos similares. Mais mortes por afogamento. O início de um padrão. Mas não aconteceu. Graças a Deus, de certa forma, não é? Mas isso nos deixou no meio do nada com a investigação Hamlin. A perícia forense não encontrou nada no cadáver.

— E quanto a evidências circunstanciais?

Harry Dublowski deu de ombros.

— A vítima levava uma vida muito tranquila.

Alexia assentiu. Ela sabia que era verdade pela própria pesquisa limitada sobre Jennifer. A garota tinha a existência mais quieta e inofensiva imaginável. Jamais sequer levara uma multa por estacionamento indevido.

— E quanto ao pai?

Os olhos de Harry se semicerraram levemente.

— O que tem ele? Você conhecia o pai?

— Há muito tempo — disse Alexia, apressada. — Como falei, sou uma velha amiga da família. A última vez que vi o pai de Jennifer, ele demonstrou preocupação com a segurança dela.

Se parecia estranho para o chefe Dublowski que uma política inglesa de alto escalão tivesse sido amiga da família de um ex-condenado do Queens e da filha assassinada dele, o policial não demonstrou. Em vez disso, falou, de modo simples:

— O pai era um ex-condenado, um esquizofrênico paranoico. Sem querer ofender, mas o cachorro de Jennifer seria uma testemunha mais confiável do que ele. O cara ouvia vozes e, sim, algumas diziam respeito à filha. Ele queria que meus homens fossem investigar para ele. Era triste, na verdade.

— E você fez isso? Investigou, quero dizer.

— Ah, claro. Temos que levar todas as denúncias de ameaças a sério, mesmo que venham de loucos. Mas ele não tinha provas. Nada mesmo. Estava tudo na cabeça dele. Além disso, tudo ocorreu pelo menos um ano antes de Jenny Hamlin ser morta, talvez mais. Confie em mim, não há conexão.

— Entendo. Bem, obrigada, de toda forma. — Depois de pegar uma caneta Montblanc prateada da bolsa Balenciaga, Alexia deu um sorriso doce. — Entendo que a informação é importante e não posso fazer cópias. Mas será, chefe Dublowski, que você se importaria muito se eu anotasse algumas coisas?

O CHEFE HARRY DUBLOWSKI não estava brincando quando disse que a polícia tinha poucas pistas a seguir. O punhado de informações pessoais que tinham sobre Jenny fora quase totalmente recolhido de um único interrogatório com a antiga colega de quarto, uma garota chamada Kelly Dupree.

Alexia fez uma visita a Kelly no trabalho. O Kelly's Nails era um salão de manicure pequeno como um buraco na parede, espremido dentro de um prédio estreito entre uma loja de conveniência e uma farmácia em uma vizinhança discreta no Brooklyn. Mas a proprietária tinha feito um esforço para dar vida ao lugar. Havia poltronas de couro de estilo, paredes brancas brilhantes recém-pintadas e uma vastidão interessante de esmaltes coloridos da Essie arrumada em forma de arco-íris na parede dos fundos, o que dava ao salão o aspecto de uma antiga loja de doces.

— Já falo com você! — anunciou a própria Kelly alegremente. Ela perdeu um pouco da animação quando Alexia explicou que não era uma freguesa, que estava ali para falar sobre Jenny.

— Olhe, estou trabalhando, está bem? Não tenho tempo. Já disse aos policiais tudo o que sei.

— Entendo isso. Só estou preocupada porque talvez a polícia tenha desistido fácil demais.

Os olhos de Kelly se semicerraram de modo desconfiado.

— Ã-hã. Está preocupada. Certo.

— Não sou repórter. Sou amiga de um amigo.

— Ouça, moça. Se isso for um golpe e você me citar fora de contexto em alguma porcaria de artigo indecente, juro por Deus...

— Não é um golpe. Alguns minutos do seu tempo é tudo de que preciso.

Kelly tinha de admitir que a moça educada e mais velha com sotaque britânico não parecia ser repórter.

— Tudo bem — respondeu ela, contra a própria razão. — Encontrarei você no Starbucks quando terminar aqui. Do outro lado da rua. Que tal às cinco?

A jovem cumpriu com a palavra. Às cinco horas em ponto, Alexia pediu cafés e as duas mulheres se sentaram para conversar.

Kelly Dupree tinha cabelos ruivos e a pele branca como uma irlandesa, além de um punhado de sardas no nariz que a faziam parecer mais jovem do que seus 28 anos. Tinha as sobrancelhas feitas de uma profissional da beleza, e tamborilava as unhas de acrílico alto, nervosamente, sobre a mesa ao falar.

— Me desculpe por ter sido um pouco rude antes. Foi terrível o que aconteceu com Jen. Mas muitas das pessoas do jornal e da TV trataram a morte dela como entretenimento. Como se fosse algum tipo de reality show doentio, sabe? Isso me deixou cautelosa quanto a falar sobre ela.

— Não a culpo — respondeu Alexia. — Eu costumava ser política, estou aposentada agora, mas certamente entendo como a mídia pode ser manipuladora.

— Então qual *é* o seu interesse em Jenny? Sem querer ofender, mas acho difícil acreditar que você seja "amiga de um amigo". Jen não conhecia muitas pessoas como você.

— Eu conheci o pai dela, há muitos anos. Perdemos contato. Quando soube da morte de Jennifer e do que havia acontecido, senti como se devesse a Billy tentar descobrir a verdade. Talvez eu esteja errada, mas pareceu, para mim, que a polícia tinha deixado as coisas passarem.

Kelly Dupree riu com amargura.

— Você não está errada. Os policiais foram tão ruins quanto a mídia. Pior, de certa forma. Durante algumas semanas, o assassinato de Jen foi uma história quente. Depois todos se esqueceram disso e seguiram em frente para algo novo. Não tinham pistas. A suposta investigação foi uma piada. Assim que perceberam que não foi Luca, acabou. Desistiram.

— Luca Minotti? O namorado de Jenny?

— Noivo. Isso. O cara mais gentil do mundo. Luca não mataria uma aranha se pudesse evitar. Sorte a dele estar na Itália quando Jenny sumiu, ou a polícia o teria acusado com certeza. Queriam muito que fosse Luca. Só me perguntaram sobre isso.

Alexia bebericou o café americano.

— E quanto a você. Tem alguma teoria, alguma ideia de quem pode tê-la matado?

Kelly balançou a cabeça.

— Na verdade não. Algum louco. Quero dizer, ela não foi roubada. Não foi estuprada. Não havia *motivo* para isso. Foi tão insensato.

— Jenny estava incomodada de alguma maneira antes de morrer?

— Ela estava deprimida por causa do pai. Você sabe que ele tinha sido assassinado também, certo? Em Londres, um ano antes de Jenny.

— Sim — respondeu Alexia, baixinho, banindo a imagem de Teddy da cabeça. — Eu sabia disso. Eles eram próximos?

— Ah, Deus, sim. Muito. Billy era um pouco estranho, sabe, mas Jen era a única filha dele. Billy a adorava. Ela se preocupava muito com ele.

— Com a saúde mental dele, é o que quer dizer?

Kelly assentiu.

— Sim, isso. E com a solidão dele. Mas sabe, havia outras coisas. Billy estivera na cadeia há muito tempo, antes de Jenny nascer. Eu nunca soube dos detalhes, mas ela parecia convencida de que ele era inocente do que quer que tenha sido acusado. Isso o deixou paranoico. Logo antes de morrer, lembro que ele ligou para o apartamento e disse a Jenny que o governo britânico queria pegá-lo. Que o haviam drogado e colocado em um avião, ou alguma loucura. Estava realmente assustado.

A mão de Alexia segurou firme a xícara de café. *Pobre Billy! Ele foi até mim para pedir ajuda e eu o assustei absurdamente. E então, ninguém acreditou nele, nem mesmo a própria família.* A culpa era como uma pedra amarrada no pescoço de Alexia.

Kelly Dupree continuou.

— As coisas estavam amigáveis entre os pais de Jenny, mas o pai dela jamais se recuperou totalmente do divórcio. E então o negócio dele afundou. E o melhor amigo, parceiro no negócio, partiu e deixou Billy para segurar as pontas.

Alexia voltou a mente para o arquivo de Edward Manning sobre Billy. Ela se lembrava vagamente de algo sobre um parceiro de negócios — o nome era Bates? Mas não percebera que ele e Billy tinham sido amigos próximos.

— Jen costumava dizer que era como se o pai fosse amaldiçoado. E todos nós dizíamos "não, não, isso é loucura". Mas meio que parecia ser assim, entende?

Alexia entendia.

— A ironia foi que, no fim, Billy ficou totalmente obcecado com a segurança de Jenny. Tipo, ela estava ali, preocupada com ele, e Billy estava do outro lado do mundo, paranoico com algo que poderia acontecer com ela. Todos nós achamos que fosse loucura, para ser totalmente sincera. Mas talvez ele soubesse de algo que nós não sabíamos.

— "Todos nós"?

— Eu. Luca. Os amigos de Jenny. A mãe dela.

— Então a mãe de Jenny não acreditava que a filha corresse qualquer perigo?

— Não. Nenhum de nós acreditava. Por que ela poderia estar em perigo? Achamos que Billy estivesse apenas delirando. Talvez estivesse. Mas parece mesmo um pouco estranho ele ser morto a facadas em Londres e então, um ano depois, algum maluco fazer isso com Jenny, não acha? Como se talvez alguém lá fora não gostasse *mesmo* daquela família.

*Família.*

Por algum motivo, a palavra tocou Alexia. Ela e Teddy tinham sido uma família um dia. De volta no tempo, quando Michael e Roxie eram crianças, intocadas pela tragédia, alegremente ignorantes quanto ao mistério que o futuro reservava para todos eles. Ocorreu a Alexia que, de algumas formas, as próprias experiências dela espelhavam as de Billy. A sensação de ser amaldiçoada, de ter, de alguma forma, levado a calamidade para eles mesmos, para ela e para a família. Tanto Alexia quanto Billy tinham perdido os casamento, ambos tinham perdido os filhos. O negócio de Billy fora à falência; a carreira de Alexia fora destruída. Quando Kelly Dupree falou sobre alguém que teria ressentimento contra a família Hamlin, Alexia pensou: *É assim que eu me sinto. Como se minha família fosse toda feita de fantoches, e algum titereiro sádico e maligno estivesse lá em cima puxando as cordas, derrubando-nos, um a um.*

É claro que ela sabia que era loucura. Teddy matara Billy. E Teddy não sabia nada sobre a morte de Jeniffer. Então, não havia conexão. Assim como não havia conexão entre a tentativa de suicídio de Roxie e o acidente de Michael, ou entre a prisão de Teddy e a carreira política arruinada da própria Alexia. *É da natureza humana tentar entrelaçar as coisas. Encontrar um padrão, acreditar que deve haver um propósito por trás da tristeza. É o que Summer Meyer vem tentando fazer com o acidente de Michael. E agora estou fazendo o mesmo com o assassinato de Jenny Hamlin. Mas a verdade é que não há motivo, nenhuma conexão, nenhuma pessoa misteriosa puxando as cordas.*

Eram quase sete da noite quando Alexia saiu do Starbucks. Kelly Dupree dera a ela o endereço do noivo de Jennifer Hamlin, Luca, e da mãe de Jenny, Sally, mas estava tarde demais para visitar qualquer um dos dois naquela noite. Alexia comeria, dormiria e veria o que mais poderia descobrir pela manhã.

De volta ao hotel, uma mansão de estilo refinado no East Village, Alexia caiu na cama, sentindo-se de repente exausta. Depois do ritmo lento da vida em Vineyard, apenas estar em Nova York a cansava. As luzes, o barulho, a energia interminável da cidade. *Estou velha demais para isso. Talvez Lucy estivesse certa. Eu deveria ter ficado em Gables e deixado essas coisas em paz.*

Nada do que Alexia ouvira naquele dia a havia encorajado a acreditar que teria sucesso onde o chefe Harry Dublowski e seus homens haviam falhado. Ela não encontraria o assassino de Jennifer Hamlin. De repente, aquela empreitada toda parecia inútil. *Que diabos estou fazendo, vasculhando o luto de outra família? Como se não tivesse luto o suficiente na minha vida.*

Ela verificou as mensagens. Desde o momento de proximidade que compartilharam ao lado da cama de Michael, de Londres, Summer Meyer passara a mandar mensagens de texto regularmente para Alexia, só para verificar como ela estava ou enviar fotos de um Michael dormindo. Mas naquele dia não havia nada. A mãe de Summer, Lucy, ligara duas vezes, mas não deixara mensagens. Era estranho, pensou Alexia, o quanto os Meyer tinham preenchido o vazio da própria família aos pedaços dela. Lucy, Arnie e Summer eram tudo o que Alexia tinha agora. Ela agradecia a Deus por eles.

Alexia considerou ligar, ela mesma, para Summer, apenas para se certificar de que tudo estava bem. Mas antes que conseguisse descobrir que horas eram na Inglaterra, foi tomada pela exaustão. O telefone escorregou de sua mão e ela caiu em um sono profundo e sem sonhos.

Sally Hamlin bateu a terra ao redor das hidrângeas recém-plantadas e olhou para o jardim da frente com satisfação. A primavera tinha chegado de vez em Tuckahoe, o subúrbio silencioso em Westchester no qual Sally se aposentara, três anos antes; e o cheiro do verão já pairava, tentadoramente, no ar. No Queens, Sally jamais tivera um jardim e sempre quisera um. Agora, obtinha um prazer intenso e profundo do pequeno caminho retangular de grama e flores. A simples satisfação de plantar algo, cuidar disso e observá-lo crescer a preenchia de felicidade e paz, e dava a seu mundo um senso de controle e ordem bastante necessário. Depois de tanta perda, de tanto horror, Sally aprendera a sentir prazer nas pequenas e previsíveis felicidades da vida.

Sally viu a mulher se aproximar de um quarteirão de distância. Alta e vestida de forma elegante, com um andar determinado e ereta, quase altiva, aquela não era uma dona de casa de Tuckahoe em um passeio no domingo de manhã. A mulher reduziu a velocidade ao se aproximar da cerca de Sally, obviamente procurando por alguma coisa.

— Posso ajudá-la?

— Estou procurando por uma Sra. Sally Hamlin?

O sotaque britânico denunciou. Sally soube de cara quem deveria ser a estranha glamorosa. Depois de bater a terra das calças, ela se levantou e estendeu a mão.

— Você a encontrou. Sou Sally Hamlin. É melhor entrar, Sra. De Vere.

A CASA ERA PRIMOROSAMENTE limpa. Alexia tirou o casaco e o pendurou com cuidado no encosto de uma cadeira da cozinha enquanto Sally preparava café para as duas. Havia fotos de Jenny por toda parte: na geladeira, nas prateleiras, até mesmo apoiadas sobre a televisão na sala de estar. Não havia nenhuma de Billy.

Sally se sentou e Alexia imediatamente reparou nas olheiras fundas ao redor dos olhos dela. Era uma mulher atraente, talvez uma década mais jovem que a própria Alexia, com cabelos castanhos cuidadosamente tingidos e uma silhueta esguia e jovial. Mas o luto havia cobrado seu preço no rosto de Sally Hamlin.

— Você veio para falar sobre Billy, suponho — disse Sally. — Soube que ele estava incomodando você e sua família na Inglaterra, antes de morrer. Sinto muito por isso.

— Não precisa se desculpar por nada, acredite.

— Ele costumava falar de você o tempo todo. Alexia De Vere isso, Alexia De Vere aquilo. Estava convencido de que conhecia você. De que vocês dois eram amigos. Acho que a confundiu com alguma antiga namorada ou algo assim. Mas estava tão doente.

Alexia pensou: *Então ela não sabe a verdade. Não conhece meu passado. Billy me protegeu até o fim. Protegeu nós dois.*

— Eu vi seu marido brevemente — falou Alexia. — Quando estava em Londres.

— Ex-marido — corrigiu-a Sally. — Billy e eu nos divorciamos há muito tempo.

— E é por isso que estou aqui, de certa forma. Ele mencionou algo para mim sobre sua filha na ocasião. Tive a sensação de que ele sentia que ela poderia estar em perigo. Que alguém poderia estar tentando feri-la.

À menção de Jennifer, Sally Hamlin afundou visivelmente na poltrona, contraindo os ombros. A dor, estava claro, ainda era desesperadamente recente.

— Creio que não tenha levado a sério na época — disse Alexia. — Mas depois que soube o que aconteceu com Jennifer, eu... bem, imaginei se poderia ter feito mais. Isso ficou na minha cabeça.

Sally Hamlin pareceu surpresa.

— Não interprete isso da maneira errada. Quero dizer, é muito gentil da sua parte se importar e tudo. Mas não entendo por que os problemas da minha família pareceriam importantes para você. Nem mesmo conhecia Billy.

— Não — mentiu Alexia. — Não conhecia. Mas meu encontro com ele ficou em minha mente. Estou aposentada da política agora, tive alguns problemas familiares particulares, então tive tempo de investigar.

Sally assentiu. A mente dela já estava divagando, para a filha e para o terrível pesadelo que a havia tomado.

— Se não for doloroso demais — pediu Alexia, com gentileza —, talvez pudesse me falar um pouco sobre Jennifer.

— É claro.

Depois que Sally começou a falar, não conseguiu parar. Ela contou tudo a Alexia, do nascimento de Jennifer ao divórcio e como ele havia afetado Jenny, até o relacionamento feliz da filha com Luca

Minotti. Ela até mesmo falou sobre a ligação especial de Jennifer com o pai. Apesar dos problemas óbvios causados pela esquizofrenia de Billy, Alexia percebeu que a ex-mulher ainda falava dele com carinho e afeição sinceros.

*Graças a Deus ele se casou com alguém doce e altruísta como Sally, não alguém egoísta e ambicioso como eu. Espero que tenham sido felizes, pelo menos por um tempo. Billy merecia isso.*

Quando Sally finalmente ficou sem palavras, foi até o andar de cima e retornou com uma caixa cheia dos antigos papéis e fotografias de Billy.

— Não custa nada. A maioria é coisa de negócios e duvido muito que tenha alguma relação com o assassinato de Jennifer. Mas é tudo o que tenho.

Alexia aceitou o arquivo.

— Obrigada.

— Acho que o verdadeiro surto psicótico de Billy aconteceu quando Milo se foi — disse Sally. — Milo Bates era o melhor amigo dele. O único amigo verdadeiro, além de mim. O divórcio não foi fácil para Billy, mas a partida de Milo, do modo como foi, abandonando-o por conta própria para que lidasse com as dívidas e o negócio em colapso... Aquilo arrasou com ele. Foi quando as vozes começaram, e a paranoia. Ele desenvolveu umas fantasias mórbidas terríveis.

— Que tipo de fantasias?

Sally balançou a cabeça.

— Ah, era loucura. A princípio, falava sobre Milo ter sido "levado". Sequestrado, sabe. Ele não conseguia aceitar o fato de Milo ter partido deliberadamente. Então, falava sobre Milo ter sido morto. Finalmente, Billy começou a dizer que *ele* tinha sido sequestrado, que de fato testemunhara Milo sendo assassinado. A fantasia ficava cada vez maior e mais elaborada. Era terrível.

— Billy algum dia falou sobre quem ele acreditava ter levado Milo?

Sally sorriu.

— Ah, sim. A voz.

— Como é?

— A voz. A voz era culpada por tudo. Todos sabíamos que estava na cabeça dele, é claro, mas para Billy, era completamente real, tão real quanto eu ou você. Assim que parava de tomar os antipsicóticos, bum: a voz retornava. Começou bem na época em que Milo saiu da cidade e, basicamente, nunca mais parou. Ele ligava para a polícia e dizia que a voz estava ao telefone. Reclamava constantemente sobre telefonemas ameaçadores.

— Mas ele jamais viu essa pessoa. Apenas a ouvia?

— Isso mesmo. Alucinações auditivas são muito comuns com esquizofrênicos.

— Ele contou a você como a voz soava?

Sally encarou Alexia.

— Como um robô. Como máquina. Sintetizada.

Os pelos nos braços de Alexia se arrepiaram, como milhares de minúsculos soldados em posição de sentido. Seus pensamentos saltaram até outra ligação. Uma que recebera dois anos antes, em casa, em Cheyne Walk. Alexia se lembrava da ligação como se a tivesse recebido no dia anterior. A voz sinistra e sintetizada:

*"O dia está chegando. O dia em que o ódio do Senhor será despejado. Porque você pecou contra o Senhor, eu vou torná-la tão indefesa quanto um cego em busca do caminho."*

A garganta de Alexia ficou seca.

— Ele disse alguma coisa sobre se a voz usava linguajar religioso? Fogo e enxofre, esse tipo de coisa?

Os olhos de Sally se arregalaram.

— Sim! Isso é incrível. Como você sabe?

Alexia não tinha certeza de como conseguira voltar ao carro alugado. Ao se sentar no banco do motorista, ficou imóvel, olhando para a frente.

*A voz não estava na cabeça de Billy.*

*Era real.*

*Ligou para mim também.*

O que mais tinha sido real? O assassinato de Milo Bates? Será que Billy tinha sido mesmo forçado a ver o amigo morrer, como dissera à polícia? E quanto às ameaças à filha dele?

— O que você estava tentando me contar, Billy? — disse Alexia com a voz alta e falhada ecoando pelo carro vazio. — Por que não ouvi?

Ela precisava descobrir quem "a voz" realmente era. Não apenas para Billy e para Jennifer Hamlin, mas para si mesma.

*Porque quem quer que seja, ainda não terminou.*

*Virá atrás de mim também.*

# Capítulo 36

Roxie De Vere olhava pelas portas francesas de seu quarto que davam para os jardins e respirou fundo para se acalmar. Havia poucos lugares mais lindos do que Somerset na primavera. Os jardins em Fairmont House, a propriedade interiorana transformada em centro de reabilitação exclusivo na qual Roxie estava morando, estavam entre os mais deslumbrantes do país. Não era possível evitar ser alegrado pelos arbustos de buddleja floridos, cheios de borboletas, ou pelo jardim de rosas tranquilo com as cercas vivas tradicionais em formato cúbico e os caminhos de cascalho que serpenteavam levemente. Havia um lago com uma ilha artificial e um monumento no meio, até onde os "hóspedes" (Fairmont House não era rudimentar o suficiente para ter pacientes) poderiam caminhar para fazer piqueniques ou meditação ou sessões de ioga ao nascer do sol. No todo, era um pouco como viver em uma ilustração de um romance de Jane Austen: tranquilo, idílico e completamente irreal.

Ao abrir as portas, Roxie permitiu que o ar quente preenchesse seu quarto, então ligou a rádio na estação Classic FM. Naquele dia, pela primeira vez, ela permitiria que uma fatia minúscula do mundo exterior invadisse seu casulo seguro. Summer Meyer iria visitá-la, a primeira amiga que Roxie concordara em ver em quase seis meses. A perspectiva era emocionante e enervante.

— Me sinto como uma noiva indiana, com o casamento arranjado, prestes a conhecer o marido — disse Roxie ao terapeuta, Dr. Woods, um canadense gentil com ar de professor universitário de cerca de 60 anos que, inevitavelmente, havia se tornado um tipo de figura paterna. — Os riscos são tão altos.

— São tão altos quanto você permitir — assegurou-a o Dr. Woods. — Não coloque pressão demais sobre si mesma. É um chá com uma amiga, só isso. Você consegue fazer isso, Roxanne.

Roxie achava que conseguiria. Mas agora que Summer viria de fato, que estaria ali a qualquer momento, na verdade, ela sentia o nervosismo de seu antigo eu retornando.

Roxie estava bastante doente quando chegou a Fairmont, assombrada pelos sonhos terríveis com Andrew e tomada por ataques de pânico diários. *Não posso permitir que a visita de Summer me faça regredir*. Levara semanas para que ela aceitasse que fora Teddy, seu amado pai, quem atirara no homem que amava, matando-o. Mas conhecer a verdade e transformar todas as emoções para se adequar a ela eram duas coisas muito diferentes. Por que não podia ter sido Alexia? Odiar a mãe era fácil. Tinha se tornado um hábito, como vestir um casaco familiar. Por muito tempo, Roxie definira a si mesma como uma vítima da crueldade e do egoísmo de Alexia. Isso havia se tornado sua identidade, seu eu. Mas agora, no meio do choque e do luto por causa de Andrew, ela deveria dar uma reviravolta completa. Aceitar que Alexia fora amorosa e *altruísta* o tempo todo. Reconhecer esse fato significava negar toda a vida adulta. Como dissera o Dr. Woods, era como outra morte. Como a morte *de Roxie*. Não era de espantar que fosse assustador.

Ao longo de alguns meses, Roxie perdera o irmão, o pai e Andrew novamente. Tudo em que acreditou durante os últimos anos da vida tinha sido uma mentira. Nada era o que parecia. Da noite para o dia, o mundo do lado de fora de Fairmont House tinha se tornado um lugar assustador. E agora, Summer Meyer estava chegando para lhe dar notícias dele. Para lembrar a Roxie que o mundo ainda estava ali... que um dia ela teria de voltar.

— Nossa, Rox. Você parece tão *bem*.

Summer entrara no quarto sem ser anunciada. Antes que Roxie tivesse tempo para pensar a respeito, ela se viu envolta em um abraço. Instintivamente, abraçou a amiga de volta.

Roxie se sentiu aliviada. A Summer de verdade não era nada como a visitante assustadora em sua imaginação. Tê-la ali parecia certo. Roxie sorriu.

— Está um dia maravilhoso lá fora. Vamos passear?

SUMMER SE ESPREGUIÇOU E girou os braços enquanto caminhava até o lago com Roxie empurrando a cadeira de rodas ao seu lado. Em Fairmont House, a questão era ajudar a si mesmo, se tornar independente física e emocionalmente. Os dias de ser empurrada por outra pessoa tinham acabado para Roxanne.

Fora um caminho longo e quente desde Londres. As juntas de Summer doíam por ter ficado espremida no Fiat Punto mínimo, então o ar puro e o espaço pareciam um luxo. Todos os carros europeus pareciam ter sido feitos para anões ou crianças.

— Este lugar é sensacional. — Summer suspirou. — Não é à toa que não quer sair.

— Não estou de férias, sabe — disse Roxie, defensiva. — É um hospital. Estou aqui porque preciso.

— Eu sei — respondeu Summer. — Só quis dizer que é uma paisagem linda. Tranquila. Não quis insinuar nada.

— Me desculpe. Acho que estou um pouco tensa. *É* tranquilo. E está certa, de um modo. *Tenho* sorte por estar aqui.

— É muito caro?

Roxie deu de ombros.

— Provavelmente. O plano de saúde de papai paga por ele, então não vi uma conta.

A menção a Teddy foi inesperada. Parte do motivo da visita de Summer era que a sentença dele sairia na semana seguinte. Alexia pegaria um avião para Londres para a audiência e tinha pedido a ela para sondar Roxie com antecedência, para ver se a garota estaria disposta a se encontrar com a mãe pessoalmente.

Como fora Roxie quem o mencionara primeiro, Summer perguntou, com cautela:

— Teve algum contato com Teddy? Desde... você sabe.

Roxie virou o rosto.

— Não. Nenhum.

As duas caminharam em silêncio por um tempo. Então Roxie falou:

— Tentei perdoá-lo. Quero perdoá-lo. Seria mais fácil para mim se eu pudesse. Mas acho que não consigo.

Summer assentiu.

— Entendo.

— Duvido que entenda de verdade — disse Roxie, embora não estivesse com raiva. — Todos aqueles anos nos quais ele me consolou, me apoiou, fingiu se importar.

Summer bancou a advogada do diabo.

— Acha que ele estava fingindo? Tenho certeza de que amava você, Roxie.

— Talvez. Mas amor não basta. Ele sabia o que tinha feito. Deixou que eu pensasse o pior de mamãe e do pobre Andrew, apenas para salvar a própria pele. Isso não é egoísmo? Achei que o conhecia tão bem quanto conheço a mim mesma. — Roxie deu uma risada breve e vazia. — Por outro lado, me conhecer não era exatamente meu forte.

— Você precisa pegar mais leve com você mesma — disse Summer. — Passou por uma situação infernal, por mais dor do que a maioria das pessoas sofre a vida inteira. Está indo bem.

Roxie sorriu.

— Obrigada. De toda forma, chega de mim. O que tem acontecido na sua vida? Está escrevendo de novo?

As duas conversaram sobre o trabalho de Summer durante um tempo, até que, inevitavelmente, a conversa se voltou para Michael. Summer ainda não conseguia discutir com ninguém o que Tommy Lyon tinha lhe contado sobre a amante de Michael. Seria injusto impor o fardo à pobre Roxie, ou macular as lembranças que a garota tinha do irmão. Mas ela conversou sobre a nova instituição de tratamento, sobre as enfermeiras, sobre os artigos encorajadores que tinha lido sobre pacientes em coma há muito tempo que faziam recuperações milagrosas.

Finalmente, com alguma trepidação, Summer mencionou o assunto Alexia, e como as duas tinham ficado próximas nos últimos meses.

— Ela está vindo para a sentença do seu pai na semana que vem. Gostaria de ver você.

Os ombros de Roxie ficaram tensos.

— Acho que não é uma boa ideia.

— Ela sente saudades suas — falou Summer. — Sua mãe tem uma casca grossa, mas por dentro é uma boa pessoa. Uma pessoa que tem compaixão.

— Você não costumava pensar assim.

— Eu a julguei mal. Não conhecia os fatos. Olhe, Roxie, sei que ela cometeu erros.

— Isso é um ligeiro eufemismo, não acha? — disparou Roxie.

— Tudo bem, *grandes* erros. Mas ela quer consertar as coisas. Não quer se encontrar com ela apenas por alguns minutos?

Roxie balançou a cabeça com vigor.

— Não posso.

— Ela nunca quis fazer mal a você.

— Eu sei disso, está bem? — Roxie ergueu o rosto para Summer com lágrimas nos olhos. — Mas magoou. Ela me magoou. Tudo bem, não afugentou Andrew como eu pensava. Mas ela não está isenta de culpa, Summer. Mesmo assim, ela mentiu. Mentiu e mentiu, e eu construí minha vida sobre essas mentiras! Não consegue imaginar como é perceber que tudo o que você achava que sabia sobre si e sobre sua família era apenas ilusão!

Summer pensou: *entendo mais do que você pensa. Tudo que achei que sabia sobre mim e Michael era mentira. Mas aqui estou, vivendo essa mentira, pateticamente apaixonada demais para seguir em frente.*

— Sua família é tão completa, tão normal — continuou Roxie. — Não faz ideia de como tem sorte por ter Lucy como mãe. Por ter dois pais felizes e normais.

— Eu sei — respondeu Summer.

As duas caminharam de volta para a casa e a equipe lhes serviu chá e bolo de nozes caseiro no quarto de Roxie. Antes de Summer partir, ela prometeu enviar fotos de Michael e manter mais contato.

Ao dobrar as longas pernas dentro do carro minúsculo, Summer falou:

— Pense no que falei. Sua mãe chega na sexta-feira. Ela está desesperada para ver você. No fim das contas, Rox, quaisquer que sejam os defeitos dela, é a única mãe que você tem.

Acelerando de volta pela entrada de carros ladeada por árvores, Summer pensou em Roxanne. A vida das duas tinha seguido rumos tão diferentes. Mas certas coisas as uniam.

*Nós duas fomos tolas apaixonadas. Eu por Michael. Roxanne por Andrew Beesley.* Até mesmo Alexia, ao lado de Teddy depois de tudo o que tinha acontecido, era a prova viva de que o amor era cego.

Roxie estava certa. A mãe havia mentido para ela.

*Mas não somos todos mentirosos quando se trata de amor? Mentirosos para os outros e para nós mesmos?*

Summer continuou dirigindo.

O CAMINHO DE VOLTA para a cidade foi um pesadelo, com a rodovia A303, de pista única, serpenteando infinitamente à distância como a estrada de tijolos amarelos de Oz.

NENHUMA PARADA DURANTE 56 QUILÔMETROS, dizia a placa. Summer não sentira fome antes, mas o anúncio inesperado de que não haveria comida disponível durante, no mínimo, uma hora fez seu estômago roncar de repente. Esticando a mão até o lado do carona, ela começou a vasculhar o porta-luvas em busca de um doce, o que fez com que papéis voassem acidentalmente por toda parte. Ao pegar um, ela viu que era o documento de registro da Ducati de Michael, aquele que pegara em Kingsmere quase um ano antes, na noite em que jantara com Teddy.

Listava o nome da concessionária que entregara a motocicleta: Drake Motors. Havia um endereço também, em Surrey, logo após a rodovia A3. Summer passaria direto por ali.

Desde a noite no Savoy, quando conhecera Tommy Lyon, Summer abandonara a investigação sobre o acidente de Michael. Estava com os sentimentos muito conflituosos e, de toda forma, a coisa toda começara a parecer uma perda de tempo monumental. Ela não estava pronta para deixar a Inglaterra, para dar as costas para Michael por completo. Mas em outros aspectos decidira seguir o conselho da mãe e se concentrar na própria vida, em seu futuro. Michael se comportara de modo egoísta, afinal de contas. Por que ela deveria sacrificar todos os momentos da vida tentando conseguir justiça para ele?

Tommy Lyon a magoara profundamente, mas também a obrigara a aceitar algumas verdades. Michael não fora perfeito. Mais importante era que, mesmo que Summer conseguisse descobrir toda a verdade sobre o acidente, isso não traria o namorado de volta para ela.

Mas agora, presa como estava no trânsito, entediada e com o documento na mão, seu interesse foi despertado. Seria teimosia e tolice, é claro, passar direto pela Drake Motors sem mesmo parar. Quem sabe quando passaria por ali de novo.

SIR EDWARD MANNING FICOU espantado ao ouvir a voz de Alexia De Vere.

Nos meses desde que a Sra. De Vere deixara o gabinete, Edward quase se esquecera do pesadelo que fora sua vida na época. As ameaças sádicas de Sergei Milescu, a nuvem de terror que pairava constantemente sobre ele, o peso e a ansiedade encolhidos permanentemente em seu peito, como uma cobra, pronta para atacar. Quanto à imagem aterrorizante de Sergei na banheira, com as entranhas flutuando ao redor da cabeça inchada como uma fileira de linguiças de porco... Isso ainda lhe voltava às vezes em sonho. Mas Sir Edward assegurava a si mesmo que, para ele, aquilo significara de fato que o horror tinha acabado. A demissão de Alexia chegara tarde demais para que Sergei evitasse a insatisfação de quem o estava pagando. Mas salvara a vida de Sir Edward Manning.

Os policiais que encontraram o corpo de Sergei tinham ido à Câmara dos Lordes para interrogar os outros membros da equipe de zeladores. Aparentemente, o método da execução de Milescu era aquele preferido pela máfia russa. Mas ninguém sabia que ligação o zelador romeno poderia ter com algum russo. E ninguém o conectou a Sir Edward Manning.

Kevin Lomax tinha suas forças e suas fraquezas, tanto como chefe quanto como ministro do Interior. Não escapou a Sir Edward que a primeira coisa que Lomax fez no escritório foi retirar a legislação de impostos que ameaçara a elite russa rica de Londres. Mas Sir Edward não comentou. A chegada de Lomax ao Ministério do Interior trouxera um período de paz e segurança para ele.

A voz de Alexia ao telefone destruiu essa paz em um instante.

— Desculpe-me por perturbá-lo em um fim de semana, Edward, mas estava imaginando se poderia pedir-lhe um favor.

— É claro — disparou Sir Edward Manning. — Embora eu não veja muito bem...

— Preciso de informações.

Alguns segundos de silêncio esclarecedores.

— Informações importantes. Entenderei se você disser que não.

— Vá em frente.

— Quero saber tudo o que há sobre um homem chamado Milo Bates.

*Nada a ver com a Rússia. Ou com Lomax. Ou com o assassinato de Milescu*. Sir Edward exalou.

— Milo Bates. — O nome era familiar. Ele levou alguns minutos para identificá-lo. — Ah, sim, me lembro. O parceiro de William Hamlin. É dele que está falando? Aquele que desapareceu.

Alexia ficou impressionada, mas não surpresa. Edward tinha um armazenamento de memória maior do que a Biblioteca Britânica.

— Exatamente. Também gostaria de uma lista de corpos não identificados encontrados na região de Nova York no ano em que Milo desapareceu.

O silêncio foi mais longo dessa vez. Alexia prendeu a respiração, mas, por fim, Sir Edward falou:

— Verei o que posso fazer. Onde posso entrar em contato com você?

A DRAKE MOTORS ERA um estabelecimento mais sofisticado do que a oficina St. Martin's em Walthamstow. O showroom da frente, completo, com piso de mármore, fonte e uma recepcionista esnobe vestida da cabeça aos pés com roupas da grife Victoria Beckham, estava lotado de carros esportivos top de linha, desde o Bugatti mais recente em um prateado fosco que era tendência até Jaguares e Bentleys vintage reluzentes em tons de vinho ou verde esportivo. Summer se sentiu instantaneamente deslocada com a camiseta suada, as calças jeans e os tênis. E também não tinha certeza de se estava no lugar certo. Não conseguia ver uma única moto em exibição. Talvez houvesse outra Drake Motors na A3?

— Posso ajudá-la?

O homem estava na meia-idade, era bonito, tinha sotaque de classe alta e vestia um terno caro.

*O gerente*, pensou Summer. Ao contrário da recepcionista, ele parecia acolhedor e nem um pouco perturbado pelo modelito incomumente casual de Summer. *Está no ramo de carros de luxo há tempo demais para julgar um livro pela capa, ou o valor líquido de um cliente em particular por quanto o jeans está surrado.*

— Espero que sim. Um amigo meu ganhou uma motocicleta de presente há cerca de um ano e meio. Veio da sua garagem. É uma Ducati Panigale.

O pescoço e as bochechas de Summer coraram. Era ridículo odiar objetos inanimados, mas desde que Tommy Lyon contara a ela que a moto de Michael tinha sido um presente da amante, a garota passara a odiar o veículo com a mesma força com que se odeia uma pessoa.

— Bem — disse o gerente, com gentileza —, não vendemos muitas motos, para ser sincero. Eu provavelmente me lembraria da venda, se você me dissesse o nome do comprador.

— Essa é a questão. Eu sei o nome do meu amigo, é óbvio. Tenho o certificado de posse dele aqui. Mas não sei quem, de fato, pagou pela motocicleta.

Ela entregou o documento para o gerente. Levou alguns momentos para que ele registrasse o nome de Michael.

— De Vere. Não *o* De Vere? O filho da ministra do Interior?

— Isso mesmo.

Summer esperou pelas frivolidades de compaixão. Em vez disso, recebeu um olhar hostil.

— Como conseguiu isto? — Toda a complacência anterior do gerente desapareceu. — É jornalista? Porque se estiver em busca de um escândalo, não encontrará aqui. Toda nossa mercadoria é verificada duas vezes, entendeu?

— Na verdade, *sou* jornalista — falou Summer, com raiva. Ela se ressentia da forma como as pessoas na Grã-Bretanha equiparavam jornalistas com pedófilos e assassinos. Como se todos não comprassem jornais ou assistissem à televisão. — Mas acontece que não estou aqui como profissional. Sou namorada de Michael De

Vere. E não estou procurando por um escândalo, apenas informações. Pode ter havido um defeito com a Panigale.

— Não quando saiu daqui.

— Você teria um registro de quem pagou pela moto? — perguntou Summer, cansada. — É só o que quero saber.

O gerente se demorou um pouco. Se fosse mesmo a namorada do rapaz dos De Vere, tinha passado por momentos difíceis.

— Não sei. Podemos ter. Venha comigo.

Summer o acompanhou pelo átrio de mármore até um escritório pequeno na lateral do prédio. Ali, uma secretária muito menos glamorosa vestia um terno de poliéster da Next e digitava incessantemente no computador.

— Qual é a data da compra? — perguntou o gerente.

— Teria de ser em algum momento entre primeiro e vinte de julho do ano passado — respondeu Summer.

Ele se virou para a secretária.

— Karen, verificaria essas datas para mim? Em busca de uma motocicleta Ducati Panigale.

Depois de digitar mais um pouco e de alguns segundos de espera, a secretária falou alegremente:

— Sim. Aqui está. Doze de julho. Paga à vista, por transferência bancária.

Summer perguntou, esperançosa:

— Há um nome?

Mais digitação.

— Não. Creio que não. Nenhum nome. Apenas o número da conta, e um código SWIFT. Citibank Zurique.

O desapontamento parecia um soco no estômago.

— Obrigada pela ajuda, de qualquer forma.

O gerente entregou a Summer os documentos de Michael, parecendo um pouco envergonhado.

— Desculpe-me por antes — murmurou o homem. — Tive a impressão errada.

— Tudo bem.

Summer saiu do escritório e tinha quase chegado ao carro quando a secretária veio correndo atrás dela.

— Senhorita. Senhorita! — ofegava a mulher. — Era vermelha, a moto? Coisa de "piloto de corrida"?

Summer assentiu.

— Isso mesmo.

— Me lembro dela — falou a secretária, triunfante. — Me lembro do comprador e tudo. Era uma mulher. Ela mesma veio buscar.

— Pode descrevê-la?

A secretária pensou a respeito.

— Era norte-americana. Cabelos escuros. Muito bonita.

O coração de Summer bateu forte.

— Que idade diria que tinha?

A secretária deu de ombros.

— De meia-idade, imagino. Nem velha nem nova.

— Mas não deu um nome?

— Não. Disse que a motocicleta era um presente. *Acho* que disse que era para o filho dela. Mas isso não deve estar certo, não é? Não se foi para o filho de Alexia De Vere.

A cabeça de Summer estava girando.

— Posso pegar uma caneta emprestada? — pediu ela. — E um pedaço de papel? — A garota escreveu o número do celular e o endereço de e-mail e os entregou para a mulher. — Se você se lembrar de mais alguma coisa, qualquer coisa, poderia me ligar?

— É claro. — A secretária olhou para Summer com curiosidade. — Vai achar que sou louca. Mas conheço você de algum lugar? Seu rosto parece terrivelmente familiar.

— Acho que não — respondeu Summer.

— Não está na televisão, está? É atriz?

— Creio que não.

— Ah, bem. — A mulher deu um sorriso alegre. — Boa sorte mesmo assim. — Ela disparou de volta para dentro.

Subitamente, Summer se sentiu extremamente cansada.

Estava na hora de ir para casa.

# Capítulo 37

ALEXIA ESTAVA SENTADA EM um Starbucks lendo. O relatório de Edward Manning era decepcionantemente curto.

> Milo James Bates, nascido em Bronxville, Nova York, casado com Elizabeth (Betsy), três filhos, dado como desaparecido pelo parceiro de negócios e, depois, pela família. Deixou dívidas consideráveis.

*Então*, pensou Alexia, *Billy não era o único que estava preocupado com Milo. A família dele também denunciou seu desaparecimento. Me pergunto por que o chefe Dublowski não mencionou isso.*

> Hamlin alegou que o Sr. Bates tinha sido sequestrado por pessoas desconhecidas e que ele (Hamlin) também fora sequestrado e obrigado a assistir ao vídeo caseiro em que Bates era torturado. Os agentes Yeoman e Riley (FBI) investigaram, não encontrando evidências substanciais. A esposa de Bates se divorciou *in absentia* em janeiro de 1996, sob alegação de abandono. Nenhum outro contato com a família.

Alexia leu nas poucas e simples entrelinhas. Um homem que, de acordo com todos, tinha um casamento feliz e era um pai devotado de repente desaparece sem deixar vestígios. Será que Milo Bates entrou em pânico devido às dívidas? Será que isso foi motivo o bastante para abandonar uma vida inteira? Não apenas a mulher e o parceiro de negócios, mas os filhos também? Ou algo mais sinistro aconteceu com ele?

A segunda página do relatório de Edward era ainda menor.

> ...4.587 restos mortais não identificados foram encontrados nos Estados Unidos no ano em que Milo Bates desapareceu, desses, 986 ainda estavam sem identificação um ano depois. Desses corpos ainda não reclamados, 192 eram da região de Nova York. Deles, 111 eram de adultos do sexo masculino.

Alexia parou para absorver aquela informação deprimente. Em apenas um ano, em uma cidade, mais de cem homens com os quais ninguém se importava tinham morrido ou sido mortos. Todos eles tinham sido filhos de alguém. Exatamente como Michael. Ela se obrigou a continuar lendo.

> ...17 cadáveres tinham evidências de tortura. Apenas 3 desses tinham ascendência caribenha.

*Gangues. Guerra do tráfico de drogas.* Alexia sentiu o início de uma agitação. Com muitos detalhes, Edward listara as causas de morte dos três homens do sexo masculino.

*Baleado.*

*Baleado.*

E o terceiro, a última palavra do relatório de Edward Manning, à espreita na base da página tão quieta e mortal quanto uma verruga cancerosa:

Afogamento.

* * *

Alexia ouviu a voz do chefe Harry Dublowski na cabeça. "*Esperávamos ver mais casos com o mesmo modus operandi. Mais garotas aparecendo com ferimentos similares. Mais mortes por afogamento.*" Aquele corpo não era de uma garota. Mas será que aquele homem solitário era Milo Bates? Tinha sido torturado, exatamente como Billy dissera? E atirado no Hudson vivo, para se afogar, como a pobre Jennifer? Afinal de contas, não havia motivo para o assassino de Jennifer perseguir apenas mulheres. Jenny não fora abusada sexualmente. Talvez o sexo dela fosse irrelevante. Talvez fosse a conexão dela com Billy que lhe selara o destino, assim como tinha selado o de Milo Bates. Billy, o pobre e confuso ex-condenado esquizofrênico. Billy, no qual ninguém acreditara, ao qual ninguém ouvira. Nem mesmo a própria Alexia.

— Terminou?

Uma atendente de bar emburrada recolheu a xícara de café vazia de Alexia, que olhou para o relógio e deixou de lado as especulações criativas sobre Milo Bates por ora. *Porque é somente isso o que são*, lembrou-se ela. *Especulações. Aquele corpo poderia ser de qualquer um. Milo poderia estar vivo e bem e morando em Miami, até onde sei.*

Aquele era seu último dia inteiro em Nova York, e Alexia tinha de fazê-lo valer a pena. Na noite seguinte, estaria em um avião para Londres, para participar da audiência de sentença de Teddy. Tinha apenas 24 horas para chegar aos últimos quatro nomes na lista.

Sally Hamlin dera a Alexia um monte de papéis relacionados à época na qual o negócio de Billy iniciara a queda livre. Não apenas foi a época em que Milo Bates desapareceu, mas também a época em que Billy ouviu "a voz" pela primeira vez. Aquele era o período crucial, o início de tudo. Vasculhando os arquivos, Alexia cuidadosamente pegou os nomes dos credores, dos clientes e dos fornecedores que tinham negócios com a Hamlin Motors durante esse período. Era uma questão de sorte. Mas havia a chance de que um deles se lembrasse de algo significativo.

* * *

Jeff Wilkes gerenciava uma empresa de transporte de carga no Queens que fora uma das maiores e mais sólidas clientes de Billy até as coisas começarem a dar errado. Um homem imensamente gordo com cerca de 50 anos e cheirando a alho e cê-cê e com marcas de suor do tamanho de pratos sob cada braço, Jeff Wilkes não pareceu satisfeito ou impressionado ao conhecer a ex-ministra do Interior da Grã-Bretanha.

— Olha, dona, não me importa quem você é — informou ele a Alexia de modo grosseiro, coçando o saco sob a mesa de fórmica do escritório imundo acima da garagem de caminhões. — Não discuto meus negócios com ninguém a não ser meu contador e meu gerente de banco. E só se eu não puder evitar.

— Billy Hamlin era seu amigo — disse Alexia, em tom frio. — Tanto ele quanto a filha foram encontrados mortos. Se tivesse informações que pudessem resolver esses crimes, não iria querer compartilhá-las?

— Com a polícia, talvez. Não com uma mulher que nunca vi na vida. Não conheço você.

— Eu disse quem sou.

Jeff Wilkes deu de ombros.

— E daí? Não tenho informações, está bem? Não sei merda nenhuma sobre os assassinatos. E Billy Hamlin era um contato de negócios, um conhecido. Não éramos amigos.

Obviamente, apelar para a boa vontade de Wilkes não a levaria a lugar nenhum. Alexia mudou a estratégia para um truque que aprendera na política — repetir a pergunta várias e várias vezes até que a outra pessoa cedesse e respondesse, mesmo não querendo.

— Por que você encerrou o contrato com a Hamlin's?

— Olhe, eu disse a você...

— Por que cortou relações com Billy?

— Você é surda?

— A qualidade do trabalho dele era insatisfatória?

— Não. Não teve nada a ver com isso.

— Vocês dois tiveram algum desentendimento?

— Não! Eu já falei. Não éramos amigos. Sabe, tenho um negócio para gerenciar aqui.

— Por que encerrou o contrato com a Hamlin's?

Em um minuto, Jeff Wilkes cedeu. Alexia pensou: ele não duraria um dia na Câmara dos Comuns.

— Fui pressionado, está bem? — disparou Jeff. — No meu negócio, isso acontece. A máfia, os bandidos da extorsão. Não se mexe com isso quando se tem uma empresa de transporte de carga em Nova York.

— Alguém pressionou você para parar de fazer negócios com Billy? É o que está dizendo?

— Não estou dizendo nada.

— Você foi ameaçado?

— Não darei nomes, não farei acusações, está bem? Sou apenas um pequeno empresário fazendo o melhor que posso.

— Mas seu relacionamento com Billy Hamlin se tornou um problema?

— Chegou ao meu conhecimento — disse o homem gordo — que seria melhor para o *meu* negócio se a empresa de Hamlin não trabalhasse mais nos meus caminhões. Está bem? Eu não devia nada ao cara. Paguei à vista e na data por todo o trabalho que ele fez. Mas — disse Jeff, abrindo bem os braços — nós seguimos caminhos distintos. É isso. Fim da história.

Não era o fim da história, é claro. Mas era o máximo que Alexia conseguiria do odioso Jeff Wilkes naquele dia.

A PARADA SEGUINTE ERA em um distribuidor de partes automobilísticas, também no Queens. Para a surpresa de Alexia, dessa vez a chefe era mulher.

— Sim, me lembro de Billy Hamlin. Claro. Um cara meio esquisito. Mas eu gostava dele.

A mulher não soubera do assassinato de Billy ou da filha dele, e ficou chocada quando Alexia contou os detalhes.

— Meu Deus. Eu li alguma coisa sobre o corpo que foi encontrado no rio. Mas não fiz a conexão com o nome. Para ser sincera, eu nunca soube que Billy tinha uma filha. Isso é terrível.

Os motivos da mulher para deixar de fazer negócios com Hamlin foram mais prosaicos do que os de Jeff Wilkes.

— Eram tempos difíceis no setor automotivo em geral. Muitas empresas estavam falindo. Na verdade, tivemos sorte de conseguir um enorme contrato com um dos grandes, De Sallis. Abandonamos noventa por cento dos nossos clientes menores depois disso. Estávamos sobrecarregados ao limite. Me lembro de haver rumores sobre o Hamlin's, no entanto, agora que você mencionou.

— Ah? — Os ouvidos de Alexia ficaram atentos.

— Algumas pessoas estavam dizendo que Billy e Milo tinham entrado na lista negra. Não sei se tiveram problemas com uma das gangues, ou se foi outra coisa. Mas tudo no que aqueles caras tocavam parecia se transformar em merda, desculpe o meu francês.

Alexia conhecia a sensação. O último ano dela na política parecera igual.

— Sabe quem assumiu como fornecedor de Hamlin depois que você saiu

A mulher rabiscou um nome.

— Acha que isso tem relação com o fato de que ele e a filha foram mortos?

— Provavelmente não — disse Alexia. — Eu mesma encontro a saída.

Alexia fez mais quatro paradas naquele dia, três em antigos clientes e um em outro fornecedor. As histórias eram as mesmas em todo lugar. Eram: *fomos ameaçados. Recebemos ligações de aviso*. Ou, *recebemos uma proposta melhor*. O negócio de Hamlin foi minado por oficinas mecânicas rivais. Os dois concorrentes locais mais próximos de Billy, Queens Cars e MacAdams Auto Services receberam grandes quantias em dinheiro de compradores que os salvaram e permitiram que cortassem os preços — bizarro, considerando que o negócio automotivo como um todo estava em uma recessão severa na época.

Alexia voltou para o hotel às cinco da tarde, tirou uma soneca revigorante e tomou um banho. Estava prestes a sair para um jantar cedo quando o telefone tocou.

— Onde você está? — A voz de Lucy Meyer era calorosa e conspiratória como sempre.

Alexia sorriu.

— Sabe onde estou. Estou em Nova York, a cidade que nunca dorme.

— Ainda?

— Ainda. Pego um avião para a Inglaterra amanhã.

— Entendo. Então, já resolveu o caso, Sherlock Holmes?

— Não, ainda não. Estou correndo atrás do meu próprio rabo, como sempre. O que está acontecendo com você?

— Olhe pela janela.

Alexia deu meia-volta.

— Olhar pela minha janela? Agora?

— Não, daqui a duas semanas. Sim, agora!

— Mas por quê?

— Apenas olhe!

Alexia caminhou até a janela e a abriu. Abaixo dela, na rua, estava Lucy, sorrindo como um gato que engoliu um canário. Ela estava com o celular em uma das mãos e um punhado de bolsas de compras da Barneys na outra.

— Pensei em vir ver como você estava! — gritou ela. — Então, aonde vai me levar para jantar?

* * *

As duas comeram no Elaine's, por insistência de Lucy.

— Raramente venho a Nova York, então posso muito bem me paparicar.

— Achei que eu pagaria pelo jantar.

— É *isso aí*, você paga. Ainda melhor. Acho que vou escolher o caviar, o ravióli de lagosta e uma boa garrafa de Chablis vintage. E você pode explicar o que diabos está fazendo aqui esse tempo todo, sem falar de quando decidiu ir para Londres. Achei que tivesse dito que não estava planejando ir para a audiência.

— Eu não estava. Mas mudei de ideia.

— Por que...?

Alexia tomou um gole do vinho branco.

— Teddy fez muitas coisas terríveis. Mas eu também, no passado. Ele ainda é meu marido.

— E isso faz tudo ficar bem, é isso?

Havia uma amargura no tom de voz de Lucy que Alexia não esperava, uma agitação que não se lembrava de ter percebido antes.

— Não, é claro que não. Nada pode fazer tudo ficar bem. Mas significa que eu deveria no mínimo tentar perdoar.

— Não vejo por quê. — Lucy escondeu o rosto atrás do cardápio, de modo que Alexia não avaliasse suas emoções. — Você ainda o ama?

Alexia pausou.

— Sim — respondeu ela, finalmente. — Acho que sim. Ouso dizer que parece ridículo, mas conhecer a ex-mulher de Billy Hamlin esta semana me fez pensar de verdade.

— Conhecer a ex de Billy Hamlin... — Lucy balançou a cabeça de modo desesperador. — Agora você me confundiu de verdade. O que diabos ela tem a ver com você e Teddy?

— Sally e Billy estavam divorciados há mais de uma década antes de Billy ser assassinado. Mas quando a conheci, ela ainda sentia tanta compaixão por ele, tanto amor. Foi realmente comovente. Como se fossem duas partes do mesmo corpo.

— Por favor. — Lucy revirou os olhos de modo dramático, esvaziou a taça e serviu-se de outra.

— Estou falando sério — disse Alexia. — E percebi que é assim comigo e com Teddy. Depois de todos aqueles anos juntos, ele é tão parte de mim quanto meu braço ou minha perna. Não posso simplesmente cortá-lo. Você deve sentir o mesmo com Arnie, não?

— Não sei se me sinto assim — falou Lucy, de modo simples. — Arnie nunca matou um homem, o enterrou em nosso quintal e mentiu a respeito disso.

— Verdade. Mas e se tivesse feito isso? Não acha que o perdoaria?

— Não. — Lucy fora muito segura, muito brutalmente taxativa a respeito disso.

— Mesmo que ele tivesse feito isso para proteger Summer.

— Não. Nunca.

— É mesmo? Mas como pode saber, Lucy? Você nunca esteve nessa situação.

Lucy deu de ombros.

— Pela minha ética, algumas coisas estão além do perdão. É simples assim. Vamos comer.

As duas pediram comida e o clima ficou instantaneamente mais alegre. Alexia inteirou Lucy sobre o progresso da pesquisa. Sobre os encontros com o chefe de polícia Dublowski, com os amigos e familiares de Jennifer Hamlin, com os diversos parceiros de negócios que tinham abandonado Billy e o levaram à falência nos anos 1990. Finalmente, ela contou a Lucy sobre a informação a respeito de Milo Bates que Sir Edward Manning havia desenterrado para ela.

— Billy sempre alegou que o parceiro tinha sido sequestrado e morto, mas todos ignoraram como se fosse alguma fantasia mórbida. A polícia, a esposa dele, todos.

— Mas você pensa de outra forma? — Lucy bebericou o Chablis gelado e pegou uma fatia deliciosamente amanteigada de ravióli de lagosta com o garfo.

— Havia um corpo, apenas um corpo, de um homem branco que apareceu no Hudson no ano em que Milo Bates desapareceu.

Lucy gargalhou.

— Mas poderia ser qualquer um! Um sem-teto ou um jovem que fugiu de casa. Tem ideia de quantas pessoas somem nesta cidade? Quantas acabam mortas?

— Sim, tenho — disse Alexia, animada. — Quase mil. Mas apenas metade delas são homens e apenas um punhado desses exibiam sinais de tortura, o que foi o que Billy disse que aconteceu com Milo. Esse homem branco foi torturado e jogado no rio vivo, para se afogar. Foi exatamente o que aconteceu com Jennifer Hamlin. Exatamente!

Lucy absorveu essa informação.

— Onde está o corpo agora? Pode testá-lo? Por DNA ou... alguma coisa. O que quer que façam no *CSI*.

— Infelizmente não. Todo joão-ninguém não reclamado é cremado depois de dois anos. Mas tenho certeza de que era Milo Bates, de que ele foi morto pelo mesmo psicopata que assassinou Jennifer Hamlin. As vozes de Billy não estavam nem um pouco na cabeça dele. Uma delas era real.

— É o que você fica dizendo. Mas como sabe?

— Porque a mesma pessoa me ligou, no início da minha carreira como ministra do Interior. Logo depois que Billy apareceu em Londres. Ligaram para Cheyne Walk vociferando umas porcarias bíblicas, fazendo ameaças. E essa pessoa usou um aparelho de distorção de voz, exatamente como o que Billy descreveu. Dificilmente acho que seja coincidência, e você?

Lucy franziu a testa.

— Você não mencionou nenhum telefonema esquisito para mim na época.

— Não mencionei?

— Não. E contou todo o resto. Toda a sua vida passada, Billy, o que aconteceu no Maine naquele verão. Por que não mencionou isso?

— Acho que não achei que fosse tão importante. — Alexia gesticulou com a mão como se fosse irrelevante. — Se eu tivesse deixado que todos os loucos lá fora me incomodassem, jamais teria sido bem-sucedida na política por tanto tempo quanto fui.

— Então as ligações não assustaram você?

— Na verdade não. Talvez um pouco. Mas nunca as levei muito a sério. Até agora, quero dizer. Quando Sally Hamlin descreveu a voz de que Billy tinha tanto medo, eu imediatamente soube. Foi o mesmo desgraçado que me ligou. Aposto um bom dinheiro que essa voz é nosso assassino. E ele ainda está lá fora.

— Acha que ele matou Milo Bates?

— Sim.

— E Jennifer Hamlin?

— Sim.

— E quanto a Billy? Ele não se encaixa exatamente no padrão, não é? — disse Lucy.

— Não. — Alexia virou o rosto. — Não sei o que aconteceu com Billy.

Parte dela queria contar a verdade a Lucy: que Teddy havia encurralado Billy no apartamento dele em Londres e o esfaqueado até a morte. Ela havia contado todo o resto, afinal de contas. Que diferença faria mais um segredo horroroso? Mas algo no tom de voz de Lucy fez com que Alexia se segurasse. Ela não podia suportar a ideia de deixar Lucy sem saber, sua única rocha, seu único apoio restante. Além disso, Alexia havia prometido a Teddy que manteria o segredo dele sobre Billy, e Alexia De Vere honrava suas promessas. Aquela confissão não era dela para que a fizesse.

Lucy raspou o que sobrou do molho cremoso da lagosta do prato com um pequeno suspiro de satisfação.

— Imagino que tenha ido até a polícia com essa nova informação?

O silêncio de Alexia dizia tudo.

Lucy abaixou o garfo com um ruído.

— Não foi à polícia, não é?

— Não é tão simples.

— Alexia! Você mesma acabou de dizer que pode estar em perigo por causa dessa pessoa "da voz". Ela ainda está lá fora. Por que não relataria o que sabe?

— Porque não tenho provas. Nenhuma gravação, nenhum registro telefônico. Nada. E porque a polícia já decidiu que não acredita no testemunho de Billy. E porque vou para Londres amanhã. Não tenho tempo para depoimentos e interrogatórios, principalmente quando sei que eles não serão investigados, de toda forma. Não é como se eu ainda estivesse no gabinete. Ninguém se importa com o que acontece comigo.

— Eu me importo — disse Lucy, irritada. — Não gosto nada disso.

As duas pediram sobremesa — pudim de *toffee* para Lucy e uma seleção simples de *sorbet* para Alexia. *Não é surpresa que ela pareça tão magra*, pensou Lucy. *Come feito um passarinho.* Mas depois de alguns minutos, elas voltaram a tagarelar como habitualmente. Alexia pagou a conta e as duas mulheres foram para o lado de fora juntas para pedir táxis separados.

— É estranho — perguntou Lucy — estar de volta a Nova York depois de tanto tempo na Inglaterra?

As luzes da cidade piscavam ao redor delas como as luzes de uma enorme árvore de Natal. Manhattan parecia viva naquela noite. As duas sentiam a cidade pulsar no ar quente do verão, a batida latejante de uma cidade viva, que respirava.

— Sabe qual é a parte mais estranha? — perguntou Alexia. — E você é a única pessoa no mundo inteiro para quem posso dizer isso. Pela primeira vez em quarenta anos, me sinto conectada a Toni Gilletti. À garota que eu costumava ser.

— É mesmo? — falou Lucy.

— Passei a maior parte da vida dizendo a mim mesma que Toni estava morta e enterrada. Mas ela está *aqui*. — Alexia tocou o próprio peito. — Sempre esteve. Teddy sabia disso, e ele a perdoou. Mais do que isso, ele a amou, apesar de tudo. Talvez seja por isso que eu possa perdoá-lo agora. Não estou aceitando o que ele fez, mas estou tentando odiar o pecado, não o pecador. Se é que isso faz algum sentido.

Um único táxi amarelo encostou.

— Pegue você — disse Lucy. Ela pareceu distante de repente, como se o cansaço a tivesse finalmente tomado.

— Tem certeza? — perguntou Alexia. — Você precisa ir para mais longe do que eu.

— Absoluta. Você tem um voo cedo de manhã. Vá. Pegarei outro em um minuto.

As duas mulheres se beijaram na bochecha e seguiram caminhos diferentes.

De volta ao hotel, Alexia se viu agitada demais para dormir. Suas teorias sobre Milo Bates, correr pela cidade conversando com os antigos contatos de Billy, o jantar surpresa com Lucy e refletir tanto sobre o próprio passado, tudo isso fizera sua mente acelerar. Então havia a audiência da sentença de Teddy para pensar. Voltar para a Inglaterra depois de tanto tempo e em circunstâncias tão difíceis era enervante. Alexia ainda não sabia se Roxanne concordaria em vê-la, ou se conseguiria encarar uma visita a Michael. Só de pensar no frenesi midiático que acompanharia a audiência de Teddy era o suficiente para colocar os níveis de adrenalina dela no máximo.

Mais como uma tentativa de se distrair do que qualquer outra coisa, Alexia ligou o computador e começou a catalogar as informações que recolhera nas entrevistas daquele dia. Havia algo reconfortante na lógica dos dados, no modo como os fatos se empilhavam, um sobre o outro, eventualmente revelando alguma conclusão — uma verdade. A verdade humana era tão vaga e ilusória. Havia conforto no mundo sólido e previsível dos fatos e dos números. Alexia sentiu a ansiedade deixar seus nervos e seu cérebro começou a se desanuviar conforme ela digitava.

Era quase uma da manhã quando Alexia viu.

A princípio, achou que tivesse cometido um erro, então voltou para verificar a informação. Mas não. Ela estava certa da primeira vez. Nas letras miúdas de todos os registros da empresa, um nome aparecia diversas vezes — *HM Capital Inc.*

A Woolley Trucking, empresa de Jeff Wilkes, era uma subsidiária cem por cento pertencente à HM Capital. Trammel Logistics, outro dos grandes clientes de Billy e Milo, tinha sido parcialmente da HM Capital no ano em que o negócio de Hamlin faliu, embora a empresa tenha vendido sua parte logo depois. Queens Auto Parts, o fornecedor que Alexia visitara naquela tarde, não tinha conexão óbvia. Mas quando Alexia digitou De Sallis no Google, o nome do cliente que resgatara a Queens Auto nos anos 1990 e pressionara Hamlin para fora do mercado estava lá de novo: *HM Capital.* De acordo com o relatório anual da empresa, a HM Capital tinha 25 por cento do valor da empresa. Tudo isso evidenciava um interesse proeminente no ramo de automóveis no Queens e no Brooklyn, para um grupo de investimentos fechados cujos outros investimentos eram exclusivamente no setor financeiro. Até 1996, as únicas empresas no portfólio da HM Capital eram pequenas instituições de mercados emergentes. A HM tomara poupanças e empresas financeiras em Mogadishu e comprara a parte dos segurados por toda a União Soviética. Tudo isso levava à pergunta óbvia:

*O que diabos eles estavam fazendo se metendo com os clientes da Hamlin's Motors?*

Mais quarenta minutos de pesquisas on-line não forneceram uma resposta. Alexia esfregou os olhos, cansada. Ela precisava se levantar e seguir para o aeroporto em menos de cinco horas, e ainda não tinha dormido um minuto. Quando estava prestes a desligar o laptop e tentar dormir de novo, um pensamento lhe ocorreu.

Ao clicar na pesquisa avançada, ela digitou: "HM Capital Diretores Executivos". Uma lista de cerca de vinte nomes apareceu na tela. Quando estava mais ou menos na metade da lista, Alexia parou. Havia um nome que ela reconhecia.

Era o último nome na face da Terra que esperava ver.

# Capítulo 38

A AUDIÊNCIA DE TEDDY DE Vere ocorreria na famosa Suprema Corte de Londres, na Strand Avenue. Parte dos Tribunais de Justiça Reais, um edifício do fim do período gótico vitoriano completo com torres, arcos entalhados ornamentados e uma imensidão de estátuas, desde figuras bíblicas até advogados modernos famosos, a Suprema Corte fornecera o palco no qual tantos dos dramas legais da Inglaterra tinham se desenrolado. Nos anos recentes, a corte havia se tornado sinônimo de celebridade. O inquérito sobre a morte da princesa Diana foi conduzido nela; além de julgamentos fechados de diversos dos jornais da Fleet Street, com ações movidas por Michael Douglas e Catherine Zeta-Jones, Naomi Campbell e diversos outros nomes de destaque.

Teddy De Vere podia não ser parte dessa categoria. Mas juntos, ele e a esposa eram um dos casais mais conhecidos e mais controversos da política britânica. O fato de que Alexia De Vere tinha saído dos palcos do serviço público no auge dos escândalos da família no ano anterior, virando as costas para a Grã-Bretanha e para sua mídia, serviu apenas para tornar a aparição dela na audiência do marido uma notícia de relevância maior. A grande questão não era "Quanto tempo de cadeia Teddy De Vere pegaria?", mas "O que Alexia De Vere vestiria?". Será que ela havia envelhecido? Será que o estresse a fizera perder peso ou ganhar? Será que a pobre filha aleijada, antiga noiva do homem assassinado, Andrew Beesley, ainda odiava a mãe famosa, a segunda "Dama de Ferro" da Grã-Bretanha? Ou será que uma reconciliação familiar comovente seria vista nos famosos degraus de pedra da Suprema Corte naquela manhã? Essas eram as perguntas quentes às quais os leitores do *Daily Mail* exigiam respostas. Podiam não ser de interesse público, mas certamente interessavam ao público. Centenas de pessoas comuns estavam reunidas na Strand para ver, de relance, Alexia De Vere chegando à corte. Entre os espectadores, a equipe de notícias e os paparazzi, a cena do lado de fora da Suprema Corte parecia, como Alexia previra, um hospício.

Felizmente, ela tinha Angus Grey para guiá-la.

— Apenas segure meu braço, querida, e mantenha os olhos fixos adiante.

Angus parecia ainda mais refinado do que o comum com a toga e a peruca de advogado. Se Alexia não o conhecesse melhor, teria suspeitado que um toque da agulha de um dermatologista tinha suavizado as linhas ao redor dos olhos e da boca de Angus, embora ele jurasse que férias de três semanas nas ilhas Maurício estavam por trás da aparência mais jovem.

— Lembre-se de não olhar para baixo — disse ele a Alexia. — Faz com que pareça culpada.

— Pelo amor de Deus, Angus. Não sou eu quem está sendo julgada.

— Está sim, por aquele grupo. — O advogado indicou com a cabeça a multidão, conforme o carro deles estacionava. Como sempre, estava certo. Assim que Angus e Alexia saíram do carro, a barreira de perguntas e gritos de reprovação foi ensurdecedora.

— Como se sente por estar de volta?

— O que espera hoje, Sra. De Vere?

— Apoiará seu marido?

— Sua filha virá? Sra. De Vere!

O coração de Alexia começou a acelerar com algo parecido com pânico. *E pensar que eu costumava gostar dessa atenção. Até mesmo triunfar sobre ela. Agora, tudo o que quero é ver Teddy e acabar com isso.*

Com Angus Grey à frente, Alexia entrou no prédio. Um assento tinha sido reservado para ela ao lado de Angus, diante da corte, de modo que não tivesse de encarar os observadores na galeria do público. Mesmo assim, ao entrar no tribunal, Alexia sentiu os olhares queimando as costas do blazer de tecido *bouclé* cor creme da Chanel.

— Sou só eu ou está quente aqui dentro? — brincou ela com Angus.

— Tente ignorá-los. Teddy estará aqui em um minuto. Ele será o último a chegar antes do juiz e vai entrar por ali. — Angus apontou para uma porta de carvalho entalhado que parecia pertencer a uma igreja. — O procedimento não deve durar muito. A promotoria da coroa pode fazer uma breve declaração. Os familiares da vítima também podem se apresentar à bancada nesse momento, mas não há ninguém nesse caso.

— Mesmo? Ninguém veio falar por Andrew? Isso é triste.

— É uma boa coisa para nós — assegurou-a Angus Grey. — Mães e irmãs chorando é a última coisa de que Teddy precisa. Embora a verdade seja que o juiz já estudou o caso detalhadamente. Há chances de que ele tenha se decidido há dias com relação à sentença. Tudo isso... — Angus gesticulou na direção do salão. — Tudo isso é apenas um espetáculo. De toda forma, depois que a coroa terminar, digo algumas palavras de mitigação, então seguimos direto para a declaração do juiz. Alguns deles tagarelam durante dez minutos. Em geral, é um minuto de sermão moral, no máximo. Então eles passarão à sentença e Teddy será levado às celas.

— Certo — disse Alexia sombriamente. Ela sabia aquilo tudo, mas ouvir Angus dizer diretamente era doloroso.

— Você deve poder vê-lo nesse momento, se quiser. Me avise e passarei o pedido para a corte agora.

A mente de Alexia voltou-se para aquele primeiro tribunal, uma vida atrás e a um mundo de distância, quando Billy Hamlin fora levado para a cela. O pai dela e o de Billy quase tinham se agredido, e Alexia se esgueirara para ver Billy, e foi tudo tão ruim, terrível, e ele a pedira em casamento e Alexia aceitara — *o que mais poderia fazer?* — e quando ela foi embora, sabia que jamais o veria de novo. Mas *tinha* visto Billy de novo, e desde aquele dia, tudo, seu mundo inteiro, desabara de modo espetacular.

— Alexia? — Angus Grey a olhava de modo curioso. — Está bem?

— Estou bem.

— Gostaria de ver Teddy depois da sentença?

Alexia assentiu.

— Sim. Com certeza.

Nesse momento, uma comoção teve início nos fundos do tribunal. Houve arquejos e gritos. Alguma coisa importante estava acontecendo, mas era atrás dela, então Alexia não podia entender o que era.

— O que está acontecendo? — perguntou ela a Angus. Mas antes que o advogado pudesse dizer alguma coisa, a resposta saiu do corredor central na direção de Alexia. Respeitável e linda, com um vestido tubinho preto simples e as pérolas da mãe de Teddy, Roxanne empurrou a cadeira de rodas até o lado da mãe.

— Você veio — sussurrou Alexia.

— Sim.

— Pelo papai? Ou por Andrew?

— Nenhum dos dois. Por mim mesma. E talvez um pouco por você.

Sem pensar, Alexia se abaixou e envolveu Roxie com os braços. O chiado e os cliques das câmeras da galeria da imprensa eram ensurdecedores.

Angus Grey pensou: *Isso estará na primeira página amanhã.*

Houve mais flashes de câmeras quando Teddy entrou no banco dos réus. Alexia e Roxie apertaram as mãos uma da outra.

— Ele parece tão magro — sussurrou Roxie.

— Eu sei.

O terno da Turnbull & Asser de Teddy, sempre um de seus preferidos, sobrava ridiculamente no corpo dele, fazendo-o parecer um menininho vestido nas roupas do pai. As bochechas constantemente gorduchas de Teddy pareciam macilentas e fundas. Ele estava, no todo, encolhido, menor, diminuído. Ao ver Alexia e Roxie sentadas juntas ao lado do advogado, ele lançou a elas um sorriso surpreso.

— Não encoraje isso. Vire o rosto — ciciou Angus ao ouvido de Alexia. — Ele foi condenado por assassinato. Deveria parecer arrependido.

*Ele deveria* estar *arrependido*, pensou Alexia. *O problema é que Teddy não acredita que fez algo errado.*

— Todos de pé. Lorde de Justiça Carnaervon presidindo. Todos de pé.

Alexia se sentiu tonta ao ficar de pé. *É isso.*

O CASO DA COROA era simples e desprovido de paixão: por admissão própria, Teddy De Vere havia atirado em Andrew Beesley em um ato de violência completamente premeditado. Tinha escondido o crime, de forma bem-sucedida, durante nove anos, e, ao ser exposto, não mostrou qualquer remorso por suas ações. Essa aparente falta de compreensão da, ou de preocupação pela, gravidade de suas ações tornou Teddy De Vere um perigo para a sociedade. Por esse motivo, e no interesse da Justiça, a coroa apelava para que uma pena perpétua fosse imposta.

Roxie ouviu a declaração da promotoria em silêncio absoluto. Tinha decidido ir à audiência de sentença do pai na esperança de que lhe fornecesse um ponto final. Foi a visita de Summer Meyer a Fairmont House que a fez pensar nisso pela primeira vez. Não apenas na audiência no tribunal, mas em ver a mãe novamente, dar o primeiro pequeno passo em direção ao perdão. O Dr. Woods, terapeuta de Roxie, definiu o ressentimento para ela em uma das sessões de terapia de um modo que a comoveu.

— É como beber veneno, e então se perguntar por que a outra pessoa não morre.

Roxie percebeu: passei a maior parte da minha vida adulta bebendo veneno e me perguntando por que minha mãe não morria. Não devo cometer o mesmo erro com papai. Ir até a Suprema Corte tinha sido uma tarefa difícil, uma verdadeira prova de fogo. Mas se conseguisse, Roxie esperava, sairia mais forte, e com pelo menos alguns dos demônios pessoais derrotados.

De certa forma, já estava funcionando. Ao ver Teddy no banco dos réus, um homem velho e frágil, ela percebeu que ainda era seu pai, ainda era o homem que passara a vida amando e tentando agradar. Não poderia perdoá-lo. Mas agora sabia, com extrema clareza, que não poderia deixar de amá-lo também.

Quanto a Andrew Beesley, ele não era mais real para Roxie. O rosto, o toque, a voz... tudo havia se perdido há tanto tempo. Roxanne não conseguia associar o julgamento daquele dia com aquela pessoa. Andrew era tanto um sonho quanto uma lembrança, algo pelo qual havia esperado e que jamais tivera de fato. Era tudo muito triste. Mas era passado. Estava acabado. Terminado. Conforme a promotoria terminava a declaração e Angus Grey se levantava para falar, Roxie sentiu o futuro chamando-a, desconhecido e impossível de conhecer, mas *ali*, real, ao alcance, de um modo que não estava havia muito, muito tempo.

O discurso de Angus foi ainda menor do que o da promotoria. Teddy alegara culpa, poupando a coroa e todas as partes da necessidade de um julgamento oneroso. Ele assumiu a responsabilidade e estava pronto para enfrentar sua punição. Por mais que suas ações estivessem erradas, Teddy tinha sido motivado por um senso de responsabilidade em relação à filha. Sempre tivera bom caráter.

O Lorde de Justiça Carnaervon pigarreou. Era extremamente velho e magro, e tinha abas nojentas de pele solta ao redor do pescoço, como um peru pronto para o abate. O rosto dele não era misericordioso.

Sentada ao lado da filha, Alexia se preparou para o pior.

— Crime hediondo... rapaz vulnerável, atraído para a morte.

As palavras do juiz a invadiram.

— Sem senso de remorso.

Alexia ergueu o rosto para Teddy. Por um momento, os olhos dele encontraram os dela com uma expressão de gratidão e de amor. Ele parecia tão contido. Se estava com medo, não mostrava.

— Mesmo permitindo a alegação de bom caráter, no interesse da Justiça...

*Será que eu o conheço de verdade?*, pensou Alexia. *Será que conhecíamos um ao outro?*

— Eu o sentencio à prisão perpétua, com a recomendação de que sirva o mínimo de 15 anos.

*Bum*. Lá estava. Quinze anos. A mesma sentença que Billy Hamlin recebera tantos anos antes. A sensação de déjà-vu, de estar presa em um ciclo terrível e sem escapatória era opressora.

*Ele vai morrer na prisão. Jamais dividirei a cama com Teddy de novo. Jamais o terei nos braços.*

Teddy estava sendo levado embora. Angus Grey estava falando. Alexia observava os lábios do advogado se movendo, mas não conseguia entender as palavras. A voz dele parecia estar debaixo d'água. Mais uma vez, as ondas subiam, puxavam-na para baixo.

— Mamãe. — Foi a voz de Roxie que puxou Alexia de volta. — Mamãe, consegue me ouvir? Está bem?

Alexia assentiu, muda.

— Se você quiser ver o papai, precisa ir agora. — Roxie empurrou a mãe com carinho. — Vá. Angus vai levar você.

SUMMER MEYER ATENDEU o telefone.

— Alô?

— Ah, oi. É Karen.

— Karen?

— Karen Davies. Da Drake Motors? Você veio faz uma semana, a respeito da Ducati.

A secretária do gerente grosseiro da concessionária. Summer tinha se esquecido completamente que dera o telefone à mulher.

— É claro. Karen. Eu me lembro.

— Você pediu para ligar se eu me lembrasse de alguma coisa, sobre a moça que buscou a motocicleta. Bem, me lembrei de uma coisa.

— É mesmo? — Summer prendeu a respiração.

— Não sei por que não pensei nisso antes, ou por que David não pensou. Ele é meu gerente. É um pouco irritante, para ser sincera. De toda forma, eis o que lembrei: temos câmeras de circuito interno no showroom!

Summer tentou conter a alegria.

— Isso é maravilhoso. E acha que pode ter registrado essa mulher na câmera?

— Não acho. Eu sei — falou Karen Davies, triunfante. — Estou com a fita aqui. Gostaria de vir buscar?

Se o procedimento na corte tinha parecido surreal, ver Teddy pessoalmente era ainda mais.

— Alexia. Querida. — Ele beijou a mulher nas duas bochechas. — Como você *está*? Deve estar simplesmente arrasada depois da viagem. Que bom que veio.

Ele estava se comportando como o anfitrião de um jantar que dava boas-vindas a um velho amigo. Não como um homem prestes a começar uma sentença de prisão perpétua por assassinato.

— Sente-se, sente-se. Por favor. — Teddy olhou para além de Alexia, esperançoso. — Roxie não está com você?

— Não. Está lá fora com Angus. Foi um passo enorme para ela ter vindo até aqui. Acho que isso — Alexia gesticulou ao redor da sala deprimente com a tinta descascando e os móveis parafusados ao chão — seria demais.

— Sim, bem... — concordou Teddy, triste. — Acho que sim.

— Você não parece bem, Teddy. Está terrivelmente magro.

— Estou bem, querida. Tive algum vírus estomacal horroroso, mas estou muito bem agora.

— Visitou um médico?

— Um médico? Nossa, não. Não há necessidade para essa comoção e besteira. Acredite em mim, estou bem.

Alexia tentou acreditar.

— Você vai aguentar, Teddy? — perguntou ela, ansiosa. — Me sinto tão impotente.

— É claro que vou *aguentar*. — Teddy gargalhou. — Que pergunta. Sobrevivi à escola preparatória. A cadeia será brincadeira depois disso.

*Ele foi sincero*, pensou Alexia. Ela não sabia se ria ou chorava.

— Não vamos falar sobre isso agora — disse Teddy. — Provavelmente só temos alguns minutos. Como *você* está, minha querida? Como foi em Vineyard?

— Vineyard foi como sempre. Delicioso. Pacífico.

— E Nova York?

Alexia ergueu o rosto, desconfiada.

— Como sabe que estive em Nova York?

— Acho que Angus mencionou alguma coisa — respondeu Teddy, distraidamente. — Fiquei surpreso. Você nunca mencionou nas cartas. Sempre achei que você odiasse a cidade.

— Precisava de uma mudança de ares — mentiu Alexia. A última coisa que queria discutir com Teddy era a pesquisa sobre o assassinato de Jennifer Hamlin. Desde a confissão sobre Billy, os dois não haviam tocado no assunto. Não poderiam, não se o casamento fosse sobreviver. Mas havia uma pergunta que ela precisava fazer. Naquele momento, enquanto tinha a oportunidade.

— Já ouviu falar de uma companhia chamada HM Capital?

Teddy pareceu surpreso.

— O que diabos fez você perguntar isso?

— É uma longa história — blefou Alexia. — Nada importante. Só estava imaginando se o nome diz alguma coisa.

— Tudo bem. É, sim, diz, na verdade. É uma das empresas de fachada de Arnie Meyer. Um veículo para investimentos. Baseada nas Ilhas Cayman, se me lembro bem.

Alexia sentiu um formigamento — agitação ou, talvez, apreensão — ao ouvir Teddy confirmar o que a pesquisa dela havia sugerido. Quando viu o nome de Arnie Meyer na lista de diretores da empresa pela primeira vez, achou que devia ter cometido um erro. Mas logo surgiu a informação de que Arnie não era apenas um diretor, mas o fundador e principal investidor da HM Capital. Os outros nomes na lista de diretores eram todos de fiduciários profissionais, advogados e contadores que forneciam conselhos fiscais ao negócio. A HM Capital *era* Arnie Meyer. E a empresa estivera sistematicamente determinada a destruir o negócio de Billy Hamlin.

— Em que ela investe?

— Mercados emergentes — falou Teddy, confiante. — Principalmente nas antigas repúblicas soviéticas. Petróleo e gás.

— Nada mais?

— Não que eu saiba.

— Não investem no setor automotivo, por exemplo? Nos Estados Unidos.

— Não. — Teddy franziu a testa. — Sobre o que é isso tudo, querida?

— Sinceramente, não é nada. — Alexia sorriu de modo reconfortante. — Estava pensando em fazer um investimento, só isso. Queria saber o que você achava.

— Direi o que acho. — Teddy, de súbito, pareceu furioso. — Diga a Arnie que se quiser tentar tirar dinheiro desta família, pode muito bem vir até mim. Como ele *ousa* espreitar você dessa forma, em um momento tão vulnerável? Eu sabia que ele estava com problemas de liquidez, mas nunca percebi que as coisas tinham ficado tão ruins.

— Por favor, se acalme, querido. Ninguém está me pressionando, muito menos Arnie. Não deveria ter mencionado isso.

Para o alívio de Alexia, dois guardas da prisão chegaram naquele momento e, muito educadamente, pediram que ela saísse. Ao abraçar a esposa, Teddy se esqueceu de Arnie Meyer.

— Obrigado por vir me ver.

— Virei o máximo que puder. Assim que me disserem onde você estará. — Alexia o beijou, com carinho, na bochecha.

— Cuide de Roxie — gritou Teddy por cima do ombro enquanto era levado embora.

— Farei o melhor.

Alexia observou o homem com quem compartilhara a vida por quarenta anos ser levado pelo corredor, para fora de vista. Uma onda de emoção surgiu dentro dela, mas Alexia a empurrou de volta. Não havia nada que pudesse fazer por Teddy agora. Mas ainda podia ajudar a levar o assassino de Jennifer Hamlin à Justiça.

Arnie Meyer tinha uma conexão com Billy Hamlin. Por mais bizarro que parecesse, era verdade. Teddy a havia confirmado. Arnie Meyer, vizinho e amigo de Alexia, usara a empresa de fachada, HM Capital, para deliberadamente destruir o negócio de Billy. De acordo com a ex-mulher de Billy, isso, mais do que qualquer coisa, foi o que levou o pobre Billy à loucura.

Teddy obviamente não sabia de nada sobre a história. O espanto dele mais cedo tinha sido genuíno, e ele comprara a desculpa de Alexia sobre o investimento imediatamente.

Mas alguém devia saber.

*Tenho que falar com Lucy.*

SUMMER MEYER ENCAROU o monitor do computador de Karen Davies. Ela ficou tão desapontada que poderia ter chorado.

— É isso? É tudo o que tem?

— É isso — falou Karen. — Ela entrou e saiu muito rapidamente. Ninguém que você conheça, então?

Summer *talvez* conhecesse a mulher na tela. Mas era absolutamente impossível saber por aquela filmagem. Resolução baixa e granulada, e em preto e branco, mostrava a mulher apenas de costas e por cima. Quando ela se aproximou do balcão da recepção, houve uma fração de segundo na qual a câmera capturou um perfil parcial. Mas, além disso, o rosto dela havia ficado o tempo todo escondido. Por um momento, Summer achou que havia algo familiar a respeito da mulher — o modo como andava, talvez, ou a linguagem corporal conforme se inclinou para a frente sobre o balcão. Mas ela rapidamente percebeu que estava forçando a barra.

*Quero tanto ver alguma coisa que estou inventando.*

— Tem problema se eu levar uma cópia da filmagem para casa comigo?

Ela não esperava conseguir muito com as imagens, mas, pelo menos, se as tivesse no computador de casa, poderia estudá-las com mais atenção.

A secretária olhou, cautelosa, ao redor, antes de ejetar o CD e dá-lo na mão de Summer.

— Não tenho uma cópia, apenas o original. Leve e traga de volta quando terminar. Mas, pelo amor de Deus, não perca. David me estriparia se soubesse. Nem mesmo queria que eu ligasse para você, sabe. Ficou muito agitado depois que você veio da primeira vez.

— Ficou? — disse Summer, colocando o CD no bolso. Summer se perguntou o que o gerente da Drake Motors achava que tinha de esconder. — Bem, obrigada, Karen. E prometo cuidar dele.

— O prazer é meu. — A mulher mais velha piscou um olho. A pequena "investigação" de Summer Meyer era a coisa mais interessante que acontecia com Karen Davies em muito tempo. — Nós garotas precisamos ficar unidas, não é?

* * *

Mais tarde, naquela noite, Summer estava deitada, esparramada, no sofá do apartamento alugado em Bayswater, assistindo à filmagem do circuito interno de TV de Karen Davies pela enésima vez. Quanto mais assistia à figura cinzenta e esguia movendo-se pelo chão da loja Drake Motors, mais a sensação de familiaridade crescia. Mas não havia nada com que conectá-la. As roupas da mulher, uma saia na altura dos joelhos e um suéter, eram entediantes e sobressaíam pouco. Ela usava uma echarpe vermelha — ninguém que Summer conhecia usava echarpes vermelhas — mas talvez estivesse ciente das câmeras, e tivesse feito aquilo para ajudar a esconder o rosto? Certamente ela não poderia ter feito um trabalho melhor para se tornar anônima, a não ser por uma balaclava.

Depois de afastar o computador, Summer ligou a televisão, mudando de canal até a BBC News. Teddy De Vere fora sentenciado naquele dia. O mínimo de 15 anos era a história mais exibida à noite. Mesmo depois de tantos meses, Summer achava difícil acreditar que o gentil, carinhoso e afável tio Teddy pudesse ter matado um homem, atirado nele a sangue-frio. Ela ficou maravilhada ao ver que Roxie tinha aparecido no tribunal — duas semanas antes, a garota fora irredutível quanto a não querer nada com qualquer um dos pais. As filmagens do noticiário mostravam que ela estava bonita e relaxada em um vestido preto justo ao sair da Suprema Corte com a mãe ao lado.

Summer sorriu. Se Alexia e Roxie se reconciliassem, pelo menos algo de bom sairia daquela terrível confusão. Ela percebeu que Alexia estava vestindo o blazer Chanel creme que Lucy lhe dera no ano passado, de aniversário. Summer se lembrava bem do dia. Como se sentira ressentida e furiosa na época, ao ver a mãe caminhar pela sala com a bolsa da Chanel na mão, mais um presente caro para uma mulher que Summer percebia como fria e egoísta ao extremo. Isso foi antes de ela saber a verdade, é claro. Summer se lembrava de Alexia esticando os braços para receber a bolsa e como Summer achou que ela era gananciosa e sem graciosidade: uma rainha mimada aceitando um tributo de um dos humildes cortesãos.

E então ela percebeu. Com tanta força que arquejou alto.

*Ah, meu Deus, eu sei.*

*Eu sei quem é.*

Com o coração martelando no peito, ela pegou o laptop de novo, xingando os segundos que levavam para o CD recarregar. Finalmente, a figura granulada ressurgiu. Não havia como confundir agora. Lá estava ela.

A amante de Michael.

A mulher que comprara a motocicleta.

A mulher que destruíra a vida dele e a de Summer.

Por uma fração de segundo, Summer sentiu uma descarga de satisfação. Tinha resolvido o quebra-cabeça. Tinha ganhado. Ela *sabia*. Mas a verdade era tão impronunciável, tão antinatural, tão *errada*, que a sensação de realização logo se transformou em náusea. Levando a cabeça às mãos, Summer Meyer começou a soluçar.

Depois que começou, não conseguiu parar.

ALEXIA PEGOU UM VOO de volta para os Estados Unidos dois dias depois da audiência de Teddy. O voo era de manhã cedo, e não havia fotógrafos em Heathrow para vê-la partir, apenas sua filha, Roxie.

— Voltarei em breve, querida — prometeu Alexia. — Preciso conversar com Lucy sobre algumas coisas. Mas não levará muito tempo. Então você e eu podemos pensar em um plano para o futuro.

No avião, no conforto do assento de primeira classe, Alexia finalmente se permitiu relaxar.

No dia seguinte, veria Lucy. Lucy saberia a verdade sobre Arnie. Lucy contaria a Alexia. Lucy confiava em Alexia.

Elas confiavam uma na outra.

Alexia De Vere sorriu enquanto decolava em direção ao azul.

# Capítulo 39

— A torrada está queimando.

Arnie ergueu o olhar brevemente do *Wall Street Journal*. Ele estava na cozinha da casa em Martha's Vineyard, tomando café colombiano refinado e aproveitando a vista para o porto, do outro lado do jardim, quando o cheiro acre inesperado de fumaça o incomodou. Era inesperado, porque Lucy nunca queimava nada. Jamais. As refeições dela eram sempre coisas belíssimas, entregues com perfeição e bem quentinhas em lindos pratos de porcelana chinesa, prontas no momento perfeito, como campanhas militares em miniatura. Era uma precisão e atenção aos detalhes de que Arnie Meyer gostava e pela qual esperava. Ele era um homem acostumado a conseguir as coisas do modo que queria.

— Hmm? — Lucy olhou para Arnie, então para a torradeira. — Ah, meu Deus! Por que não *disse* nada?

— Eu disse.

Lucy não ouviu. Depois de apertar o botão de cancelamento, ela ejetou os dois quadrados carbonizados, abriu a porta da cozinha e os carregou para o lado de fora, ainda fumegantes.

— Cuidado, querida — gritou Arnie para a esposa. — Vai queimar os dedos. Quer que eu ponha mais?

Do lado de fora, no ar frio da manhã, Lucy Meyer respirou fundo para se acalmar.

— Não, não — respondeu ela alegremente, voltando a ser a dona de casa competente. — Eu ponho.

Por detrás do escudo de jornal, Arnie observou a mulher disparar pelo recinto, cortando pão fresco da padaria e batendo ovos para a omelete de salmão defumado dele. *Ela ainda é linda para mim*, pensou ele, com afeição. Arnie amava a cintura esguia de Lucy — fina, mas não magra demais, como a da amiga Alexia. A Sra. De Vere parecia esquelética ultimamente, de acordo com a humilde opinião de Arnie Meyer. Uma mulher deveria ter um pouco de carne nos ossos. Usando um vestido azul-centáurea de cintura marcada, com um avental florido por cima, Lucy tinha um ar antigo, estilo anos 1950, naquela manhã que aludia à felicidade completa de tempos passados e mais simples. Ela lembrava Arnie de sua mãe quando jovem: feminina, amorosa, um descanso suave e acolhedor das maldades do mundo.

— Amo você.

Lucy se virou com um sorriso curioso no rosto. Arnie não costumava ser bom com demonstrações verbais de afeição.

— Bem, isso é bom. — Ela gargalhou. — Porque, a esta altura, você está basicamente preso a mim.

Arnie finalmente apoiou o jornal.

— Algum problema, Luce? Você parece meio sobressaltada esta manhã.

— Ora, porque queimei a torrada? — Lucy riu de novo, mas Arnie sentiu que havia algo mais na risada.

— Não sei. Talvez. Você nunca queima a torrada. Você nunca queima nada.

— Não há problema algum, Arnie. — Depois de colocar a frigideira com os ovos em fogo baixo, ela foi até a mesa e beijou o marido. — Se há alguma coisa, é animação. Não vejo Summer há tanto tempo. Será como um presente tê-la aqui.

— Ah, merda. — Arnie Meyer levou as mãos à cabeça. — É hoje, não é? Esqueci completamente que ela estava chegando.

— Arnie!

— Eu sei. Sinto muito. Planejei ir pescar com Jake McIntyre.

— Bem, é melhor "desplanejar" — falou Lucy, voltando para o fogão com a colher de madeira na mão. — Você concordou que buscaria Summer no aeroporto. Ela está esperando você.

— Não pode fazer isso? Prometi a Jake...

— Não, não posso fazer isso — respondeu Lucy, irritada. — Vou caminhar com Alexia, lembra? Ela ligou da Inglaterra especialmente para perguntar se poderíamos ficar um tempo sozinhas hoje.

— Mas você pode ver Alexia a qualquer hora.

— Pelo amor de Deus, Arnie, Teddy acaba de ir para a cadeia! Você pode ver Jake McIntyre a qualquer hora. Alexia precisa de mim agora.

Arnie Meyer ergueu as mãos como um jogador de futebol que admite que fez uma falta. Depois de três décadas de casamento, ele sabia quando estava lutando uma batalha perdida.

— Tudo bem, tudo bem, vou buscar Summer. A que horas chega o voo dela mesmo?

Summer aproximou o rosto da janela do pequeno avião monomotor, observando os contornos de Martha's Vineyard tomarem forma abaixo. Um triângulo quase perfeito, com o Atlântico na base e os estreitos de Nantucket e de Vineyard nos dois outros lados, parecia muito pacífico e imutável. Conforme o avião começou a descer, ela conseguiu discernir as casas familiares de revestimento de tábuas e madeira brancas, distribuídas como casinhas de boneca ao redor da ilha. Piscinas reluziam azuis, como minúsculas safiras quadradas nos jardins verde-esmeralda. Tudo era organizado e pintado e nada ameaçador, debochando do turbilhão que Summer sentia dentro de si.

Quando criança, ela costumava aproveitar aquelas viagens rápidas de avião de Boston. O primeiro relance da ilha era sempre mágico e emocionante, marcava o início de um verão de aventuras. Summer era assustadoramente tímida naquela época: com sobrepeso, tinha língua presa e era socialmente esquisita. Mas a mãe tinha se certificado de que a infância da menina fosse idílica, apesar dessas desvantagens. Sempre lá para defendê-la, para segurar sua mão, para reconfortá-la e impulsionar a confiança de Summer, Lucy Meyer era a mãe que todas as crianças queriam.

Pela centésima vez na longa viagem de Londres, os olhos de Summer se encheram de lágrimas.

*Como ela pôde? Como ela* pôde?

QUANDO SUMMER PERCEBEU QUE a mulher nas filmagens do circuito interno de TV da Drake Motors era sua mãe, a resposta natural foi descrença. Sim, o andar era o de Lucy, assim como a linguagem corporal e o modo como ela movia os braços. (Fora isso, mais do que qualquer coisa, que desencadeou a memória de Summer. Imaginar a mãe entregando aquele presente de aniversário a Alexia, o blazer Chanel.) Mas a ideia de que a própria mãe tivesse tido um caso com Michael? Isso simplesmente não fazia sentido. Era como se alguém lhe dissesse que o mundo era quadrado, ou que o céu era verde. Não importava quantas fotos alguém mostrasse, não dava para acreditar. O fato de Lucy ser a "mamãe ricaça" de Michael desafiava todas as leis da natureza, das probabilidades, da realidade como Summer a conhecia.

Incapaz de confiar no próprio julgamento, ou mesmo em acreditar nos próprios olhos, Summer fez o que todo bom jornalista faria. Procurou por evidências que corroborassem. Karen Davies, na Drake Motors, dera a Summer os detalhes da conta bancária anônima no exterior que foi usada para pagar pela Ducati de Michael. Na época, não significaram nada para Summer. Eram apenas uma fileira de números aleatórios: IBAN e SWIFT e códigos de roteamento.

Mas quando as verificou junto com a planilha que Arnie fizera para ela anos antes, detalhando todos os bens bancários da família Meyer, combinavam perfeitamente.

Lucy comprara a moto.

Lucy era a amante de Michael.

Será que Lucy tinha tentado matá-lo também? Será que tinha adulterado a Panigale deliberadamente?

Um solavanco forte puxou Summer de volta para o presente.

*Pousamos.*

Depois de abrir o cinto de segurança, ela limpou as lágrimas e tentou se concentrar no ódio, envolvendo-se com ele como se este fosse uma capa protetora. Como a mãe ousava fazer isso com ela? Como Michael ousava fazer isso! O que os dois estavam pensando? A traição de Michael magoara Summer profundamente, mas a da mãe era pior. Será que Lucy não percebia que Summer agora tinha perdido tudo? Não apenas Michael e as esperanças de uma nova família, mas a antiga família também. Todas as lembranças, a felicidade da infância, tudo tinha sido maculado, envenenado, destruído. Teria sido menos doloroso se Lucy tivesse cortado os braços da filha, ou atirado ácido no rosto dela. E durante todo o tempo, ela havia aparentado ser a mãe perfeita! Isso era o pior de tudo.

Summer pensou no que Roxie dissera a ela em Fairmont House.

*"Você não faz ideia de como tem sorte por ter Lucy como mãe."*

*"Não consegue imaginar como é perceber que tudo o que você achava que sabia sobre si e sobre sua família era apenas ilusão!"*

Summer conseguia imaginar agora.

Já havia decidido o que faria. Primeiro, contaria ao pai. Mostraria as filmagens a Arnie, mostraria a ele a transferência bancária, avisaria que a mulher dele, a santa Lucy Meyer, era uma mentirosa, e uma adúltera, e uma fraude e... uma assassina?

Era nesse momento que tudo começava a se desenvolver. Mesmo agora, sabendo o que sabia, Summer não conseguia acreditar que Lucy tentara matar Michael ao deliberadamente sabotar a moto dele. Primeiro, não tinha motivos para querer ferir o rapaz. Apesar de tudo, era o filho da melhor amiga dela. Lucy conhecera Michael desde a infância. Além disso, os mecânicos da oficina St. Martin's não tinham *certeza* de que alguém havia sabotado os freios da Ducati. Poderia ter sido um acidente. Summer não sabia em que mais acreditar. A única pessoa que sabia a verdade era a mãe dela, mas será que Summer tinha forças para confrontá-la? O que se dizia em uma circunstância como aquela? Tivera as últimas 12 horas para pensar, mas Summer ainda não fazia ideia de como começar.

*Mãe, sei que estava trepando com meu namorado.*

*Mãe, você tentou assassinar Michael?*

Era tudo tão surreal.

Summer caminhou pelo pavimento de macadame atordoada, pegou a bagagem e se preparou para o terminal de desembarque. Ela fez o melhor para se recompor antes que as portas automáticas duplas se abrissem e ela se visse em um mar de rostos sorridentes. Todos estavam vestindo o uniforme de Vineyard, short cáqui e camisa de botão, esperando que os amigos e os parentes chegassem como se aquele fosse um dia normal, como se o mundo não tivesse parado de girar. Summer verificou a multidão. Não conseguia ver o pai. A irritação se misturou com o alívio — pelo menos não precisaria dar a notícia a ele ainda. Mas conforme caminhou para o ponto de táxi, lá estava Arnie, ofegante por correr pelo terminal. Ao ver Summer, ele diminuiu o ritmo, foi até a filha e a puxou para um abraço de urso.

— Me desculpe, querida.

Ele cheirava a loção pós-barba, café e charutos — *o cheiro de pai*. Apesar dos esforços, Summer começou a chorar de novo.

— Que bom ter você de volta — falou Arnie, e limpou o suor da sobrancelha. — Me faça um favor. Prometa que não contará à sua mãe que eu me atrasei.

E naquele instante, Summer percebeu: *Não posso contar a ele. Pelo menos não até ter falado com mamãe. Não até saber a verdade com certeza. Isso o destruirá por completo.*

— Oi, pai. É bom ver você também. — Ela tentou segurar as lágrimas, mas era impossível. Ali, nos braços dele, as lágrimas começaram a escorrer incontrolavelmente.

Arnie pareceu horrorizado.

— Querida, o que há de errado?

*Tudo.*

— Nada. Acho que estava com saudades mesmo, só isso.

— Ah, querida. Mamãe e eu sentimos saudades de você também. Mas você está aqui agora. Não chore. Venha. — Arnie pegou a mala de Summer com uma das mãos e o braço da filha com a outra. — O jipe está do lado de fora. Vamos levar você para casa.

ALEXIA OLHOU PARA A mochila inflada de Lucy e levou um susto.

— O que diabos tem aí dentro? Parece ter feito as malas para o polo Norte.

— É só um piquenique — disse Lucy.

— Para quem? Um exército invasor?

— Eu posso ter trazido mais alguns itens essenciais. É preciso estar sempre preparado.

Alexia não se sentia nem um pouco preparada. Tinha chegado à ilha na noite anterior. O jet lag ainda retardava suas reações, fazendo com que se sentisse confusa. Tudo tinha parecido tão claro na Inglaterra. Ela pegaria um avião de volta para Vineyard, contaria a Lucy o que descobrira em Nova York — que a empresa de Arnie, HM Capital, tinha deliberadamente falido Billy Hamlin — e perguntaria à amiga o que ela sabia. Simples.

Mas não era simples. Agora que estava ali, *com* Lucy, de verdade, Alexia percebeu todas as implicações do que estava prestes a perguntar. Era de Arnie que falavam. O marido de Lucy. O homem que ela amava. Alexia estava prestes a sugerir que ele estava envolvido, não apenas em ameaças e extorsão, mas em assassinato também. Lucy teria todo direito de dizer a Alexia para enfiar as teorias naquele lugar onde o sol não brilha.

*E, realmente, por que ela deveria acreditar em mim? A esta altura, não tenho certeza se eu mesma acredito.*

Alexia conhecia Arnie Meyer desde que conhecia a mulher dele. Conseguia imaginá-lo firme nos negócios, até mesmo desonesto se a situação exigisse. Mas não conseguia imaginá-lo como algum tipo de psicopata, fazendo os telefonemas ameaçadores com a distorção de voz, perseguindo alguma vingança desconhecida, sequestrando e assassinando pessoas inocentes. Por outro lado, depois de tudo o que descobrira sobre o próprio marido no último ano, Alexia não confiava mais inteiramente no próprio julgamento.

*Não vou acusá-lo de nada. Vou expor os fatos para Lucy. Com calma. De modo racional. Sem emoções.*

Alexia observou enquanto Lucy amarrava as botas de caminhada, passava protetor solar e repelente de insetos e verificava as garrafas d'água das duas. Um olhar para o rosto feliz, redondo, sem maquiagem de Lucy Meyer lembrou Alexia com toda força que o mundo da amiga era muito diferente do seu. Alexia se acostumara tanto com drama e tragédia nos últimos dois anos que nada mais a chocava. Mas o mundo de Lucy ainda era como sempre fora: simples, seguro, normal e previsível. A mera ideia de que Arnie pudesse conhecer Billy Hamlin soaria ultrajante para Lucy, que dirá pensar que ele estivera determinado a prejudicar Billy e a família.

*Porque é ultrajante. Nada disso faz sentido.*

Lucy sorriu.

— Pronta?

*Não. Nem um pouco.*

— Pronta. Aonde vamos, aliás?

Lucy olhou para Alexia de modo enigmático.

— É uma surpresa. Você vai ver.

As duas viraram à esquerda na Pilgrim Road, em direção ao centro da ilha. Ali, pântanos salgados e charques de groselha eram entrecortados por um labirinto aparentemente infinito de trilhas de areia, nenhuma delas com sinalização. Ocasionalmente, outros transeuntes surgiam no caminho, ou veículos com tração nas quatro rodas quicavam por elas com os pneus praticamente vazios, para que dirigissem nas dunas. Mas a maior parte da área como um todo estava deserta, a não ser pelos veados e coelhos que eram encontrados em toda parte na ilha.

Lucy caminhou à frente, ocasionalmente consultando o mapa ou parando para beber da garrafa d'água. Ela olhava por cima do ombro de vez em quando, sorria para Alexia e verificava se a amiga estava bem. Mas não tentava puxar conversa. Fora Alexia quem propusera a caminhada, quem dissera repetidas vezes que precisava conversar. Lucy presumiu que a amiga o faria quando estivesse pronta.

Uma hora se passou, então duas. Era mais de meio-dia e o sol, agradavelmente quente no início da manhã, brilhava acima das duas mulheres com um calor fustigante. Alexia nunca estivera naquela parte da ilha. Ela conseguia ouvir o oceano, as ondas quebrando fortes nos penhascos, e percebeu que deveriam estar se aproximando da costa norte. As correntes eram mais fortes naquele lado da ilha, e as marés eram imprevisíveis. Como sempre, os ruídos do mar a assustavam, chamando-a de volta para outra época, para outra praia, que sempre estaria com Alexia.

— Acha que podemos descansar por um momento? — gritou ela para Lucy, à frente. — Está tão quente.

— É claro — gritou Lucy de volta. — Vamos só atravessar este pântano até o topo dos penhascos. Há um banco ali onde podemos nos sentar.

O "banco" se revelou ser um tronco de árvore grosseiramente cortado, alojado, abruptamente, a cerca de 4 metros da borda do penhasco. Não havia uma queda vertical diante delas. Um caminho íngreme e pedregoso que parecia ter sido feito por cervos em vez de homens serpenteava desde a clareira até uma pequena enseada escondida abaixo. Mas estavam alto o bastante para terem vistas espetaculares até o outro lado do estreito, em direção a Nantucket. Um pântano espesso de tojo e urze se estendia atrás das duas mulheres até onde a vista alcançava, assim como a água azul se abria infinitamente adiante. Isso fez com que Alexia se sentisse à beira do mundo.

Depois de afundar, agradecida, no tronco, Alexia tomou um gole longo e profundo de água. Lucy fez o mesmo. De repente, ali, naquele lugar pacífico e isolado, Alexia se sentiu pronta para falar.

— Preciso perguntar algo a você.

— Imaginei. A ligação de Londres, quando disse que precisava muito conversar comigo e me pediu para arranjar um tempo só para nós duas? Isso meio que denunciou.

Alexia tentou sorrir, mas não conseguiu.

— Não... é fácil.

— Imaginei isso também.

— Não quero que você interprete isso da maneira errada.

Lucy franziu a testa.

— Alexia. Depois de todas as coisas que você me contou ao longo dos anos, acha mesmo que vou me apavorar agora? Por favor. Você sabe que pode me contar qualquer coisa.

— É sobre Arnie.

Lucy não conseguiu esconder a surpresa.

— Arnie?

— Sim. Quando eu estava em Nova York, me encontrei com a mãe de Jennifer Hamlin. Ex-mulher de Billy.

— Eu sei. Você contou. Sally. Foi ela quem fez você decidir perdoar Teddy.

*Uau. Devia estar mesmo prestando atenção no Elaine's.*

— Isso mesmo. Foi ela quem me contou sobre os telefonemas ameaçadores dos quais Billy reclamara. Também me deu um monte de informações, contatos e coisas assim, de quando o negócio de mecânica de Billy ainda funcionava.

— Tudo beeeem. — Lucy pareceu confusa.

— As ligações do maluco fanático pela Bíblia começaram no período em que Hamlin foi à falência — explicou Alexia —, então ela achou que poderia haver uma conexão. Bem, ao que parece, havia.

Lucy esperou.

— A conexão era uma empresa chamada HM Capital. Você a conhece?

— Claro. É um dos negócios de Arnie.

— Exatamente. Vi o nome dele na lista de diretores. Depois, perguntei a Teddy sobre ela e ele me contou que Arnie era o dono e fundador.

— Isso mesmo — respondeu Lucy.

Ela não parecia irritada ou confusa até então. Encorajada, Alexia continuou.

— Tudo bem. Então, por um período de dois anos, a HM Capital sistematicamente roubou os clientes de Billy Hamlin e comprou os fornecedores dele. Há conexões demais para ser uma coincidência, principalmente considerando que a empresa tinha zero envolvimento no setor automotivo, tanto antes quanto depois dessa época. Por mais que pareça loucura, Arnie queria arruinar Billy Hamlin. E conseguiu.

Lucy estava quieta, aparentemente absorvendo a informação.

— Então, minha pergunta é: por quê? Consegue pensar em alguma conexão, qualquer uma, que Arnie poderia ter com a família Hamlin? Por mais que tênue?

Lucy balançou a cabeça.

— Não. Realmente não consigo.

— Por favor, tente — implorou Alexia. — Deve haver alguma coisa. Isso é sério, Luce. A filha de Billy e o sócio dele, Milo Bates, foram assassinados.

— Eu sei disso — falou Lucy calmamente.

— Quando contei a você que Billy Hamlin foi me procurar em Londres, da última vez que caminhamos até este lado da ilha... quando lhe contei sobre meu passado... tinha ouvido o nome dele antes?

Lucy estava sorrindo, mas era um sorriso estranho. Havia algo sinistro a respeito dele, algo não familiar e não exatamente certo.

— Talvez Arnie o tenha mencionado?

— Arnie nunca o mencionou.

Lucy se levantou e começou a andar, devagar, de um lado para outro, entre a borda do penhasco e o banco.

Alexia imaginou se Lucy estaria com raiva. Se tinha, de alguma forma, ido longe demais ao falar de Arnie. Ela tentou voltar atrás.

— Não estou acusando Arnie de nada. É possível que ele não tenha tido nada a ver com os telefonemas, ou com os assassinatos. Não sei.

— Você não o está acusando — repetiu Lucy, roboticamente.

*Algo definitivamente estava errado. Será que Lucy havia tomado sol demais?*

— Mas o nome da empresa de Arnie surgir assim, não apenas uma vez, mas diversas vezes, em toda parte. Não pode ser apenas uma coincidência. Deve haver algum tipo de ligação.

— É claro que deve!

Lucy gargalhou alto, mas não havia alegria no som. Era mais agudo, beirava a histeria. Ela estava agachada agora, vasculhando a mochila. Alexia pensou: *nossa. Obviamente precisa de água. E de comida. O choque deve ter sido demais para ela. Ou isso ou nós duas estamos ficando velhas demais para caminhadas ao meio-dia por...*

Os pensamentos dela se dissiparam.

Lucy Meyer tinha pegado uma arma. Apontando-a para o meio dos olhos de Alexia, ela parou de gargalhar. O ódio reluzia de Lucy como luz reluz do sol.

— É você, Alexia, não vê? *Você* é a ligação. Embora eu deva começar a chamá-la pelo nome verdadeiro. *Toni*. Antonia Louise Gilletti, dissimulada, conspiradora, vaca desgraçada, é o que você é! Tudo o que aconteceu, todas as mortes, toda a dor, foi tudo por sua causa.

# Capítulo 40

SUMMER MEYER ATIROU A mochila na cama, então se deitou, cansada, ao lado dela. Sentia-se desesperadamente exausta, mas não com o tipo de exaustão que levaria ao sono. Em vez disso, o corpo dela se contorcia com a exaustão inquietante de quem está emocionalmente destruído. Ao encarar o teto, o qual ainda estava coberto com estrelas brilhantes, desde sua infância, ela se sentiu tão agitada e à beira das lágrimas quanto uma viciada em abstinência.

*Preciso falar com mamãe.*

No carro, Arnie dissera à filha que Lucy saíra para caminhar naquela manhã e não deveria voltar até a tarde.

— Ela está com Alexia.

Isso deixou Summer imediatamente alerta.

— O que quer dizer? Alexia está na Inglaterra.

— Não. Está com sua mãe.

— Pai, ela está em todo o noticiário no Reino Unido. Esse negócio com Teddy. Eu a vi na TV.

— Sim, bem, tudo o que posso dizer é que ela ligou para sua mãe e disse que tinha algo importante para discutir com ela. Tão importante que não poderia ser resolvido por telefone, aparentemente. Ela pegou o avião ontem à noite.

Aquilo mudava tudo. Quando Summer confrontasse a mãe, teria de ser a sós. Ela contaria a Alexia, é claro. Alexia tinha o direito de saber a verdade sobre o relacionamento do filho com sua suposta melhor amiga. Mas de modo algum Summer conseguiria dizer o que precisava na frente de uma plateia.

Por outro lado, a ideia de esperar até o cair da noite era insuportável. Ela já se sentia exausta a ponto de se partir. Mais seis horas e estaria espumando pela boca.

Sem saber o que mais fazer, Summer tomou um banho, escovou os dentes e vestiu roupas mais frescas e confortáveis: short jeans desfiado e uma camisa fina de algodão James Perse.

— Você está bonitinha, querida. — Arnie deu um sorriso caloroso quando a filha desceu as escadas. — Devo pedir que Lydia prepare um almoço tardio para nós?

— Não, obrigada, pai. Não conseguiria comer.

— O que quer dizer com não conseguiria comer. Precisa *comer*, Summer. Tem certeza de que não há algum problema?

— Estou bem, pai. Um pouco enjoada, só isso.

— Não está grávida, está?

— Grávida? Cruzes, pai, não! Como eu poderia estar grávida?

— Bem, vá se sentar lá fora, então, e Lydia levará alguns queijos e frutas para você. Consegue comer isso, pelo menos?

Protestar era, obviamente, inútil. Summer caminhou na direção da porta da cozinha.

— Ah, aliás, sua mãe deixou isto para você. — Arnie entregou um envelope enquanto Summer saía. — Pediu que eu lhe desse assim que você pousasse, mas esqueci. Não conte a ela, está bem?

— O que é?

— Não sei. Em geral, descubro que, com envelopes, o mistério fica mais claro quando eles são abertos.

Em circunstâncias normais, Summer teria rido. Agora, ela pegou o envelope em silêncio e saiu andando.

Arnie Meyer pensou: *tem algo errado com essa menina. O que diabos aconteceu com as mulheres da minha família hoje?*

* * *

— Levante-se.

Lucy Meyer segurava a arma com firmeza. A voz dela estava normal de novo, a mesma voz cantada e baixa que Alexia conhecia tão bem. Todos os traços da histeria anterior tinham desaparecido, substituídos por uma calma assustadora. *Ela está falando sério.*

Alexia se levantou.

— Sabe, para alguém tão inteligente, alguém que chegou ao topo no próprio jogo, você pode ser muito burra de vez em quando.

— Isso provavelmente é verdade. Eu...

— Pare de falar! — exigiu Lucy. — *Eu* estou falando. Para lá. — Ela inclinou a pistola na direção da beira do penhasco. Devagar, Alexia caminhou até onde foi direcionada, até que ouviu Lucy dizer: — Pare.

— Acho que a parte mais engraçada de tudo isso foi você acusando Arnie. *"Não o estou acusando de nada."* — Lucy imitou o sotaque da região dos Estados Unidos onde Alexia nascera. — Isso é simplesmente hilário. Como se você, VOCÊ, que matou uma criança inocente, estivesse em posição de acusar alguém de alguma coisa! Sua vaca arrogante, presunçosa e dona da verdade.

*"Você que matou uma criança inocente."* A mente de Alexia estava acelerada.

— Isso diz respeito a Nicholas Handemeyer.

— É isso mesmo — disse Lucy, de modo simples. — Nicholas Handemeyer. O menininho que você deixou se afogar. Ele era meu irmão.

Summer correu para dentro da casa, a carta de Lucy ainda na mão.

— Para onde elas foram, pai?

Arnie estava cortando pão no balcão da cozinha.

— Onde quem foi?

— Mamãe! — Summer praticamente gritou. — Mamãe e Alexia! Onde elas estão? Precisamos encontrá-las agora! Agora mesmo.

— Acalme-se, querida. — Arnie apoiou a mão no ombro de Summer. — Não sei onde elas estão exatamente. Em algum lugar ao norte da ilha. Por que o pânico?

Summer entregou a carta de Lucy a Arnie. Depois de alguns segundos, ela viu o sangue se esvair do rosto dele.

— Minha nossa — sussurrou ele. — Chame a polícia.

Summer já estava discando.

— Mas... seu nome de solteira não era Handemeyer. — Alexia falou sem pensar. Assustada como estava, a necessidade de compreender, de saber a verdade era mais forte. — Era Miller.

— Isso mesmo. Muito bem — disse Lucy. Depois de terminar a garrafa de água potável, ela a jogou no chão. — Bobby Miller foi um namorado do colégio. Nos casamos aos 18 anos. Só durou seis meses, mas mantive o nome. Handemeyer tinha muitas lembranças tristes na época. Lembranças terríveis. — Ela ergueu a arma de novo, sacudindo o cano na direção de Alexia como um punho irritado. — Tem alguma ideia, *alguma* ideia, do que você fez com a minha família? Você e Billy Hamlin?

Alexia não disse nada. Os olhos dela estavam fixos na arma.

— Nicko era a criança mais doce do universo, confiava tanto nos outros, era tão meigo. Todos ficamos devastados quando ele morreu, mas minha mãe... — Lágrimas encheram os olhos de Lucy. — Minha mãe ficou arrasada. Ela nunca se recuperou. Ela se matou dois anos depois, no aniversário da morte de Nicko. Sabia disso? Ela se enforcou em nosso celeiro com a antiga corda de pular de Nick.

Alexia balançou a cabeça, muda de horror. Ela se lembrava da Sra. Handemeyer do julgamento de Billy. *Ruth*. Como estivera digna e graciosa no tribunal. Como estivera bonita, com os cabelos cor de caramelo e olhos castanhos, tão parecidos com os do filho morto. Ela tentou se lembrar de Lucy na época, mas não conseguiu. *Havia* uma irmã no julgamento, uma garota agarrada à mão da mãe. Mas Alexia não se concentrara nem um pouco nela. Não conseguia se lembrar do rosto da menina no momento.

— Papai morreu menos de um ano depois. O coração dele simplesmente se partiu. Você tirou tudo de mim. E achou que eu simplesmente iria me sentar e deixar você desaparecer, dançar até o pôr do sol e viver feliz para sempre, sem pagar pelo que tinha feito? É claro que, durante décadas, por um tempo enorme, eu não sabia que era você. Como todo mundo, achei que Billy Hamlin tivesse assassinado meu irmão. Era ele quem precisava ser punido.

— Mas Billy *foi* punido — disse Alexia. — Ele foi para a cadeia.

— Quinze anos? Em uma cela comparavelmente segura com três refeições decentes por dia? Está brincado comigo? Isso não foi *punição*. Isso foi uma piada. — Não tinha como não ver o ódio nos olhos de Lucy. — Pensei em dar um tiro da cabeça dele assim que saísse da prisão. — O tom de voz dela era casual. — Mas isso seria rápido e indolor demais. Sabe quanto tempo uma pessoa leva para se afogar?

Alexia balançou a cabeça.

— Não? Em média. Chute.

— Não sei.

— Vinte e dois minutos. São 22 minutos de terror cego que o pobre Nicko passou, rezando, implorando para que alguém o resgatasse. De modo algum o assassino dele teria uma morte limpa. Precisava sofrer, do modo como minha família sofreu, do modo como *eu* sofri. Ele precisava saber como foi perder todos que ele amava, perder um filho. Assim... — Lucy deu de ombros. — Eu precisei esperar. Esperei que Billy Hamlin se casasse, tivesse um filho, montasse um negócio. O desgraçado precisava ter uma vida antes que eu pudesse começar a destruí-la, do modo como ele destruiu a minha.

*Mas ele não destruiu a sua vida!*, pensou Alexia, desesperada. *Eu destruí. O pobre Billy nunca feriu você ou sua família. Ele nunca feriu ninguém. Foi tudo culpa minha!*

Lucy continuou.

— Observei Billy durante anos e anos antes de qualquer coisa acontecer. E a vida continuou nesse período. Arnie e eu nos casamos. Tive Summer. Compramos a propriedade aqui. Mas nunca perdi Billy Hamlin de vista. Nem por um dia ou por uma hora. De toda forma, o Senhor devia estar cuidando de mim e me ajudando, pois na época em que Billy foi solto, descobri que eu não era a única espionando Billy Hamlin. Um inglês de nome Teddy De Vere estava vasculhando informações sobre ele também. O investigador particular que eu havia contratado na época foi quem me alertou primeiro. Se não fosse por isso — disse Lucy, sorrindo — eu jamais teria encontrado você. Jamais teria chegado à verdade. "*Conhecereis a verdade e a verdade vos libertará.*" João, capítulo oito.

Alexia arquejou.

— A voz. Os telefonemas ameaçadores. Foi você!

Lucy fez uma reverência teatral.

— Ao menos você chegou lá. Agora, onde eu estava? Ah, sim. Teddy. Quando soube que Teddy estava no ramo dos investimentos fechados, encontrei um modo de marcar uma reunião de negócios entre ele e Arnie. Achei que esse tipo de conexão poderia me ajudar a descobrir qual era o interesse desse cara no assassino de Nicko. Mas, é claro, não ajudou. Não tinha ideia, e, no fim, desisti de tentar descobrir. O resto você sabe. Arnie e Teddy ficaram amigos. Teddy comprou a casa em Pilgrim e você eu nos conhecemos. Pode-se dizer que foi o destino.

A pele de Alexia formigava com adrenalina. Era uma sensação esquisita, uma combinação de medo físico — a arma de Lucy ainda estava apontada para a cabeça dela — e de agitação intelectual. Cada palavra que Lucy lhe dizia era como o pedaço de um quebra-cabeça que se encaixava. Um quebra-cabeça doentio. Um quebra-cabeça aterrorizante. Mas a satisfação de tê-lo resolvido permanecia.

Da posição em que estava na beira do penhasco, Alexia conseguia ver o caminho pedregoso até a enseada com mais clareza. Era mais íngreme do que pensara, a princípio, e mais traiçoeiro. A única saída possível seria retornar pelo caminho de onde tinham chegado, pela vegetação do pântano. Mas isso envolveria passar por Lucy, e, de alguma forma, desarmá-la antes que ela tivesse a chance de atirar. Não havia saída.

*Estou presa.*

Bizarramente, essa percepção fez com que Alexia relaxasse. A certeza de que ela morreria ali, naquele lugar, a deixou mais corajosa. Precisava saber a verdade, toda a verdade, antes de deixar o mundo.

— Então foi você quem faliu Billy?

— É claro. Foi apenas o começo.

— E Arnie não sabia nada a respeito disso?

— Nada. Eu sou a acionista principal da HM Capital, não Arnie. HM é a abreviação de "Handemeyer", aliás. Acho que sua empreitada na pesquisa on-line não a levou tão longe.

*Não. Não levou.*

Atrás delas, no pântano, um galho se partiu. As duas mulheres congelaram. Alexia pensou em gritar por ajuda, mas sabia que, se fizesse isso, Lucy poderia atirar. Não era a própria morte que a assustava, mas morrer antes de saber a verdade, antes de Lucy terminar a história.

— Para baixo! — sussurrou Lucy, apontando para a trilha de cascalho com a arma.

— É perigoso demais — sussurrou Alexia de volta. — Vamos cair.

Lucy soltou a trava de segurança da arma com um leve, porém audível, *clique*.

— Para baixo — repetiu ela.

Alexia engatinhou em direção ao penhasco.

O OFICIAL BRIAN SULLIVAN leu a carta. Tinha visto bilhetes suicidas antes, mas nenhum como aquele. Se qualquer parte da confissão de

Lucy Meyer fosse verdade, qualquer parte dela, o Departamento de Polícia de Martha's Vineyard estava muito além de sua competência.

— Precisaremos de ajuda. Helicópteros. Cães. Precisarei ligar para Boston. Não tem ideia de onde estão, foi o que disse? — perguntou o oficial a Arnie Mayer.

Arnie balançou a cabeça inutilmente. Ele obviamente ainda estava em choque.

— Mas foi em algum lugar no norte da ilha?

— Sim. Lucy conhece aquelas trilhas como a palma da mão, mas é como um labirinto lá fora. Summer já saiu para procurá-las, mas não tive notícias.

O oficial Brian Sullivan pareceu alarmado.

— Sua filha foi atrás delas sozinha?

— Não pude impedi-la.

Arnie Meyer começou a chorar.

ALEXIA PERDEU O EQUILÍBRIO, arquejando quando as pedras soltas da encosta deslizaram sob si. Instintivamente, ela se agarrou à face da rocha que estava à esquerda. Atrás de Alexia, Lucy Meyer fez o mesmo.

— Continue andando!

Era um conselho desnecessário. O "caminho" acima delas, ao que parecia, havia se quebrado até se tornar quase nada. Mesmo que Alexia, de alguma forma, dominasse Lucy, ela não teria como voltar para o alto do penhasco de novo. Depois que as marés subissem, a enseada seria inundada. O único modo de sair seria a nado, mas as correntes daquele lado da ilha eram letais.

Alexia tentou não pensar nisso enquanto descia, com dificuldade, a encosta; então caiu os 3 metros finais na areia e torceu o tornozelo dolorosamente. Ela emitiu um grito agudo.

— Fique quieta! — ciciou Lucy. Deslizando atrás de Alexia, ela pousou confortavelmente no chão, a pistola ainda presa, firme, na mão. Estavam completamente escondidas agora, abaixadas sob a projeção dos penhascos. Enquanto Alexia se arrastava para trás, puxando as pernas, com dor, pela areia, Lucy retomou o monólogo.

— Quando estava pronta para agir contra Billy Hamlin, ele já estava se divorciando. Tinha destruído o casamento sozinho. Então, em seguida, eu destruiria o negócio.

Alexia recostou as costas contra o penhasco, apoiada contra a pedra lisa. O tornozelo dela latejava, mas se ficasse parada, a dor era suportável. Ela se concentrou no que Lucy estava dizendo.

— Pensei em começar com pouco e depois seguir para as coisas e as pessoas com as quais Billy se importava de verdade.

— Como Milo Bates?

— Como Milo Bates.

— Então você matou Milo?

— Não pessoalmente. — Lucy sorriu. — Eu peso 50 quilos. Milo Bates era um homem grande, maior do que Arnie. Mas planejei a morte dele, sim.

Era como ouvir Teddy falando sobre o assassinato de Andrew Beesley. Lucy parecia não sentir remorso algum.

— Mas Milo Bates era completamente inocente — disse Alexia. — Tinha a própria família. Esposa e três filhos.

— NÃO OUSE PASSAR SERMÃO EM MIM! — rugiu Lucy. — Nenhum amigo de Billy Hamlin era inocente. Bates sabia sobre a condenação de Billy. Ele sabia o que o desgraçado tinha feito. Mas, mesmo assim, abriu um negócio com ele. — Ela respirou fundo algumas vezes, finalmente recuperando a compostura. — A morte de Milo Bates foi o primeiro ponto. Na verdade, foi muito fácil. Até mesmo sequestrar Billy depois, mostrar a ele a gravação do que fizemos com o amigo... Hamlin estava tão paranoico naquela época. Alguns telefonemas, um pouco de pressão sobre o negócio dele, só foi preciso isso. Quando ele contou à polícia o que fizemos com Milo, ninguém acreditou em uma palavra.

Lucy disse isso com orgulho.

Alexia pensou: *Você é louca. Completamente louca.*

— E quanto a Jennifer Hamlin? Presumo que a tenha matado também?

— Estou chegando lá — disse Lucy. — Você precisa mesmo aprender a ser paciente, Toni.

Alexia se encolheu. Mesmo agora, ela odiava ser chamada por aquele nome.

— Então, Hamlin perdeu a mulher. Perdeu o negócio. E perdeu o único amigo de verdade. Mas tinha de haver algo mais. Procurei pela família dele anos antes, mas estavam todos mortos. O pai dele morreu logo depois do julgamento, e Billy não tinha mãe ou irmãos. Havia a filha *dele*, é claro, Jennifer. Mas eu queria que a perda da filha fosse o *grand finale*, a última coisa que o filho da puta sofresse antes da própria morte. Não estava na hora dela ainda. Eu precisava de outra pessoa.

Aos poucos, Alexia percebeu para onde aquilo estava indo.

— Ouvi rumores sobre uma mulher — disse Lucy. — Alguém que Billy amara na juventude e por quem aparentemente ainda tinha sentimentos. Ele estava bebendo bastante na época e costumava falar sobre ela, sobre você, Toni, em bares e casas de sinuca, para qualquer um que ouvisse. Eu me lembrava vagamente do nome no julgamento. *Gilletti*. Mas apenas quando vi uma foto antiga consegui juntar as peças. Bem, você pode imaginar meu choque. Meu horror. *Você*, minha vizinha, provavelmente minha amiga mais próxima no mundo. *Você* e Hamlin tinham sido amantes! Você estava lá quando Nicko morreu! Agora, eu finalmente sabia por que Teddy estava vigiando Billy todos aqueles anos, exatamente como eu estava. Foi por sua causa. Eu fiquei dividida nesse momento, admito. Billy fora para a Inglaterra para tentar encontrar você. Acho que queria avisá-la. Talvez sentisse que você fosse a próxima da fila, não sei. Mas a verdade é que eu não tinha decidido.

— Decidido o quê? — perguntou Alexia.

— Matar ou não você. Ah, assustei você um pouco, com os telefonemas, embora tenham funcionado muito melhor com Billy... E consegui que alguém se livrasse daquele cachorro terrível que costumava seguir Teddy a todos os lugares. Qual era o nome dele?

— Danny. — Alexia se sentiu enjoada.

— Mas sinceramente não sabia se tinha coragem de matar você. O problema era que eu gostava de você. Até mesmo amava você. Nossos filhos cresceram juntos. Você era como uma irmã para mim. Era difícil.

*Ela está pedindo minha compreensão?*

— Porém, mais uma vez, o Senhor abriu meus olhos. Ele trouxe você para mim, aqui, nesta ilha, e você me contou, me contou *pessoalmente*, que tinha sido você o tempo todo. Foi *você* quem deixou meu irmão se afogar! Billy Hamlin, o homem a cuja destruição devotei minha vida adulta inteira, era apenas seu cúmplice. Um sobressalente. — Lucy balançou a cabeça, enojada. — Consegue *imaginar* como me senti, Toni? Consegue sequer imaginar? Compartilhei jantares com você. Gargalhei com você. Chorei com você.

— Você me aterrorizou — disse Alexia, irritada. — Estripou meu cachorro. — A autopiedade revoltante de Lucy era demais para suportar, como ser afogada em um tonel cheio de creme. — A morte do seu irmão foi um acidente. Um *acidente.*

— Não! Foi assassinato. O tribunal disse que foi.

— O tribunal? O tribunal que condenou o homem errado, quer dizer? — Alexia debochou. — Que diabos aquele tribunal sabia sobre a verdade? O tribunal queria um bode expiatório, e Billy Hamlin forneceu um. Eu estava lá quando Nicholas morreu, Lucy. Não preciso adivinhar o que aconteceu. Eu sei. Foi um acidente e isso é um fato.

— Fique quieta! — ordenou Lucy. Ao caminhar até Alexia, ela a chutou com força no tornozelo, a bota de caminhada pesada intensificando a dor como se fosse um míssil teleguiado. Alexia gritou de agonia. — Você não fala, está ouvindo? NÃO FALA. Você ouve. Não está no Parlamento agora. Ninguém está ouvindo suas palavras. Ninguém mais se importa se você vive ou morre. *Eu* estou falando agora.

A dor na perna de Alexia era tão insuportável que ela nem sequer teve forças para assentir. Em vez disso, choramingando baixinho, ela permitiu que as palavras insanas de Lucy fossem derramadas sobre si.

— Depois disso, eu soube que tinha que matar você. É claro que no fim, aquele taxista, Drake, quase me venceu! Pode imaginar se ele tivesse conseguido? Mas o Senhor não deixou isso acontecer. Ele poupou você de uma morte tão limpa e indolor. Estava guardando você para mim. Ele sabia que eu precisava fazer você sofrer primeiro, exatamente como Billy sofreu. E isso não foi fácil, com sua *posição* e tudo mais. — Lucy cuspiu a palavra de modo provocador. — Por um tempo, me perguntei se não tinha feito a coisa errada ao perseguir Billy Hamlin durante todos aqueles anos. Mas então percebi que não. Billy Hamlin mentiu por você. Ele protegeu você. Sabia que você era responsável pela morte de Nicko e fez tudo o que pôde para ajudar você a fugir da Justiça. Então agora, vocês dois tiveram que sofrer igualmente. Billy precisava saber como tinha sido a sensação de perder um filho. E você também.

— Michael. — Alexia sussurrou a palavra.

— Ah, sim, bem, Michael. — Lucy gesticulou como se não fosse importante. — Michael sobreviveu, infelizmente. Embora eu tente me confortar ao saber que ele está praticamente morto. Talvez, de certa forma, seja *mais* doloroso — ponderou ela.

Alexia sentiu uma descarga de ódio tão forte que quase engasgou.

— Meu maior desapontamento não foi seu filho inútil ter sobrevivido — continuou Lucy. — Foi Billy Hamlin não ter podido ver a filha *dele* morrer. Depois de décadas passadas pacientemente esperando e esperando, tomando tempo, me foi roubada a oportunidade de fazer Billy ver a perda máxima. Algum viciado em Londres enfiou uma faca no coração dele e lhe deu uma morte limpa e fácil.

Lucy balançou a cabeça com amargura. O mal que saía da boca dela era de tirar o fôlego.

— Aquilo foi difícil de aceitar.

— Aposto que sim — disse Alexia, entre os dentes trincados. A dor no tornozelo era insuportável. — Mas você fez com que Jennifer Hamlin fosse assassinada mesmo assim. Apenas pela diversão. Uma jovem completamente inocente.

— Não está me ouvindo? — gritou Lucy. — Aquele desgraçado jamais pôde ver a morte da filha, o sofrimento dela, do modo como minha mãe sofreu com Nicko. Ele já tinha fugido tanto da justiça. Vocês dois. Eu precisava consertar as coisas. Olho por olho... era o que Deus queria. A morte de uma criança merece a de outra.

Não havia motivo para tentar argumentar com Lucy. Alexia conseguia ver isso agora. Anos de luto tinham sido cuidadosamente cultivados até que se transformaram em ódio, então cólera, e, por último, psicose. No entanto, ela não podia permitir que Lucy acabasse com a vida *dela* sem revidar, sem fazer com que sofresse de alguma forma pelo que fizera com Michael, e com todas as outras vítimas.

— Você fala sobre verdade — disse Alexia. — Mas ainda não conhece a verdade. Depois de tantos anos observando e esperando, perdeu tanta coisa! É patético.

Os olhos de Lucy se semicerraram.

— O que quer dizer?

— Billy Hamlin não foi morto por "um viciado".

— Sim, ele foi. O relatório policial disse que foi. Ele foi esfaqueado por um viciado em busca de dinheiro.

— Besteira — provocou Alexia. — A polícia não tinha ideia de quem o matou. Ainda não tem. Mas eu tenho. Foi Teddy!

Um olhar de profunda confusão passou pelo rosto de Lucy Meyer.

— Não. Isso não é possível.

— É claro que é possível. É um fato. — Alexia se satisfez ao girar a faca. — Ele confessou para mim em particular, depois que foi acusado da morte de Andrew Beesley. Fez isso para me proteger, para proteger nossa família. Teddy achou que Billy estivesse tentando me chantagear, sabe. Ele sempre soube da verdade e me perdoou. Então, depois de todos esses anos de espera, Teddy venceu você no golpe final!

— Cale a boca! — gritou Lucy. — Não acredito em você.

Alexia sorriu.

— Acredita sim.

— Não importa, de qualquer forma. Quem se importa? Hamlin está morto, a filha dele está morta. E, logo, você vai se juntar a eles. — Depois de vasculhar a mochila, Lucy pegou um par de algemas. — Fique de joelhos.

Alexia balançou a cabeça.

— FIQUE DE JOELHOS! — Lucy tocou o cano da arma na têmpora de Alexia.

Alexia falou, calmamente:

— Não consigo, Lucy. Meu tornozelo. Não consigo me mover.

— Está bem. — Lucy se irritou. Erguendo o próprio pé esquerdo, ela pisou com força no tornozelo de Alexia. A última coisa que Alexia ouviu foram os próprios gritos quando os ossos se partiram. Então, tudo ficou escuro.

SUMMER PAROU E PRESTOU atenção, quieta e alerta como um cervo na floresta.

*Isso foi uma gaivota gritando? Ou um grito humano?*

A jovem congelou, esperando, rezando, para ouvir de novo. Mas não houve nada.

Ela havia caminhado por aquelas trilhas antes, com a mãe, mas não desde a adolescência. Eram mais labirínticas do que se lembrava, e o calor, combinado com a própria exaustão e o pânico, tornava difícil se concentrar.

Summer tentou não pensar na carta da mãe. Metade bilhete suicida, metade confissão, era o palavreado de uma mente, de fato, confusa e destruída. O tom se alterava aleatoriamente ao longo do texto. Havia a simplicidade com que escrevia sobre Michael — *eu sei que magoará você, querida, mas creio que precisava ser feito* — as referências bíblicas assustadoras salpicadas pela carta, que mostravam como Lucy tinha se tornado completamente degenerada e psicótica. *Ela está doente*, pensou Summer. *Precisa de ajuda.* Mas nada poderia desculpar ou esconder os fatos crus, do que a mãe fizera e o que pretendia fazer.

*Preciso encontrá-la.*

*Se ela vir a polícia, vai entrar em pânico.*

Summer estava perto do oceano agora, conseguia ouvir o quebrar rítmico das ondas contra os penhascos. Um barulho sob seus pés a fez parar. Ela se abaixou e pegou uma garrafa d'água plástica vazia. Era Nantucket Springs, a marca que a mãe comprava.

— Mãe! — gritou a jovem, ao vento.

*Nada.*

— Mãe, sou eu, Summer. Pode me ouvir?

Mas suas palavras foram engolidas, não por vento ou maré, mas por outro ruído.

Um ruído vindo de cima.

LUCY MEYER OLHOU PARA cima.

*Helicóptero. É tudo de que preciso.*

Era provavelmente apenas a guarda costeira em um voo de rotina. Por outro lado, Summer teria lido a carta àquela altura. Não podia se arriscar.

Alexia ainda estava inconsciente. Depois de colocar as mãos dela nas costas e prendê-las com as algemas, Lucy arrastou Alexia de volta para a borda do penhasco. Ela estava tão frágil e malnutrida que era como puxar uma boneca de pano. Nenhum helicóptero as veria ali. Mas não poderiam se esconder para sempre. A maré já estava subindo. Dentro de uma hora, a enseada estaria completamente submersa.

— Acorde, droga. — Lucy sacudiu Alexia pelos ombros. Um leve movimento dos lábios, pouco mais do que um tremeluzir das pálpebras, mas era o bastante. Lucy sentiu o alívio percorrer seu corpo.

*Ela está voltando.*

* * *

ARNIE MEYER FALOU PELO microfone.

— Está vendo alguma coisa?

O oficial de busca policial balançou a cabeça.

— Ainda não.

— Pode pedir que o piloto voe mais baixo?

— Na verdade, não. Precisamos tomar cuidado. Os ventos podem mudar rapidamente aqui, e esses penhascos não são brincadeira.

— Sim, mas minha filha...

O policial estendeu o braço e apoiou a mão no ombro de Arnie.

— Se ela estiver lá fora, senhor, nós a encontraremos. Doug, abaixe um pouco, sim?

Eles percorreram a distância mais baixo, sobre as ondas.

# Capítulo 41

ALEXIA ACORDOU E VIU que as pernas estavam submersas na água. Sentiu um momento de pânico cego — *onde estou?* Então, a dor no tornozelo retornou, lancinante como um raio, e ela se lembrou de tudo.

*Lucy.*

*A enseada.*

*A arma.*

— Quero que leve sua mente de volta para aquele dia.

A voz de Lucy vinha de detrás de Alexia. Ainda devia estar sob a encosta do penhasco. Alexia fora arrastada até a arrebentação e colocada de joelhos, como um prisioneiro prestes a ser executado.

— Era um verão quente no Maine. Você estava lá na praia, você, Billy e as crianças. Foi logo depois do almoço.

O horror penetrou o coração de Alexia devagar quando ela percebeu o que estava acontecendo.

*Ela está recriando a morte do irmão.*

*Não vai me dar um tiro.*

*Vai me afogar.*

Ela tentou se mover, rolar, qualquer coisa, mas estava bem presa. Lucy tinha prendido algum tipo de peso nas algemas de Alexia, ancorando-a no lugar.

— Pense nas crianças agora — dizia Lucy. — Tente imaginar os rostos delas. Consegue ver meu irmão? Consegue se lembrar dele?

*Lembrar dele? O rosto dele me assombrou a vida inteira. Todos os dias. Todas as noites. Tentei me enganar que havia superado, que havia fugido do passado. Mas Nicholas estava bem ali. Sempre.*

— O que ele está fazendo?

— Está brincando. — Lágrimas escorreram pelas bochechas de Alexia.

— Brincando de quê?

— Não sei.

— DIGA PARA MIM!

— De pega-pega, acho. Não tenho certeza. Estava correndo pela areia. Estava feliz.

— Bom! Muito bom — encorajou-a Lucy. — Vá em frente. O que aconteceu depois?

— Não sei — soluçou Alexia. A água estava subindo. Estava na cintura dela agora, e fria como um túmulo.

— É claro que sabe! Não minta para mim. Vou atirar na porra dos seus dedos, um a um, como fiz com Jenny Hamlin. O que aconteceu?

Alexia fechou os olhos.

— Perdi ele de vista. Billy estava bancando o bobo, mergulhando à procura de pérolas. Ele afundou e não voltou de novo e eu pensei...

— Não me importo com Billy Hamlin! — gritou Lucy. — Me conte sobre Nicholas. O que aconteceu com meu irmão?

— Não sei o que aconteceu! — gritou Alexia de volta. — Ele estava na água, no raso, brincando. Estava com os outros. Quando virei o rosto ele havia sumido.

— NÃO! Isso não é o bastante. Você deve ter visto alguma coisa.

— Meu Deus, Lucy, se tivesse visto, não acha que eu teria feito alguma coisa? Não acha que eu teria tentado salvá-lo?

Alexia estava assustada com o desespero na própria voz. Não tinha medo de morrer. Mas afogar-se sempre fora seu pior pesadelo. Ficar parada, inutilmente, enquanto a água subia ao seu redor, puxando-a para dentro do mar; arquejar por oxigênio enquanto a água enchia seus pulmões, sufocando-a, privando lentamente seu cérebro de oxigênio... Alexia vivera o terror tantas vezes em sonho que achava que entendia o sofrimento de Nicholas Handemeyer, que o sentira de alguma forma. Mas agora percebia que não sabia nada. A realidade ali, nas ondas, presa como um animal cativo, era muito, muito pior do que até mesmo a imaginação mais febril de Alexia.

— Você? Tentar salvá-lo? — Lucy gargalhou. — Você só se importava consigo mesma. Não tinha um osso altruísta no corpo. Não naquela época, quando era a velha Toni Gilletti, nem agora, como Sra. Todo-poderosa De Vere. Você, você e Hamlin, vocês deixaram Nicko morrer!

A água estava quase nos ombros de Alexia.

— Isso não é verdade. Você não estava lá, Lucy. Não sabe o que aconteceu. Eu amava seu irmão. Ele era um garotinho lindo.

Lucy emitiu um rugido, mais animal do que humano. Então levou as mãos aos ouvidos.

— Não ouse! Não ouse dizer que o amava.

— É verdade! — disparou Alexia. — Ele sempre foi meu preferido. Costumava fazer cartões para mim.

Antes que pudesse dizer mais, Lucy correu até Alexia com um rompante do mais puro ódio. Agarrando-a pelas costas, ela forçou a cabeça de Alexia para baixo, sob as ondas.

Depois de um momento de puro terror, Alexia parou de se debater.

Era aquilo. Era o fim.

Abaixo da superfície estava escuro, silencioso e pacífico. Não havia Lucy ali, nenhum grito, nenhuma loucura, nenhuma dor. A calma anterior de Alexia retornou. Ela se permitiu ficar inerte, cada um de seus músculos cedendo ao abraço frio da morte.

*Não há nada a temer.*

Tudo ficou mais lento. Ela estava ciente apenas da leve batida da própria pulsação. Uma a uma, as pessoas que amava foram até ela.

Michael, saudável de novo, sorrindo e gargalhando, explodindo com vida, juventude e um futuro.

Roxie, caminhando até ela, os braços abertos com amor e perdão.

Teddy, como ele era quando se conheceram. Engraçado, gentil, autodepreciativo e adorável.

Billy Hamlin, jovem, forte e sorrindo em uma praia no Maine.

Alexia começou a rezar. *Que Michael fique em paz. Que Roxie perdoe o pai.* Mas para si, não tinha nada a pedir.

Como fora arrogante ao pensar que tinha algum controle. Ao pensar que poderia escapar do próprio destino.

Lucy estava certa quanto a uma coisa: a morte de Nicholas Handemeyer *merecia* um sacrifício. Mas esse sacrifício precisava ser de Alexia. A vida inteira, o oceano a chamara, puxando-a de volta, exigindo que voltasse e pagasse o que devia: uma vida por outra, uma alma por outra. Agora, enfim, o círculo se fechava.

Estava na hora.

— O QUE É aquilo?

O piloto apontou pelo vidro.

Arnie Meyer e o oficial de busca seguiram o dedo dele.

— O quê? — perguntou Arnie. — Não estou vendo nada.

— Sob a face do rochedo — falou o piloto. — Passamos por ela agora. Vou voltar. Pensei ter visto...

— Silhuetas. — O oficial de busca abaixou os binóculos telescópicos. — Com certeza, na beira da água. Têm de ser elas.

— Não vejo nada — falou Arnie, desesperado, conforme o helicóptero virava, bruscamente, para a direita, voando baixo sobre o oceano como um pássaro em busca de peixes. — Onde? Summer estava com elas? O que você viu?

O oficial de busca o ignorou.

— Guarda costeira! — Ele disparou coordenadas no rádio. — Precisamos de assistência urgentemente. Duas mulheres. Ã-hã. Não, não conseguimos entrar por aqui.

— O que quer dizer com não pode entrar por aqui? — Arnie Meyer sentiu o pânico percorrer suas veias como veneno de cobra. — A maré está subindo. Elas vão se afogar!

O oficial de busca encarou Arnie.

— Não podemos nos aproximar sem bater no penhasco.

— Mas precisamos fazer alguma coisa!

— Vamos bater, Sr. Meyer. Não dá para chegar até elas. Me desculpe.

*Me desculpe.*

Alexia De Vere ainda estava rezando.

*Por favor, me perdoe. Por Nicholas. Por Billy. Por todo o sofrimento que causei.*

Lucy Meyer tinha soltado Alexia alguns minutos antes e subiu em uma pequena saliência no penhasco para poder assisti-la morrer mais de perto. Conforme arquejava por ar, encolhendo-se de dor quando o oxigênio voltava para seus pulmões, ocorreu a Alexia pela primeira vez que Lucy também morreria. As ondas a tomariam também, apenas minutos depois que a vida da própria Alexia fosse levada.

*Ela devia saber quando me trouxe aqui. Não se importa em morrer, não mais do que eu. Ela quer isso. A paz. Contanto que me veja punida primeiro. Só quer um ponto final. Somos tão parecidas, no fim das contas, Lucy e eu.*

Um ruído a distraiu. A princípio, achou que estivesse imaginando o barulho baixo e constante, como o zumbido de uma abelha. Mas então ele ficou cada vez mais alto, sobrepujando até mesmo o quebrar das ondas que batiam feito um címbalo. Alexia inclinou a cabeça para trás e ergueu o rosto.

*Um helicóptero! Resgate!*

Não tivera medo antes. Quando achara que a morte era inevitável, pudera aceitá-la, fazer as pazes. Agora que havia uma chance de viver, de salvação, a adrenalina e o desespero percorreram o corpo de Alexia mais uma vez.

*Quero viver!*

Apenas o rosto dela estava acima da linha da água. Instintivamente ela tentou agitar os braços em busca de ajuda, mas estavam algemados e com um peso sob as ondas. Alexia começou a chorar.

— Estou aqui! — gritou ela, inutilmente, para o céu. — Estou aqui! Por favor, me ajude!

O helicóptero pairou diretamente acima dela por alguns segundos, tão próximo e tão tentadoramente fora do alcance. Alexia fechou os olhos contra a claridade, em busca de uma escada ou de uma corda. Em vez disso, sem aviso, o helicóptero virou e disparou para o azul do céu.

— NÃO! — gritou Alexia. Não tinha como impedir o terror que sentia agora. — Não, por favor! Não me abandone!

Do local privilegiado no topo da saliência, Lucy Meyer sorriu.

*Isto é para você, Nicko, meu querido.*

Em breve, estariam juntos de novo.

SUMMER ENTERROU AS UNHAS na rocha que se desfazia conforme descia a trilha.

*Estão aqui. Têm de estar aqui.*

O caminho para baixo até a enseada era mais íngreme do que ela se lembrava, e a maré estava tão alta que não era possível ver nenhuma praia do alto do penhasco. Mas a garrafa d'água confirmara. Tão para dentro no pântano, só havia um lugar para o qual sua mãe poderia ir.

Então, de repente, como duas figuras em um sonho, ali estavam elas. Ao contornar a curva na qual a trilha fazia uma meia-volta, Summer viu a mãe, agachada em uma saliência acima de uma nesga de margem arenosa. Não teria visto Alexia se não tivesse seguido o olhar de Lucy até um ponto a cerca de 6 metros diante dela. Na água, a cabeça solitária de um ser humano flutuava como uma boia.

— Mãe!

Lucy se virou.

— Saia daqui! — gritou ela para Summer. *Como ela conseguiu nos encontrar tão rápido?* — Volte para o penhasco. É perigoso demais.

— Não sem você.

— Eu disse para voltar! — Lucy ergueu a arma.

Os olhos de Summer se arregalaram em choque. *Ela não atiraria, não é? Não na própria filha.*

— Volte! — gritou Lucy de novo.

Summer hesitou. Ao fazê-lo, a rocha arenosa deslizou sob ela.

ARNIE MEYER FOI O primeiro a sair do helicóptero.

Arrancando os fones, ignorando os gritos dos dois policiais, ele correu até o pântano, quase recurvado, perigosamente próximo das lâminas ainda em movimento do helicóptero.

— Pare, seu idiota! — gritou o oficial de busca atrás dele. Mas Arnie continuava correndo, às cegas, em direção à beira do penhasco.

*Meu Deus! Não me deixe chegar tarde demais.*

LUCY OBSERVOU HORRORIZADA, ENQUANTO a filha caía, gritando, os braços e as pernas agitando-se descontroladamente como um fantoche que tem os fios cortados. Summer parou em uma saliência aberta, a meio caminho abaixo da face do penhasco. A cabeça dela bateu no chão com um estampido aterrorizante. Os gritos pararam.

Lucy olhou para o mar. Alexia estava quase completamente submersa agora. Ela se voltou para a filha, deitada de barriga para baixo e sem vida na saliência.

*Isto não está certo! Não deveria acontecer assim.*

Lucy queria assistir à assassina de Nicko se afogar. Ela tinha esperado tanto tempo por aquele momento. Toda a vida. Mas e se Summer ainda estivesse viva? E se seu bebê precisasse de ajuda, desesperadamente, e ela ficasse parada sem fazer nada? Irracionalmente, Lucy sentiu uma descarga de ódio. *Por que Summer teve que vir até aqui? Por que teve que estragar tudo?*

— Polícia!

Lucy ergueu o rosto. Três homens estavam no topo da trilha. Um estava com a arma na mão e apontada para ela. O segundo seguia com dificuldade pela saliência, na direção de Summer. Lucy olhou com mais atenção. *Ai, meu Deus, aquele é Arnie?*

— Largue a arma e coloque as mãos na cabeça.

Lucy ignorou as instruções e voltou a atenção para um terceiro homem. Fazendo rapel pela face do penhasco, com um bote salva-vidas preso à cintura, ele estava obviamente seguindo na direção de Alexia.

— Senhora. Eu disse para largar a arma!

Lucy fechou os olhos e segurou a arma com mais força. Era tão difícil se concentrar.

O homem no alto do penhasco ainda gritava.

— Largue agora ou atiro!

*Por que ele não fica em silêncio? Não consigo pensar com todo esse barulho.*

À esquerda, Lucy viu que Summer estava se sentando. Arnie conseguira chegar à filha. Ele a segurava agora, conversava com ela.

*Isso é bom. Eles têm um ao outro.*

Abaixo de Lucy, o policial no rapel tinha chegado ao solo e estava se soltando do bote salva-vidas. Lucy observou quando ele mergulhou na água. Apenas o alto da cabeça de Alexia era visível agora, mas um afogamento poderia levar muito tempo. Ela provavelmente ainda estava viva. Se ele a levasse até a praia e a ressuscitasse rápido o suficiente...

Foi quando Lucy soube o que tinha de fazer.

Mirando com cuidado, ela deu um único tiro diretamente na cabeça de Alexia.

Arnie Meyer gritou.

— Lucy. Não!

*Tarde demais. Está feito.*

Quando se virou para encarar Arnie, Lucy mandou um beijo para ele e para a filha. Então, antes que o policial no alto do penhasco tivesse tempo de reagir, ela empurrou o cano da arma para dentro da boca e apertou o gatilho.

Na praia, as ondas que batiam suavemente mantiveram seu ritmo pacífico e atemporal.

Mas agora estavam vermelhas de sangue.

# Capítulo 42

INGLATERRA. UM ANO DEPOIS.

ROXIE DE VERE OLHOU para fora da janela do trem de forma contemplativa.

Era um caminho lindo, o trem lento para Londres, de West Sussex, levando os passageiros por bosques cobertos por jacintos, para além de lindos chalés e mansões de pedra impressionantes, por cima de rios e por dentro de vales ladeados por pastos verdes luxuriantes, alguns dos mais ricos e férteis na Inglaterra. Sinais da primavera estavam por toda parte, nas macieiras e cerejeiras em flor, no balido queixoso dos carneiros recém-nascidos em busca das mães, nas brisas frias e penetrantes que sopravam pelo Canal da Mancha vindas da França.

Roxie De Vere pensava: *é o tipo de dia que faz uma pessoa se sentir sortuda por estar viva*. E Roxie se sentia sortuda, apesar de ser uma sorte manchada de tristeza e arrependimento pelo que tinha sido perdido. Ela só tinha um dos pais agora. Apenas uma pessoa viva no mundo com quem poderia compartilhar as memórias de infância. Relembrar os dias mais felizes. Chorar pelos tristes.

Felicidade, dor, arrependimento compartilhados. Não era das fundações mais fáceis sobre as quais reconstruir um relacionamento. Mas era tudo o que Roxie De Vere tinha. Isso e alguns dias por mês de visitação. Ao contrário da crença popular, as prisões de Sua Majestade não eram um mar de rosas. A vida lá não era cheia de horas de visitação abertas e passeios pela propriedade. Um quarto sombrio, com cheiro de desinfetante e desespero, cheio de mesas com presidiários de um lado e visitantes do outro. Aquele seria o cenário de todos os encontros desde agora até...

*Não. Não devo pensar nisso.*

Roxie se obrigou a não pensar no futuro.

Se os últimos anos tinham ensinado alguma coisa a ela, era que tudo podia acontecer. *Viva hoje. Ame hoje. Perdoe hoje.*

Ela repetia o mantra baixinho conforme o trem chacoalhava.

A PIOR COISA DA vida na prisão era o tédio. A monotonia de cada dia, quebrada apenas por sinos e refeições e dividida em períodos de tempo — trabalho, lazer, exercício, sono — que pareciam não ter relação com a realidade, com os ritmos do mundo lá fora.

A única forma de torná-la suportável era se afastar da antiga vida por completo. Esquecer-se de quem fora do lado de fora, aceitar esse novo mundo por inteiro e sem questionar.

A pessoa registrada sob o número 5067 tinha se tornado adepta de tal afastamento. É claro que ter um nome famoso tornava a coisas mais difíceis. Outros detentos estavam menos dispostos a deixar o passado de lado, a esquecer quem o 5067 realmente era — quem tinha sido. Lembravam-se do porquê 5067 estava ali, apesar do nome aristocrático e das conexões políticas, andando ombro a ombro com traficantes de drogas e assassinas, reduzido ao trabalho manual como o restante das pessoas ali dentro.

Não havia violência. Nenhuma intimidação. Pelo menos, não ainda. Mas o número 5067 jamais seria aceito na alta sociedade da prisão. A vida era solitária. Por outro lado, era parte da punição, não era? *Parte do que eu mereço.* As visitas de Roxie eram como um bote salva-vidas, de algumas formas, mas também eram dolorosas, um lembrete duro do que a prisão tinha levado.

Aguardando na sala de visita conforme as famílias e os amigos entravam em fila, o número 5067 se sentia sem fôlego de ansiedade. *E se ela não tivesse conseguido ir? E se algo tivesse acontecido e ela tivesse mudado de ideia?* Mas não, ali estava ela! Roxie sorria enquanto manobrava a cadeira de rodas entre as mesas, o proverbial raio de sol.

*Minha filha. Minha querida filha. Deus a abençoe por encontrar o perdão em seu coração.*

Roxie abriu os braços, cheia de amor.

— Oi, mãe. — Ela estava sorrindo. — É tão bom ver você.

# Capítulo 43

QUANDO A HISTÓRIA COMPLETA da vida passada e dos segredos de Alexia De Vere emergiu na imprensa britânica, causou o maior escândalo político desde o caso Profumo, nos anos 1960. A política não podia ficar mais suja ou mais imoral do que isso. Tiroteios em uma praia norte-americana, assassinato, perjúrio, uma identidade secreta e uma longa fila de corpos. O caso inteiro era o sonho de todo editor da Fleet Street.

É claro que para aqueles de fato envolvidos a realidade era mais trágica e mais prosaica. A própria Alexia De Vere se sentia sortuda. Sortuda por estar viva — o tiro de Lucy Meyer na praia apenas arranhara seu ombro, e a equipe de resgate da polícia tinha conseguido tirá-la da água e fizera respiração boca a boca antes de qualquer dano cerebral ou outro dano permanente. Minutos depois, *segundos* depois, e tudo poderia ter acabado. Alexia tentava não pensar nisso.

Era sortuda em outros sentidos também. Sortuda por ter tido a chance de se reconciliar com Roxie e com o querido Teddy antes que ele morresse. (Teddy De Vere sofreu um ataque cardíaco fulminante na cela da prisão, na mesma semana da audiência de extradição de Alexia dos Estados Unidos.) Ela até mesmo se sentia sortuda por estar ali, em uma prisão britânica, em vez de uma norte-americana, pagando, por fim, pelos pecados do passado. Talvez agora, finalmente, suas dívidas com os deuses fossem pagas. Quando, enfim, saísse da Prisão Feminina Holloway, seria uma mulher livre, de diversos modos.

Aquele dia aterrorizante na praia, em Martha's Vineyard, tinha mudado tudo para Alexia. Se foi Deus que a salvou, o destino ou pura sorte, isso não importava. O que importava era que tinha sido salva. Estava convencida de que estava viva por um motivo. E o motivo, enfim, estava claro.

Precisava dizer a verdade. Testemunhar.

Não poderia haver mais segredos.

Da cama do hospital em Boston, Alexia contou tudo à polícia. Admitiu ter sido negligente na morte de Nicholas Handemeyer, tantos anos antes, e ter permitido que Billy Hamlin fosse para a cadeia no lugar dela. A vedação à dupla condenação pelo mesmo fato significava que era tarde demais para que ela fosse julgada por homicídio culposo involuntário. No fim, Alexia recebeu uma pena de seis anos por perjúrio e por obstrução da Justiça.

Ela também contou às autoridades que Teddy tinha sido responsável pelo assassinato de Billy Hamlin. Alexia tinha guardado o segredo do marido até então, mas a verdade viria à tona. Teddy estava cumprindo prisão perpétua de toda forma, e Alexia devia pelo menos isso ao pobre Billy.

Teddy tinha sido bom com relação a isso, escrevera a Alexia uma carta tipicamente gentil e divertida da própria cela da cadeia. *A pior parte disso é que terei de voltar ao tribunal e encarar aqueles repórteres desagradáveis de novo. Eu me inscreveria satisfeito para um ano na solitária se significasse jamais precisar colocar os olhos em outro plebeu de meias brancas do* Sun *de novo.*

Teddy ainda não sentia remorso pelo que fizera. Era como se tivesse um gene faltando. Ele parecia incapaz de culpa. Mas, do outro lado dessa moeda, ele não tinha o mesmo ódio de Lucy Meyer pelas vítimas, nada da sede cega e psicótica por violência e por vingança. Na cabeça de Teddy, ele tinha apenas cumprido com seu dever — protegera a família. O fato de que dois homens inocentes tinham perdido a vida como resultado disso fora ignorado como danos colaterais, um resultado infeliz que não pôde ser evitado. Teddy morreu durante o sono uma semana antes de ter de ir ao tribunal pelo assassinato de Billy Hamlin. Talvez fosse mais do que ele merecia, depois de tudo o que fizera. Mas Alexia se sentiu reconfortada pelo fato de que o marido morrera em paz. Ela amou Teddy até o fim.

Quanto a si mesma, Alexia já pedira permissão para cumprir a sentença na Inglaterra. Graças à confissão completa e sincera, ao fato de que tinha dois filhos "deficientes" no Reino Unido e às conexões políticas e pessoais com o país, as cortes dos Estados Unidos concordaram. Alexia tinha chegado a Holloway três meses antes, e vira Roxie em três ocasiões desde então.

— Alguém mais veio vê-la desde que a visitei da última vez? — perguntou Roxie.

— Não, minha querida. Mas não se preocupe. Não quero ver mais ninguém.

Roxie achava difícil acreditar. Pensou na infância e em como a mãe tinha sido sociável. Os dois pais, na verdade. A política era uma profissão social, se é que havia uma. Fora a droga de Alexia por mais da metade da vida dela.

— Sério? Ninguém dos velhos tempos? E quanto a Henry Whitman?

— Henry? — Alexia gargalhou alto. — Deve estar brincando. Sabe, durante todo o tempo que estive no Ministério do Interior, ele achou que eu estava prestes a expô-lo por ter um caso. Consegue acreditar nisso? Ele só me indicou porque achou que eu ficaria calada. Mantenha seus amigos por perto e os inimigos mais ainda.

— Por que ele pensaria isso?

Alexia deu de ombros.

— Boatos. Fofocas de Westminster. Quem sabe? Eu certamente jamais tive a menor intenção de expô-lo.

— Então ele nunca entrou em contato, nem depois que papai morreu?

— Eu não esperava que entrasse, querida. Dizem que está tentando se tornar o próximo secretário-geral da ONU. Com amigos como eu, ele não precisará de inimigos.

A mãe parecia alegre em relação àquilo, mas Roxie se revoltou em nome de Alexia.

— Certamente deve haver alguém de Westminster que mantém contato? Todos esses anos...

— Eu recebi uma carta bonita de Sir Edward Manning — falou Alexia, pensativa.

— O que ele disse?

— Ah, algumas coisas. Fofoca política, na maior parte. Ele se ofereceu para fazer uma visita, mas eu não acho que seria correto. Ele me mandou uma cópia dos diários da prisão de Jeffrey Archer. Já leu? São sensacionais.

— Não li.

Um silêncio desconfortável recaiu sobre a mesa. As duas mulheres queriam se reconectar, mas depois de tantos anos de estranhamento, a conversa não fluía com facilidade. Também tinham pouco em comum. Roxie era artística e criativa, Alexia era pragmática e ambiciosa. A única coisa que compartilhavam era o laço familiar. Mas depois de tudo que acontecera, família era o único assunto que as duas lutavam para evitar.

— Como está Summer? — perguntou Alexia finalmente. — Vocês se veem bastante ultimamente?

Roxie se alegrou.

— Sim. Tentamos. Ela ainda visita Michael todo dia, sabe.

As duas se maravilhavam com a lealdade de Summer Meyer. O caso de Lucy com Michael era de conhecimento público agora. A carta que Lucy escrevera para Summer, antes de ela e Alexia saírem para a praia naquele dia fatídico, se tornara pública no julgamento de Alexia. Lucy Meyer fora postumamente condenada pelos assassinatos de Milo Bates e de Jennifer Hamlin, assim como a tentativa de assassinato de Michael De Vere. Ela foi enterrada na sepultura da família em Martha's Vineyard, onde Arnie, aparentemente, a visitava diariamente. Ainda apaixonado, ainda de luto, ainda incapaz de processar as revelações que cercavam a morte da mulher. *Pobre homem.*

A carta de Lucy deixava claro que ela sempre pretendera se matar depois de "se livrar" de Alexia. Como Alexia, Lucy quisera justiça, um ponto final, e que a verdade fosse conhecida. A única diferença era que a visão de justiça de Lucy Meyer, de certo e de errado, estava tão distorcida e envenenada por décadas de ódio que não tinha qualquer relação com a de Alexia, ou com a de qualquer cabeça pensante. Não havia uma indicação de desculpas no bilhete para a filha, nem pelo que fizera com Michael ou com qualquer outra pessoa.

Summer e Arnie tinham testemunhado a terrível morte de Lucy. A polícia contou a Alexia, depois, que Summer estava a apenas alguns metros de distância quando Lucy estourou os próprios miolos. Jamais se superava algo assim. Arnie lidava por meio da negação, mas Summer era racional demais para tal estratégia. Em vez disso, ela foi para a Inglaterra e para Michael, enterrou os sentimentos o melhor que pôde. Era surpreendente que não estivesse completamente louca.

— Mande lembranças minhas quando a vir — falou Alexia.

— Mandarei.

— E para seu irmão, é claro.

— É claro — murmurou Roxie, sentindo-se culpada. A verdade era que Roxie não visitava mais Michael. Não havia motivo. O corpo dele podia estar ali na cama, mas ele tinha partido. Mas dizer isso só iria chatear a mãe. Era melhor se concentrar no futuro, em coisas felizes.

— Aliás, não é nada importante, ou algo assim, mas estou saindo com alguém. — Ela corou de maneira adorável.

O rosto de Alexia se iluminou.

— Isso é maravilhoso, querida! Quem?

— O nome dele é William. William Carruthers.

Alexia reconhecia vagamente o nome.

— É agente imobiliário — continuou Roxie.— Na verdade, é o cara que vendeu Kingsmere para nós depois que papai morreu.

Alexia franziu a testa. Estava prestes a dizer: *então ele sabe exatamente quanto dinheiro você vale e se precipitou diante da oportunidade*. Mas, com esforço, ela mordeu a língua. Não cabia a Alexia tentar gerenciar a vida de Roxie, romântica ou não. Em algum momento, precisaria confiar no julgamento da filha. Afinal de contas, como poderia ser pior do que o dela?

— Ainda está no início — falou Roxie. — Mas estou muito feliz.

— Então eu também. — Alexia apertou a mão da filha. — Gostaria de conhecê-lo algum dia.

— Algum dia. — Roxie corou de novo. — Veremos o que acontece.

As duas mulheres conversaram por mais alguns minutos. Então, a inevitável campainha soou para indicar que o horário de visita tinha acabado. Ao redor do salão, prisioneiras abraçaram familiares e amigos. Algumas estoicamente, outras, em uma descarga de emoção, principalmente as mães de filhos pequenos. Alexia se emocionou por elas. Aqueles anos preciosos da infância, depois que passavam, jamais poderiam ser recuperados. *Roxie e Michael tiveram infâncias felizes, acho. Teddy e eu demos isso a eles, pelo menos.*

Alexia observou a filha empurrar a cadeira de rodas pelas portas duplas e sumir de vista, e tentou se sentir esperançosa pelo futuro de Roxie. Será que William Carruthers realmente a amaria e cuidaria dela? Ou partiria o coração dela, como todos os homens na vida de Roxie? Só de pensar nisso Alexia se sentia enjoada pela ansiedade conforme caminhava de volta para a cela.

*Você não pode protegê-la*, disse Alexia a si mesma com firmeza. *E não deveria tentar. Amar é assumir um risco. E a vida sem amor não é vida.*

O futuro pertencia a Roxie agora.

O que fizesse com ele seria escolha dela.

# Epílogo

SUMMER MEYER OLHAVA PELA janela do quarto de hospital de Michael, perdida em pensamentos.

Era um dia deslumbrante. Do lado de fora, o modesto jardim de Londres irrompia com vida como um Éden em miniatura. O cheiro de grama cortada e de madressilvas doces pairava no ar como uma névoa de verão, e os longos galhos de um salgueiro batiam gentilmente contra o vidro da janela de Michael, como se o convidassem para o lado de fora, para aproveitar aquilo tudo.

*Ou talvez seja eu quem a árvore chama?*, pensou Summer. *Talvez seja eu quem precise ser resgatada?*

O pai dela certamente acreditava que sim. Arnie ligava para Summer diariamente, implorando para que voltasse para casa, para que "seguisse em frente com a vida", para que não "se acorrentasse" a Michael e ao passado. *Querido papai.* Summer o amava tanto que era doloroso. Mas Arnie não conseguia ver que ficar em Vineyard e passar horas, todos os dias, ao lado do túmulo de Lucy estava acorrentando *ele* ao passado e do pior e mais doloroso modo imaginável.

A verdade era que Summer não fazia ideia do que o futuro reservava para ela. Naquele momento, fazia o máximo para sobreviver ao presente, para inspirar e expirar. Mas sabia que jamais poria os pés em Martha's Vineyard de novo. Nunca, nunca mais, por quanto tempo vivesse.

Ainda sonhava com a morte de Lucy quase todas as noites. Com a enseada, com o estalo do tiro, com a água vermelha que manchava a areia como suco de groselha derramado em açúcar. Frases da carta também retornavam para assombrá-la, com a voz distinta, maternal e gentil de Lucy.

*Ele precisava morrer, querida. Era o único modo.*

*O caso foi apenas um meio para me aproximar dele.*

*Espero que compreenda...*

*Compreender?*, pensou Summer.

Ela olhou para Michael, então pela janela de novo. O que a mãe de Summer fizera estava além da compreensão. Além do perdão. O melhor que a garota podia fazer era aceitar que Lucy estava mentalmente desestruturada. Que algo se partira dentro dela desde nova, com a morte do irmão amado. E que isso, em vez de ter sido tratado e curado, fora escondido de vista, abandonado, para se tornar mais profundo e mais fraturado, até que a personalidade inteira de Lucy se partisse em duas.

Um lado era a mãe e a esposa que Summer conhecera e amara a vida toda. Aquele era o lado pelo qual a jovem sofria. O outro lado... ela tentava não pensar no outro lado.

Ao pegar os dedos inertes de Michael, Summer os acariciou com cuidado, como fizera tantas milhares de vezes antes. Não podia voltar para a antiga vida nos Estados Unidos. Mas também não podia continuar daquele jeito.

*Estou me escondendo. Me escondendo da vida, do futuro. E estou usando Michael como desculpa. Estou sendo covarde.*

E então ela sentiu. Uma contração minúscula, tão pequena que, a princípio, achou que estivesse imaginando.

— Michael?

Alguns segundos de nada. Então, ali estava de novo, mais forte da segunda vez. Um dedo, um único dedo, movendo-se contra a palma da mão dela.

— Enfermeira! — Os gritos de Summer podiam ser ouvidos até o fim do corredor. — Enfermeira!

Amanhã era, mais uma vez, outro dia.

Este livro foi composto na tipografia
Minion Pro, em corpo 11/15, e impresso em
papel off-set no Sistema Digital Instant Duplex
da Divisão Gráfica da Distribuidora Record.